明詹林所本《素問》
明詹林所本《靈樞》
（下）

主　編◎錢超塵
副主編◎王育林　劉　陽

北京科学技术出版社

《黄帝内經》版本通鑒·第二輯

明詹林所本《素問》（下）

解題　劉陽

※

※

註釋文黃帝內經素問卷之十一

啓玄子王冰次註　鰲峰勿聽子熊宗立點校重刊

六元正紀大論篇第七十一

黃帝問曰六化六變勝復淫治甘苦辛鹹酸淡先後余知之矣夫五運之化或從五氣新校正云詳五氣疑作天氣則與下文相協或逆天氣或從天氣而逆地氣或從地氣而逆天氣或相得或不相得余未能明其事欲通天之紀從地之理和其運調其化使上下合德無相奪倫天地升降不失其宜五運宣行勿乖其政調之正味逆從柰何氣同謂之從氣異謂之逆勝為不相得相生謂相得同天地之氣更淫勝復各有主治法則欲令平調氣性不逆於天地之氣以致清淨和平也岐伯稽首再拜對曰昭乎哉問也此天地之綱紀變化之淵源非聖帝孰能窮其至理歟臣雖不敏請陳其道令終不滅久而不易氣主循環同於天性太過不及氣序常然不言永定之制則久而更易去聖遼遠何以明之帝曰願夫子推

而次之從其類序分其部主別其宗司昭其氣數明其正化可得聞乎部主謂分六氣所部主者也宗司謂配五氣運行之位也氣數謂天地五運氣更用之正數也正化謂歲直氣味所宜酸苦甘辛鹹寒温冷熱也歧伯曰先立其年以明其氣金木水火土運行之數寒暑燥濕風火臨御之化則天道可見民氣可調陰陽卷舒近而無惑數之可數者請遂言之遂盡也帝曰太陽之政奈何歧伯曰辰戌之紀也

太陽　太角　太陰　壬辰　壬戌　其運風其化鳴紊啓拆新校正云按五常政大論云其德鳴紊啓拆其變振拉摧拔新校正云詳此壯化其變從大角等運甚其病眩掉目瞑新校正云詳此病證以運加司天地為言

太角初正　少徵　太宮　少商　太羽終

太陽　太徵　太陰　戊辰　戊戌同正徵新校正云按五常大論云赫曦之紀上羽與正徵司其運熱其化暄暑鬱燠新校正云按五常政大論云作蒸其變炎烈沸騰

其病[illegible]

太徵　少宮　大商　少羽終　少角初

太陽　大宮　大陰　甲辰歲會同天　甲戌歲會同天符新校正云按天元紀大論云承歲為歲直又六微旨大論云木運臨卯火運臨午土運臨四季金運臨酉水運臨子所謂歲會氣之平也王水云歲直亦曰歲會以甲為大宮辰戌為四季故曰歲會又云同天符按本論下文云大過而加同天符是以歲一為歲會又為同天符也　其運陰埃新校正云詳大宮三運兩曰陰雨獨此曰陰埃疑作雨　其化柔潤重澤新校正云按五常政大論澤作淖　其變震驚飄驟　其病濕下重

大宮　少商　大羽終　大角初　少徵

大陽　大商　大陰　庚辰　庚戌　其運涼　其化霧露蕭飋　其變肅殺凋零　其病燥背瞀胸滿

大商　少羽終　少角初　大徵　少宮

大陽　大羽新校正云按五常政大論云上羽而長氣不化　太陰　丙辰天符　丙戌天

符新校正云按天元紀論云應天為天符又六旨大論云土運之歲上見太陰火運之歲上見少陽少陰金運之歲上見陽明木運之歲上見厥陰水運之歲上見大陽曰天與之會故曰天符又本論下文云五運行同天化者命曰天符又云臨者太過不及皆曰天符其運寒新校正云詳大羽三運共為上羽少陽少陰司天為大徵而少陽司天運言寒肅共與少陰司天運言其運寒若疑共大陽司天運合大羽當言其運寒肅少陽少陰司天運當云其運寒其化凝慘凜冽新校正云按五常政大論作凝慘寒務其變冰雪霜雹　其病大寒留於谿谷

大羽終　大角　少徵　大宮　少商

凡此大陽司天之政氣化運行先天六步之氣生長化成收藏皆先天時而應致也餘歲先天司之也天氣肅地氣靜寒臨太虛陽氣不令水土合德上應辰星鎮星明而大也其穀玄黅天也正氣之所生長化成也黅先也其政肅其令徐寒政大舉澤無陽燄則火發待時寒甚則火鬱待四氣乃發暴為炎熱也少陽中治時雨乃涯止極雨散還於大陰雲朝北極濕化迺布北極雨府也澤流萬物寒敷千上雷動于下寒濕之氣持於氣交歲氣之大体也民病寒濕發肌肉萎足

痿不收濡瀉血溢（新校正云詳血溢者火發待時所為之病也）初之氣地氣遷氣乃大溫（畏火致大）草乃早榮民無厲溫病乃作身熱頭痛嘔吐肌腠瘡瘍（[illegible]也居氣臨腠中瘍在皮內也）二之氣大涼反至民乃慘草乃遇寒火氣遂抑民病氣鬱中滿寒乃始（自涼而又之於寒氣故寒氣始來近人也）三之氣天政布寒氣行雨乃降氣病寒反熱中癰疽注下心熱瞀悶不治者死（當寒反熱是反天常熱起於心則神之危亟不急扶救神必消亡故治者則生不治則死）四之氣風濕交爭風化為雨乃長乃化乃成民病大熱少氣肌肉萎足痿注下赤白五之氣陽復化草乃長乃化乃成民乃舒（大火臨御故萬物舒榮）終之氣地氣正濕令行陰凝大虛埃昏郊野民乃慘悽寒風以至反者孕乃死故歲宜苦以燥之溫之（新校正云詳故歲宜苦以燥之溫之九字當在避虛邪以安其上下錯簡在此）必折其鬱氣先資其化原（化原謂九月迎而取之以補心火〇新校正云詳水將勝也先於九月迎取其化原先瀉腎之源也蓋以水王十月故先於九月迎而取之瀉水所以補火也）抑其運氣扶其不勝（六[illegible]歲[illegible]不勝[illegible]歲[illegible]所不[illegible]）

歲腎不勝大商歲肝不勝大羽歲心不勝歲之宜也無使暴過而
如此然大陽司天五歲之氣通宜先助心後扶腎氣
生其疾食歲穀以全其真避虛邪以安其正木過則脾病生火過則肺病生土過則腎
病生金過則肝病生水過則心病生天地之氣過亦然
也歲穀謂黃色黑色穀也虛邪謂從衝後來之風也適氣同異
多少制之同寒濕者燥熱化異寒濕者燥濕化大宮大商太羽歲同寒濕宜治以燥
熱化大角大徵歲異寒溫宜治以燥濕化用寒遠寒用涼遠涼用溫遠溫用熱遠熱食
宜同法有假者反常及是者病所謂時也時謂春夏秋冬及間氣所在同則之即離其
特若六氣臨御假寒熱溫涼以除疾病者則勿之如大陽司天寒為病者假熱以療則熱用不遠夏餘氣例同故曰有假反常也
食同桑法亦若熱假反法則為病之始非方制養生之道○新校正云安用寒遠寒及有假反常等事下文備矣帝曰善
陽明之政奈何岐伯曰卯酉之紀也
陽明　少角　少陰　清熱勝復同同正商清勝少角熱復清氣故同清化勝復同也
餘少運皆同也同正商者上見陽明上商與正商同言歲木不及也餘準此○新校正云按五常政大論云委和之紀上商與
正商同
丁卯歲會　丁酉　其運風清熱不及之運常熱復言之風運氣也清

[illegible]氣也抗氣也餘少運悉同

少角初正　大徵　少宮　大商　少羽終

陽明　少徵　少陰　寒雨勝復同同正商新校正云按伏明之紀上商與正商同

癸卯同歲會　癸酉同歲會○新校正云按本論下文云不及而加同歲會與運少為不及下加少陰故云同歲會

其運熱寒雨

少徵　大宮　少商　大羽終　大角初

陽明　少宮　少陰　風涼勝復同　己卯　己酉　其運雨風涼

少宮　大商　少羽終　少角初　大徵

陽明　少商　少陰　熱寒勝復同同正商新校正云按五常政大論云從革之紀上商與正商同

乙卯天符　乙酉歲會太乙天符新校正云按天元紀大論云三合為治六微旨大論云天符歲會曰太乙天符王冰云是謂三合[illegible]天會曰三者歲會三者運會或云此歲三合曰太乙天符不[illegible]

曰歲會者甚不然也乙酉本為歲會又為太乙天符歲會之名不可去也或云己丑己未戊午何以不連言歲會而單言太乙天符曰舉一隅不以三隅反舉一則三者可知去之則是太一天符不為歲會也故曰不可去也其運涼熱寒

少商　大羽終　大角初　少徵　大宮

陽明　少羽　少陰　雨風勝復同　辛卯少宮同新校正云按五常政大論云五運不及除同正角正商正宮外癸丑癸未當云少徵與少羽同己卯己酉少宮與少角同乙丑乙未少商與少徵同辛卯辛酉辛巳辛亥少羽與少宮同合有午年今此論獨於此言少宮同者蓋以癸丑癸未丑未至安不更同少羽己卯己酉為金故不更同少角辛巳亥為木故不更同少宮乙丑乙未下見太陽為至故不更同少徵又除與八年外只有辛卯辛酉一年為少羽同少宮也

辛酉　辛卯其運寒雨風

少羽終　少角初　大徵　大宮　大商

凡此陽明司天之政氣化運行後天六步之氣生長化成庶務動靜皆後天時而應餘少歲同天氣急地氣明陽專其令炎暑大行物燥以堅淳風迺治風燥橫運流於氣交多陽少陰雲趨雨府濕化迺敷雨府大陰之所在也燥極而澤

寒氣收後則化為雨淫足為三氣之分也其穀白丹天地正氣所化生也間穀命大者命大者謂前文大角商等氣之化者間氣化生故云間穀也○新校正云按玄珠云歲穀與間穀者何即在泉為歲穀及在泉之左右間者皆為歲穀其司天及運間而化者名間穀又別有一名間谷者是地化不及即反所勝而生者故名間谷即邪氣之化又名並化之谷也亦名間谷與王注頗異其耗白甲品羽白色中蟲多品羽有羽翼者耗散菜盛蟲鳥甲兵歲為災以耗竭物類金火合德上應大白熒惑見大而明其政切其令暴蟄蟲廼見流水不冰民病欬嗌塞寒熱發暴振慄癃閟清先而勁毛蟲廼死熱後而暴介蟲廼殃其發躁勝復之作擾而大亂金先勝木已承害故毛蟲死火後勝金不勝故介蟲復殃勝而行殺殺者已亡復者後來強者又死非大亂氣其亡謂也清熱之氣持於氣交初之氣地氣遷陰始凝氣始肅水廼冰寒雨化其病中熱脹面目浮腫善眠鼽衄嚏欠嘔小便黃赤甚則淋大陰之化○新校正云詳淋氣寒水冰凝非大陰之化二之氣陽廼布民廼舒物廼生榮厲大至民善暴死臣位君故厲三之氣天政布涼廼行燥熱交合燥極而澤民病寒熱寒熱瘧也四之氣寒雨降病暴

作，振慄譫妄，少氣嗌乾引飲，及為心痛，癰腫瘡瘍，瘧寒之疾，骨痿血便（[illegible]）。五之氣，春令反行，草迺生榮，民氣和。終之氣，陽氣布，候反溫，蟄蟲來見，流水不冰，民乃康平，其病溫（君之化也）。故食歲穀以安其氣，食間穀以去其邪，歲宜以鹹以苦以辛，汗之清之散之，安其運氣，無使受邪，折其鬱氣，資其化源（化源謂六月迎而取之也。○新校正云：按金王七月，故迎於六月以寫金氣）。以寒熱輕重少多其制，同熱者多天化，同清者多地化（少角、少徵歲同熱，用方多以天清之化治之；少宮、少商、少羽歲同清，用方多以地熱之化治之。火在地，故同清者多地化；金在天，故同熱者多天化）。用涼遠涼，用熱遠熱，用寒遠寒，用溫遠溫，食宜同法。有假者反之，此其道也。反是者，亂天地之經，擾陰陽之紀也。帝曰：善。少陽之政奈何？岐伯曰：寅申之紀也。

少陽　太角（新校正云：按《五常政大論》云：上徵則其氣逆）　厥陰　壬寅（同天符）　壬申（同天符）

其運風鼓（新校正云：詳風大作舞，故其運風鼓。少陰司天大角運亦同）。其化鳴紊啟拆（新校正云

其化鳴紊啓拆 其變振拉摧拔 其病掉眩支脇驚駭

太角初正 少徵 太宮 少商 太羽初

少陽 太徵新校正云按五常政大論云上徵而收氣後 厥陰 戊寅天符 戊申天符 其運暑 其化暄囂鬱燠新校正云按五常政大論云作暄暑鬱燠此變暑為囂者以上臨少陽故也 其變炎烈沸騰 其病上熱鬱血溢血泄心痛

太徵 少宮 太商 少羽終 少角初

少陽 太宮 厥陰 甲寅 甲申 其運陰雨 其化柔潤重澤 其變震驚飄驟 其病體重胕腫痞飲

太宮 少商 太羽終 太角初 少徵

少陽 太商 厥陰 庚寅 庚申 同正商新校正云按五常政大論云堅成之紀上徵與正商同 其運涼 其化霧露清切新校正云按五常政大論云霧露蕭瑟又大論三運而言霧露蕭瑟此言清切詳其下如勝陰當此蕭瑟 其變肅殺凋零 其病肩背胸中

太商 少羽終 少角初 太徵 少宮

少陽 太羽 厥陰 丙寅 丙申 其運寒肅新校正云詳此運不當言寒肅以生太陽司天太羽運中其化凝慘凓冽新校正云按五常政大論云作凝慘寒雰其變冰雪霜雹其病寒浮腫

太羽終 太角初 少徵 太宮 少商

凡此少陽司天之政氣化運行先天天氣正新校正云詳少陽司天太陰司地正得天地之正又按玄珠少陽司地各云得其正者以少陽上生尅為言此太或作天氣正者少陽之之明此按云此家不通地氣擾風乃暴舉木偃沙飛炎火乃流陰行陽化雨迺時應火木同德上應熒惑歲星見明而大○新校正云詳六氣惟少陽厥陰司天司地為上下通和無相勝剋故言火木同德餘氣皆有勝剋故言合德其穀丹蒼其政嚴其令擾故風熱參布雲物沸騰太陰橫流寒迺時至涼雨並起民病寒中外發瘡瘍內為泄滿故聖人遇之和而不爭往復之作民病寒熱瘧泄聾瞑嘔吐上怫腫色變初

之氣地氣遷風勝乃搖寒乃去候乃大溫草木早榮寒來不殺溫
病乃起其病氣怫於上血溢目赤欬逆頭痛血明詳血明字當作崩脇滿
膚腠中瘡少陰之化二之氣火反鬱太陰分故尔白埃四起雲趨雨府風下
勝濕雨乃零民乃康其病熱鬱於上欬逆嘔吐瘡發於中胸嗌不
利頭痛身熱昏憒膿瘡三之氣天政布炎暑至少陽臨上雨乃
涯民病熱中聾瞑血溢膿瘡欬嘔鼽衄渴嚏欠喉痹目赤善暴死
四之氣涼乃至炎暑間化白露降民氣和平其病滿身重五之氣
陽乃去寒乃來雨乃降氣門乃閉新校正云按王注生氣通天論氣門玄府也所以發泄經脈營
衛之氣故謂之氣門剛木早凋民避寒邪君子周密終之氣地氣正風乃至
萬物反生霿霧以行其病關閉不禁心痛陽氣不藏而欬抑其運
氣贊所不勝必折其鬱氣先取化源化源年之前十二月迎而取之〇新校正云詳王注資取
化源俱注云取其意有四等太陽司天取九月陽明司天取六月是二者先取在天之氣也少陽同天取年前十二月太陰同天取

九月是二皆所先時致在地之氣也少陰司天取年前十二月厥陰司天取四月義不可解假玄珠之說則不然大陽亡明之月顛王注合少陽少陰俱取三月大陰云取五月厥陰取年前十二月玄珠之義可解王注之月疑有誤也暴過不生苛疾不起苛重也○新校正云詳此不言公歲氣間發者蓋此歲天地氣正上下通和故不言也故歲宜鹹宜辛宜酸滲之泄之漬之發之觀氣寒溫以調其過同風熱者多寒化異風熱者少寒化大角大徵歲同風熱以寒化多之大大商大羽歲異風熱以涼調其過也用熱遠熱用溫遠溫用寒遠寒用涼遠涼食宜同法此其道也有假者反之反是者病之階也帝曰善太陰之政奈何岐伯曰丑未之紀也

太陰　少角　太陽　清熱勝復同　同正宮新校正云按五常政大論云委和之

歲上宮與正宮同丁丑　丁未　其運風清熱

少角初正　太徵　少宮　太商　少羽終

太陰　少徵　太陽　寒雨勝復同　癸丑　癸未　其運熱寒

雨

少徵　太宮　少商　太羽終　太角

太陰　少宮　太陽　風清勝復同　同正宮新校正云按五常政大論云卑監之紀上宮與正宮同　己丑太一天符　己未太一天符　其運雨風清

少宮　太商　少羽終　少角初　太徵

太陰　少商　太陽　熱寒勝復同　乙丑　乙未　其運涼熱寒

少商　太羽終　太角初　少徵　太宮

太陰　少羽　太陽　雨風勝復同　同正宮新校正云按五常政大論云涸流之紀上宮與正宮同或以此二歲為同歲會為平水運欲去同正宮三字者非也蓋此歲有二義而輒去其一甚不可也　辛丑同歲會　辛未同歲會　其運寒雨風

少羽終　少角初　太徵　少宮　太商

凡此太陰司天之政，氣化運行後天，謂物生長化成皆後天時而生成也陰專其政陽氣退辟大風時起新校正云詳此太陰之政何以言大風時起蓋以陰為初氣在木並春氣正風道求故言大風時起天氣下降地氣上騰原野昏霿白埃四起雲奔南極寒雨數至物成於差夏南極雨府也差夏謂立秋之後一十日也民病寒濕腹滿身䐜憤胕腫痞逆寒厥拘急濕寒合德黃黑埃昏流行氣交上應鎮星辰星見大而明其政肅其令寂其穀黅玄正氣所化也故陰凝於上寒積於下寒水勝火則為冰雹陽光不治殺氣乃行若當其時民目光謂殺氣自北而行於東及南也故有餘宜高不及宜下有餘宜晚不及宜早土之利氣之化也民氣亦從之間穀命其太也以間氣之大者言其穀也初之氣地氣遷寒乃去春氣至風乃來生布萬物以榮民氣條舒風濕相薄雨乃後民病血溢筋絡拘強關節不利身重筋痿二之氣大火正物承化民乃和其病溫厲大行遠近咸若濕蒸相薄雨乃時降天將不復時降謂之時雨○新校正云詳此以少陰居君火之位故言大火正三之氣天政布濕氣降地氣騰雨乃時降寒

迺隨之感於寒濕則民病身重胕腫胸腹滿四之氣畏火臨溽蒸化地氣騰天氣否隔寒風曉暮蒸熱相薄草木凝煙濕化不流則白露陰布以成秋令〔萬物得之以成〕民病腠理熱血暴溢瘧心腹滿熱臚脹甚則胕腫五之氣慘令已行寒露下霜迺早降草木黃落寒氣及體君子周密民病皮腠終之氣寒大舉濕大化霜迺積陰乃凝水堅冰陽光不治感於寒則病人關節禁固腰脽痛寒濕持於氣交而為疾也必折其鬱氣而取化源〔九月化源迎而取之以補益也〕益其歲氣無使邪勝食歲穀以全其真食間穀以保其精故歲宜以苦燥之溫之甚者發之泄之不發不泄則濕氣外溢肉潰皮拆而水血交流必贊其陽火令禦甚寒〔冬之分其用五步量氣用之也〕從氣異同少多其判也〔通言歲運之同異也〕同寒者以熱化同濕者以燥化〔少宮少商少羽歲同寒少宮歲又同溫溫過故宜燥寒過故宜熱少角少徵歲平和處之也〕異者少之同者多之用涼遠涼用寒遠寒用

漫遠温用熱遠熱食宜同法假者反之此其道也反是者病也帝曰善少陰之政奈何岐伯曰子午之紀也

少陰　太角新校正云按五常政大論云上徵則其氣逆　陽明　壬子　壬午　其運風鼓　其化鳴紊啓折新校正云按五常政大論云其德鳴靡啓折　其變振拉摧拔　其病支滿

太角初正　少徵　太宮　少商　太羽終

少陰　太徵新校正云按五常政大論云上徵而收氣後　陽明　戊子天符　戊午太一天符　其運炎暑新校正云詳大徵運大陽司天曰熱少陽司天曰暑少陰司天曰炎暑兼司天之氣而言運也　其化暄曜鬱燠新校正云按五常政大論云作暄暑鬱燠此變暑爲熱者以上臨少陰故也　其變炎烈沸騰　其病上熱血溢

太徵　少宮　太商　少羽終　少角初

少陰　太宮　陽明　甲子　甲午　其運陰雨　其化柔潤時

雨新校正云按五常政大論云柔潤重淖又大宮三運所作柔潤重澤此時雨二字疑誤 其變震驚飄驟

其病中滿身重

太宮 少商 太羽終 太角初 少徵

少陰 太商 陽明 庚子同天符 庚午同天符 同正商 新校正云按五常政大論云堅成之紀上徵與正商同 其運涼勁 新校正云詳此以金今在泉故云涼勁 其化霧露蕭飋

其變肅殺凋零 其病下清

太商 少羽終 少角初 太徵 少宮

少陰 太羽 陽明 丙子歲會 丙午 其運寒 其化凝慘

慄冽 新校正云按五常政大論作凝慘寒雰 其變冰雪霜雹 其病寒下

太羽終 太角初 少徵 太宮 少商

凡此少陰司天之政，氣化運行先天，地氣肅，天氣明，寒交暑，熱

加燥。新校正云詳此云寒交暑者，謂前歲終之氣少陽，今歲初之氣太陽，太陽寒交前歲少陽之暑也。熱加燥者，少陰在上而

陽明在下也雲馳雨府濕化乃行時雨乃降金火合德上應熒惑太白
見而明大其政明其令切其穀丹白水火寒熱持於氣交而為病始也
熱病生於上清病生於下寒熱凌犯而爭於中民病欬喘血溢血
泄鼽嚏目赤眥瘍寒厥入胃心痛腰痛腹大嗌乾腫上初之氣地
氣遷燥將去新校正云詳陽明在泉之歲為少陽少陽者暑暑往而陽明在地太陽初之氣故上文寒交暑是暑去
而寒始也此燥字乃是暑字之誤也寒乃始蟄復藏水乃冰霜復降風乃至新校正云按王
注六微旨大論大陽居木位為寒風切冽此風乃至當作風乃冽陽氣鬱民反周密關節禁固腰
脽痛炎暑將起中外瘡瘍二之氣陽氣布風乃行春氣以正萬物
應榮寒氣時至民乃和其病淋目瞑目赤氣鬱於上而熱三之氣
天政布大火行庶類蕃鮮寒氣時至民病氣厥心痛寒熱更作欬
喘目赤四之氣溽暑至大雨時行寒熱互至民病寒熱嗌乾黃癉
鼽衄飲發五之氣畏火臨暑反至陽乃化萬物乃生乃長榮民乃

康其病溫終之氣燥令行餘火內格腫於上欬喘甚則血溢寒氣數舉則霧霧翳病生皮腠內舍於脇下連少腹而作寒中地將易也（氣終則遷何可長也）必抑其運氣資其歲勝折其鬱發先取化源（先於年前十二月迎而取之）無使暴過而生其病也食歲穀以全真氣食間穀以辟虛邪歲宜鹹以耎之而調其上甚則以苦發之以酸收之而安其下甚則以苦泄之適氣同異而多少之同天氣者以寒清化同地氣者以溫熱化（大角大徵歲同天氣宜以寒清治之大宮大商大羽歲同地氣宜以溫熱治之化治也）用熱遠熱用涼遠涼用溫遠溫用寒遠寒食宜同法有假則反此其道也反是者病作矣帝曰善厥陰之政奈何岐伯曰巳亥之紀也

厥陰　少角　少陽　清熱勝復同　同正角（新校正云按五常政大論云委和之紀上角與正角同）　丁巳天符　丁亥天符　其運風清熱

少角（初正）　太徵　少宮　太商　少羽（終）

厥陰　少徵　少陽　寒雨勝復同　癸巳同歲會　癸亥同歲會　其運
熱寒雨
少徵　太宮　少商　大羽終　大角
厥陰　少宮　少陽　風清勝復同　同正角新校正云按五常政大論云卑監之
紀上角與正角同　己巳　己亥　其運雨風清
少宮　太商　少羽終　少角初　太徵
厥陰　少商　少陽　熱寒勝復同　同正角新校正云按五常政大論云從革之
紀上角與正角同　乙巳　乙亥　其運涼熱寒
少商　大羽終　大角初　少徵　太宮
厥陰　少羽　少陽　雨風勝復同　辛巳　辛亥　其運寒雨
風
少羽終　少角初　大徵　少宮　太商

凡此厥陰司天之政，氣化運行後天，諸同正歲，氣化運行同天。太過歲運化氣行先天時，不及歲化生成後天時，同正歲化生成與天二十四氣遲速同，無先後也。○新校正云：詳此注云同同歲非，恐是與大寒日交司氣候同。天氣擾，地氣正，風生高遠，炎熱從之，雲趨雨府，濕化乃行，風火同德，上應歲星熒惑。其政撓，其令速，其穀蒼丹，間穀言太者，其耗文角品羽。風燥火熱，勝復更作，蟄蟲來見，流水不冰，熱病行於下，風病行於上，風燥勝復形於中。初之氣，寒始肅，殺氣方至，民病寒於右之下。二之氣，寒不去，華雪水冰，殺氣施化，霜乃降，名草上焦，寒雨數至，陽復化，民病熱於中。三之氣，天政布，風乃時舉，民病泣出耳鳴掉眩。四之氣，溽暑濕熱相薄，爭於左之上，民病黃癉而為胕腫。五之氣，燥濕更勝，沉陰乃布，寒氣及體，風雨乃行。終之氣，畏火司令，陽乃大化，蟄蟲出見，流水不冰，地氣大發，草乃生，人乃舒，其病溫厲。必折其鬱氣，資其化源也。化源四月也，迎而取之贊其運氣無使邪勝歲宜以辛調上以鹹調下畏火之氣無妄犯之新校正云詳此運何以不言化源同異少多之制者蓋厥陰之政與少陽之政同六氣分政惟厥陰與少陽之政上下無剋罰之異治化惟一故不可言同風熱者多異化異風熱治少陰化也用溫遠溫用熱遠熱用涼遠涼用寒遠寒食宜同法有假反常此之道也反是者病帝曰善夫子言可謂悉矣然何以明其應乎岐伯曰昭乎哉問也夫六氣者行有次止有位故常以正月朔日平旦視之覩其位而知其所在矣陰之所在天應以陽之所在天應以清淨自然分布象見不差運有餘其至先運不及其至後先後者寅時之先後也先則丑後後則卯初此天之道氣之常也天道昭然當期必應見無差失是氣歲運非有餘非不足是謂正歲其至當其時也當時謂當寅之正也帝曰勝復之氣其常在也災眚時至候也奈何岐伯曰非氣化者是謂災也十二變備矣帝曰天地之數終始奈何岐伯曰悉乎哉問也是明道也數之始起於上而終於下歲半之前天氣主之歲半之後地氣

主之歲半謂立秋之日也○新校正云詳初氣交司在前歲大寒日歲半當在立秋前一氣之十五日不得云立秋之日也上下交互氣交主之歲紀畢矣交互互舛也上然可知乎所謂氣也大凡一氣主六十日而有奇以立位數之位同一氣則月之節氣中氣可知也故言天地氣者以上下體言勝復者以氣交言橫運者以上下互皆以節氣推之候之災眚變復可期矣帝曰余司其事則而行之不合其數何也岐伯曰氣用有多少化治有盛衰衰盛多少同其化也帝曰願聞同化何如岐伯曰風溫春化同熱曛昏火夏化同勝與復同燥清煙露秋化同雲雨昏暝埃長夏化同寒氣霜雪冰冬化同此天地五運六氣之化更用盛衰之常也帝曰五運行同天化者命曰天符余知之矣願聞同地化者何謂也岐伯曰太過而同天化者三不及而同天化者亦三太過而同地化者三不及而同地化者亦三此凡二十四歲也六十年中同天地之化者凡二十四歲餘悉隨己多少帝曰願聞其所謂也岐伯曰甲辰甲戌太宮下加太陰

寅壬申太角下加厥陰庚子庚午太商下加陽明如是者三癸巳癸亥少徵下加少陽辛丑辛未少羽下加太陽癸卯癸酉少徵下加少陰如是者三戊子戊午太徵上臨少陰戊寅戊申太徵上臨少陽丙辰丙戌太羽上臨太陽如是者三丁巳丁亥少角上臨厥陰乙卯乙酉少商上臨陽明己丑己未少宮上臨太陰如是者三除此二十四歲則不加不臨也帝曰加者何謂岐伯曰太過而加同天符不及而加同歲會也帝曰臨者何謂岐伯曰太過不及皆曰天符而變行有多少病形有微甚生死有早晏耳帝曰夫子言用寒遠寒用熱遠熱余未知其然也願聞何謂遠岐伯曰熱無犯熱寒無犯寒從者和逆者病不可不敬畏而遠之所謂時興六位也四時氣王之月藥及衣食寒熱溫涼同者皆宜避之若四時同犯則以水濟水以火助火病必生也帝曰溫涼何如溫涼減於寒熱可輕犯之乎岐伯曰司氣以熱用熱無犯司氣以寒用寒無

犯司氣以涼用涼無犯司氣以溫用溫無犯間氣同其主無犯異其主則小犯之是謂四畏必謹察之帝曰善其犯者何如（[illegible]）岐伯曰天氣反時則可依時（反其為病則可依時）及勝其主則可犯（夏寒甚則可以熱犯熱寒氣不甚則不可犯之）以平為期而不可過（氣平則止過則病生過而病生與犯同也）是謂邪氣反勝者（氣動有勝是謂邪客勝於主不可不御也六步之氣於六位中應寒反熱應熱反寒應溫反涼應涼反溫是謂六步之邪勝也若冬反溫若夏反冷若秋反熱若春反涼是謂四時之邪勝也勝則反其氣以平之）故曰無失天信無逆氣宜無翼其勝無贊其復是謂至治（天信謂至時必定此發皆佐之人謹守天信是謂至真妙理也）帝曰善五運氣行主歲之紀其有常數乎岐伯曰臣請次之

甲子　甲午歲

上少陰火　中太宮土運　下陽明金　熱化二（新校正云詳對化從標成數正化從本生數甲子之年熱化七燥化九甲午之年熱化二燥化四）雨化五（新校正云按本論正文云太過不及其數何始太過者其數成不及者其數生土常以生也甲年太宮土運太過故言雨化五五土數也）燥化四所

謂正化日也正氣化也其化上鹹寒中苦熱下酸熱所謂藥食宜也新校正云按玄珠云下苦熱又按至真要大論云熱淫所勝平以鹹寒燥淫于内治以苦溫此云下酸熱疑誤也

乙丑 乙未歲

上太陰土 中少商金運 下太陽水 熱化寒化勝復同 所謂邪氣化日也 災七宮新校正云詳七宮西室兑位天任司災之方以運之當方言 化五新校正云詳太陰正司於未對司於丑其化皆五以生數也不以成數者土王四季不得正方又天有九宮不可至十 清化四新校正云按本論下文云不及者其數生乙年少商金運不及故言清化四四金生數也 寒化六新校正云詳乙丑寒化六乙未寒化一 所謂正化日也 其化上苦熱中酸和下甘熱所謂藥食宜也新校正云按玄珠云上酸平下甘溫又按至真要大論云溼淫所勝平以苦熱寒淫于内治以甘熱

丙寅 丙申歲新校正云詳丙申之歲申金生水水化之令盛司天相火爲病減半

上少陽相火 中太羽水運 下厥陰木 火化二新校正云詳丙寅火

化二丙申火化七寒化六風化三新校正云詳丙寅風化八丙申風化三所謂正化日也其化上鹹寒中鹹溫下辛溫所謂藥食宜也新校正云按玄珠云下辛涼又按至真要大論云火淫所勝平以鹹冷風淫于內治以辛涼

丁卯歲會 丁酉歲新校正云詳丁年正月壬寅為干德符便為平氣勝復不至運同正角金不勝木亦不災土又丁卯年得卯木佐之即上見陽明不能災之

上陽明金 中少角木運 下少陰火 清化熱化勝復同所謂邪氣化日也 災三宮新校正云詳三宮東室震位天衝司 燥化九新校正云詳丁卯燥化九丁酉燥化四 風化三 熱化七新校正云詳丁卯熱化二丁酉熱化七所謂正化日也 其化上苦小溫中辛和下鹹寒所謂藥食宜也新校正云按至真要大論云燥淫所勝平以苦熱熱淫于內治以鹹寒又玄珠云上苦熱

戊辰 戊戌歲

上太陽水 中太徵火運新校正云詳此上見太陽火化減半 下太陰土 寒化

六新校正云詳戊辰寒化六戊戌寒化一　熱化七　濕化五　所謂正化日也

其化上苦溫中甘和下甘溫所謂藥食宜也新校正云按至真要大論云寒淫所勝平以辛熱濕淫于內治以苦熱又玄珠云上甘溫下酸平

己巳　己亥歲

上厥陰木　中少宮土運新校正云詳至九月甲戌月已得甲戌方得正宮　下少陽相火　風化清化勝復同　所謂邪氣化日也　災五宮新校正云按五常政大論云其眚四維注云下元土坤云中宮天禽司非禽宮同正宮所以一宮皆從風化三新校正云詳己巳風化八己亥風化三　濕化五　火化八新校正云詳己巳熱化七己亥熱化三　所謂正化日也　其化上辛涼中甘和下鹹寒所謂藥食宜也新校正云按至真要大論云風淫所勝平以辛涼火淫于內治以鹹冷

庚午同天符　庚子歲同天符

上少陰火　中太商金運新校正云詳庚午年金令減半以上見少陰君火行于亦減火故也庚子年

[illegible]金與[illegible]相得[illegible]庚子年又異　下陽明金　熱化七新校正云詳庚子年熱化二燥化四庚午年熱化七燥化九　清化九　燥化九　所謂正化日也　其化上鹹寒中辛溫下酸溫所謂藥食宜也新校正云按玄珠云下苦熱又按至真要大論云燥淫于內治以苦熱

辛未同歲會　辛丑歲同歲會

上太陰土　中少羽水運新校正云詳[illegible]同丙申[illegible]水運正羽　下太陽水　雨化風化勝復同　所謂邪氣化日也　災一宮新校正云詳一宮[illegible]　雨化五　寒化一新校正云詳此以運與在泉俱水故只言寒化一寒化一者少羽之化氣也若太陽之化則辛未寒化一辛丑其化六　所謂正化日也　其化上苦熱中苦和下苦熱所謂藥食宜也新校正云按玄珠云上酸和下甘溫又按至真要大論云濕淫所勝平以苦熱寒淫于內治以甘熱

壬申同天符　壬寅歲同天符

上少陽相火　中太角木運　下厥陰木　火化二新校正云詳壬申熱

化七壬寅熱化二 風化八 新校正云詳此以運與在泉俱木故只言風化八乃大角之運化也若厥陰在泉之化則壬申風化三壬寅風化八 所謂正化日也 其化上鹹寒中酸和下辛涼所謂藥食宜也

癸酉同歲會 癸卯歲同歲會

上陽明金 中少徵火運新校正云詳火五月遇戊午月火還正徵 下少陰火寒化雨化勝復同 所謂邪氣化日也 災九宮新校正云詳九宮離位南室天英司 燥化九新校正云詳癸酉燥化四癸卯燥化九 熱化二新校正云詳此以運與在泉俱少徵故只言熱化二熱化二者少徵之運化也若少陰在泉之化則癸酉熱化七癸卯熱化二 所謂正化日也 其化上苦小溫中鹹溫下鹹寒所謂藥食宜也新校正云按玄珠云上苦熱

甲戌歲會同天符 甲辰歲歲會同天符

上太陽水 中太宮土運 下太陰土 寒化六新校正云詳甲戌寒化一甲辰寒化六 濕化五新校正云詳此以運與在泉俱土故只言濕化五 所謂正化日也 其

化土苦熱中苦温下苦温所謂藥食宜也新校正云按玄珠云上苦温下酸平又按至真要大論云寒淫所勝平以辛熱濕淫于內治以苦熱

乙亥 乙巳歲

上厥陰木 中少商金運新校正云詳乙亥年二月得庚辰月見干乃符即氣還正商之未得王而先平火不勝則水不復又亥是水得年支火不勝也乙巳年火來小勝巳為火在於勝也卯於二月中氣得火相佐日六癸行勝不得水復遇三月庚辰月乙見庚而氣自全金還正商 下少陽相火 熱化寒化勝復同 所謂邪氣化日也 災七宮 風化八新校正云詳乙亥風化三乙巳風化八 清化四 火化二新校正云詳乙亥熱化二乙巳熱化七 正化度也所謂日也 其化上辛涼中酸和下鹹寒藥食宜也

丙子歲 丙午歲

上少陰火 中太羽水運 下陽明金 熱化二新校正云詳丙子歲熱化七金之災得其半以運水大過勝於天令天令減半丙午熱化二午為火少陰君火同天運雖水一水不勝二火故異於丙

子歲寒化六　清化四新校正云詳丙子燥化九丙午燥化四　正化度也　其化上鹹寒中鹹熱下酸溫藥食宜也新校正云按玄珠云下苦熱又按至真要大論云燥淫于內治以苦溫

丁丑　丁未歲

上太陰土新校正云詳此木運平氣上天令減半　中少角木運新校正云詳丁年正月壬寅為下符為正角　下太陽水　清化熱化勝復同　邪氣化度也　災三宮　雨化五　風化三　寒化一新校正云詳丁丑寒化八丁未寒化一　正化度也　其化上苦溫中辛溫下甘熱藥食宜也新校正云按玄珠云上酸平下甘溫又按至真要大論云濕淫所勝平以苦熱寒淫于內治以甘熱

戊寅天符　戊申歲天符○新校正云詳戊申年與戊寅年小異申為金佐於肺肺受火刑其氣自寒民病得半

上少陽火　中太徵火運　下厥陰木　火化二新校正云詳天符司天與運合故只言火化二火化二者太徵之運氣並若少陽司天之氣即戊寅火化二戊申火化七　風化三新校正云詳此

寅風化八戊申風化三正化度也　其化上鹹寒中甘和下辛涼藥食宜也

己卯新校正云詳己卯與運土相得子臨父位為逆己酉歲

上陽明金　中少宮土運新校正云[illegible]後九月中戊寅上[illegible]酉之年本勝

徵下少陰火　風化　清化　勝復同　邪氣化度也　災五

宮　清化九新校正云詳己卯燥化九己酉燥化四　雨化五　熱化七新校正云詳己卯熱化二己酉熱化七　正化度也　其化上苦小溫中甘和下鹹寒藥食宜

也

庚辰　庚戌歲

上太陽水　中太商金運　下太陰土　寒化一新校正云詳庚辰寒化六庚戌寒化一　清化九　雨化五　正化度也　其化上苦熱中辛溫下甘熱藥食宜也新校正云按玄珠云上甘溫下酸平又按至真要大論云寒淫所勝平以辛熱濕淫于內

治以苦熱

辛巳　辛亥歲

上厥陰木　中少羽水運新校正云詳辛巳年木復土鬱至七月丙申月水還正羽辛亥年爲水平氣以亥爲水相佐爲正羽與辛巳年小異　下少陽相火　雨化　風化勝復同　邪氣化度也　災一宮　風化三新校正云詳辛巳風化八辛亥風化三　寒化一　火化七新校正云詳辛巳熱化七辛亥熱化二　正化度也

壬午　壬子歲

上少陰火　中太角木運　下陽明金　熱化二新校正云詳壬午熱化二壬子熱化七　風化八　清化四新校正云詳壬午燥化四壬子燥化九　正化度也　其化上鹹寒中酸涼下酸溫藥食宜也新校正云按玄珠云下苦熱又按至真要大論云燥淫于內治以苦熱

癸未　癸丑歲

上太陰土　中少徵火運（新校正云：詳癸未、癸丑左右二火為間相佐，又五月戊午干德符，癸見戊而氣全，水未行勝，為正歲）　下太陽水　寒化　雨化勝復同　邪氣化度也　災九宮　雨化五　火化二　寒化一（新校正云：詳癸未寒化一，癸丑寒化七）　正化度也　其化上苦溫　中鹹溫　下甘熱　藥食宜也（新校正云：按玄珠云上酸和，下甘溫。又按至真要大論云濕淫所勝，平以苦熱；寒淫于內，治以甘熱）

甲申　甲寅歲

上少陽相火　中太宮土運（新校正云：詳甲寅之歲小異於甲申，以寅木可刑土氣之平）　下厥陰木　火化二（新校正云：詳甲申火化七，甲寅火化二）　雨化五　風化八（新校正云：詳甲申風化三，甲寅風化八）　正化度也　其化上鹹寒　中鹹和　下辛涼　藥食宜也

乙酉太一天符　乙卯歲天符

上陽明金　中少商金運（新校正云：按乙酉為正商，以酉金相佐，故得平氣。乙卯之年，二之氣君火

分中火行來勝水未行復其氣以平以三月庚辰乙得庚合金運正商其氣乃平下少陰火熱化寒化勝復同邪氣化度也災七宮燥化四新校正云詳乙酉燥化四乙卯燥化九清化四熱化二新校正云詳乙酉熱化七乙卯熱化二正化度也其化上苦小溫中苦和下鹹寒藥食宜也

丙戌天符　丙辰歲天符

上太陽水　中太羽水運　下太陰土　寒化六新校正云詳此以運與司天俱水運故只言寒化六寒化六者太羽之運化也若太陽司天之化則丙戌寒化一丙辰寒化六雨化五　正化度也　其化上苦熱中鹹溫下甘熱藥食宜也新校正云按玄珠云上甘溫下酸平又按至真要大論云寒淫所勝平以辛熱濕淫于內治以苦熱

丁亥天符　丁巳歲天符

上厥陰木　中少角木運新校正云詳丁年正月壬寅丁得壬合為干德符為正角平氣下少陽相火　清化　熱化勝復同　邪氣化度也　災三宮　風

化三新校正云詳此運與司天俱木故只言風化三與[illegible]化三[illegible]皆少角之運化也若厥陰司天之化則丁亥風化三[illegible]化以火化七新校上云詳丁亥熱化二丁巳熱化七正化度也　其化上辛涼中辛和下鹹寒藥食宜也

戊子天符　戊午歲天符

上少陰火　中太徵火運　下陽明金　熱化七新校正云詳此運與司天俱火故只言熱化七熱化七者太徵之運化也若少陰司天之化則戊子熱化七戊午熱化二　清化九新校正云詳戊子清化九戊午清化四正化度也　其化上鹹寒中甘寒下酸溫藥食宜也新校正云按玄珠云下苦熱又按至真要大論云燥淫于內治以苦溫

己丑太一天符　己未歲太一天符

上太陰土　中少宮土運新校正云詳是歲木得初氣而來勝脾乃病久土至危金乃來復至九月甲戌月己得甲合土還正宮　下太陽水　風化清化勝復同　邪氣化度也

災五宮　雨化五新校正云詳此運與司天俱土故只言雨化五　寒化一新校正云詳己丑寒

化六己未寒化一 正化度也 其化上苦熱中甘和下甘熱藥食宜也新校正云按玄珠云上苦平又按至真要大論云溫淫所勝平以苦熱

庚寅 庚申歲

上少陽相火 中太商金運新校正云詳庚寅庚申歲為正商得平氣以上見少陽相火下剋於金運不能大過庚申之歲申金佐之乃為太商 下厥陰木 火化七新校正云詳庚寅熱化二庚申熱化七 清化九 風化三新校正云詳庚寅風化八庚申風化三 正化度也 其化上鹹寒中辛溫下辛涼藥食宜也

辛卯 辛酉歲

上陽明金 中少羽水運新校正云詳此歲七月丙申水還正羽 下少陰火 雨化風化勝復同 邪氣化度也 災一宮 清化九新校正云詳辛卯涼化九辛酉燥化四 寒化一 熱化七新校正云詳辛卯熱化二辛酉熱化七 正化度也 其化上苦小溫中苦和下鹹寒藥食宜也

壬辰 壬戌歲

上大陽水 中大角木運 下大陰土 寒化六 新校正云詳壬辰寒化六壬戌寒化一 風化八 雨化五 正化度也 其化上苦溫中酸和下甘溫藥食宜也 新校正云按玄珠云上苦溫下酸平又按至真要大論云寒淫所勝平以辛熱濕淫于內治以苦熱

癸巳同歲會 癸亥同歲會

上厥陰木 中少徵火運 新校正云詳癸巳上下徵火氣平謂巳爲火亦名歲會一湖水未得化三謂五月戊午干癸得未合故得平氣癸亥之歲亥爲水水得年力使來所勝至五月戊午月畏正徵其平氣始平 下少陽相火 寒化 雨化勝復同 邪氣化度也 災九宮 風化八 新校正云詳癸巳風化八癸亥風化三 火化二 新校正云詳此運與在泉俱火故只言火化二火化二者少徵火運之化也若少陽在泉之化則癸巳熱化七癸亥熱化二 正化度也 其化上辛涼中鹹和下鹹寒藥食宜也

凡此定期之紀，勝復正化，皆有常數，不可不察。故知其要者，一言而終，不知其要，流散無窮，此之謂也。帝曰：善。五運之氣，亦復歲乎？復，報也。先有勝制，則後必復也。岐伯曰：鬱極乃發，待時而作也。待，謂五及差分位也。大溫發於辰巳，大熱發於未申，大涼發於戌亥，大寒發於丑寅，上件所勝臨之，亦待間氣而發，故曰待時也。○新校正云：詳注「及」字疑作差。帝曰：請問其所謂也？岐伯曰：五常之氣，太過不及，其發異也。歲太過，其發早；歲不及，其發晚。帝曰：願卒聞之。岐伯曰：太過者暴，不及者徐，暴者為病甚，徐者為病持。持，謂相執持也。帝曰：太過不及，其數何如？岐伯曰：太過者其數成，不及者其數生，土常以生也。數，謂五常化行之數也。水數一，火數二，木數三，金數四，土數五。成數，謂水數六，火數七，木數八，金數九，土數五。故曰土常以生也。數生者，各取其生數多少以占，故政令德化勝復之休作日及尺寸分毫，並以準之，此蓋都明諸用者也。帝曰：其發也何如？岐伯曰：土鬱之發，巖谷震驚，雷殷氣交，埃昏黃黑，化為白氣，飄驟高深，鬱，謂鬱抑天氣之甚也。故雖天氣亦有涯也，分終則衰，故雖鬱者怒發也。土化不行，炎亢無雨，木盛過極，故鬱怒發焉。土性靜定，至動也，雷雨大作，而木土相持之氣乃休解也易曰雷雨作解此之謂也土雖■怒亦尚制之故但震驚於山谷太虛之中而聲尚不能高遠也故曰雷殷氣交交謂土之上山之高也詩云殷其雷也所謂雷雨生於山中者土既鬱抑天木雲之平川土薄氣常乾燥故不能先發也山原土厚濕化豐深土原氣深故先怒發也擊石飛空洪水迺從川流漫衍田牧土駒疾氣擁頭而驟落山崩大水洪流石飛井泉高山陷谷擊石先飛而洪水隨至也洪大也巨川衍溢流漫平陸漂蕩瀛沒於粢盛大水去已石土危然若群駒散牧於田野凡言土者少可知也化氣迺敷善為時雨始生始長始化始成化土化也土被對化氣敷布否則長承氣則御霈拂之時化氣因之乃彰布於疲頓以時而雨滋澤草木而成也言謂靄府也化氣■■少長氣已潤取萬物始生始長始化始成言是以始若明萬物化成之晚也故民病心腹脹腸鳴而為數後甚則心痛脅䐜嘔吐霍亂飲發注下胕腫身重所執之土雲奔雨府霞擁朝陽山澤埃昏其乃發也以其四氣雨府太陰之所在也埃白氣以雲而薄也埃固有微甚微者如埃發之勝甚者如薄雲霧也甚者發近微者於遠四氣謂夏至後三十一日起盡至秋分日也雲橫天山浮游生滅怫之先兆天際雲橫山猶冠帶山石谷巖薄作滅作生有上之見拂光已彩皆平明占之浮游以午前候望也金鬱之發天潔地明氣清氣切大涼迺舉草樹浮煙燥氣以行

霜霧數起殺氣來至草木蒼乾金迺有聲大涼次寒也舉用事也浮烟燥氣也殺氣霜霧
正殺氣者以丑時至長者亦卯時辰時也其氣之來色黃赤黑雜而至也不勝殺故草木蒼乾落薄青色也故民病欬
逆心脅滿引少腹善暴痛不可反側嗌乾面塵色惡金勝而木病也山澤
焦枯土凝霜鹵怫迺發也其氣五夏火炎亢時雨既愆故山澤焦枯土上凝白鹵狀如霜也五
氣謂秋分後至立冬後後五十四日內也夜零白露林莽聲悽怫之兆也夜怫白露曉悲風暝有是
乃為金發也水鬱之發陽氣迺辟陰氣暴舉大寒迺至川澤嚴凝寒雰
結為霜雪寒雰白氣也其狀如霧而不流行墜地如霜雪得日晞也甚則黃黑昏翳流行氣交
迺為霜殺水迺見祥水祥黃黑小濁黑氣水氣也祥大祥亦謂水出平也故民病寒客心痛腰
脽痛大關節不利屈伸不便善厥逆痞堅腹滿陰勝陽故陽光不治空
積沉陰白埃昏暝而迺發也其氣二火前後陰精與水皆上承火故其發也在君相二
火之前後亦猶辰星迎隨日也太虛深玄氣猶麻散微見而隱色黑微黃怫之先
兆也深玄言高遠而黯黑也氣似麻散則薄微可見之此寅後卯時候之夏月兼於前之時亦可候也木鬱之發大

虛埃昏雲物以擾大風迺至屋發折木木有變大屋發謂大屋摧拔落拉中拉也變謂土生異木奇狀也故民病胃脘當心而痛上支兩脇鬲咽不通食飲不下甚則耳鳴眩轉目不識人善暴僵仆筋骨強直而不用卒倒而無所知也太虛蒼埃天山一色或為濁色黃黑鬱若橫雲不起雨而迺發也其氣無常氣如塵如雲或黃黑鬱然猶在大虛之間而特異於常乃其候也長川草偃柔葉呈陰松吟高山虎嘯巖岫怫之先兆也草偃謂無風而自低柔葉謂白楊葉也無風而葉皆背見是謂呈陰如是者皆通微甚已若發速微首發徐也山行之候則以松虎明之木行亦以麻黃為候秋冬則以梧桐蟬葉候之

之發大曛翳大明不彰曛翳謂赤氣也大明日也○新校正云詳經注中曛字疑誤以也大暑至山澤燔燎材木流津廣廈騰煙土浮霜鹵止水迺減蔓草焦黃風行惑言濕化迺後大陰大陽在上寒溫流於大虛大熱彰而寒氣彰潮寒濕已行陽氣火光故山澤燔燎井水減少妄作訛言雨已愆期也濕化迺後謂陽亢主時氣不爭長故先旱而後雨也○故民少氣瘡瘍癰腫脇腹胸背面首四支䐜憤臚脹瘍疿嘔逆瘛瘲骨

痛節廼有動注下溫瘧腹中暴痛血溢流注精液廼少目赤心熱甚則瞀悶懊憹善暴死火鬱而怒為土水相持客主皆然悉无深化則无咎也但熱已勝寒則為摧敗而熱從心起是神氣孤危不速救之天真將竭故死火之用速故善暴死懊憹音農刻中大溫汗濡玄府其廼發也其氣四刻終謂晝夜水刻終盡之時也大溫次熱也玄府謂汗空也汗濡玄府謂早行而身蒸熱汗泄刻盡之時陰盛於此反无涼氣是陰不勝陽熱既已萌故當怫發也〇新校正云詳土火俱發四氣者何為火有一位熱木發之所又大熱發於申未故火鬱之發在四氣也動復則靜陽極反陰濕令廼化廼成火怒燔金湯極過亢畏火求一上中土故熱金發[illegible]和平故萬物由是廼生長化成此則反衰水何長也華發水凝山川冰雪焰陽午澤怫之先兆也謂君火王時有寒至也故歲君火發亦待時也有怫之應而後報也皆觀其極而廼發也木發無時水隨火也應為先兆發必後至故先應而後發也物不可以終壯觀其壯極則怫氣作焉有鬱則發氣之常也謹候其時病可與期失時反歲五氣不行生化收藏政無恒也人失其時則候死期準也帝曰水發而雹雪土發而飄驟木發而毀折金發而清明火發而曛昧何氣使然歧

帝曰氣有多少發有微甚微者當其氣甚者兼其下徵其下氣而見可知也六氣之下各有承氣也則如火位之下水氣承之水位之下土氣承之土位之下木氣承之木位之下金氣承之金位之下火氣承之君位之下陰精承之各徵其下則象可見矣故發兼其下則與本氣殊異帝曰善五氣之發不當位者何也言不當其正月也岐伯曰命其差謂差四時之正月位也○新校正云按至真要大論云勝復之作動不當位或後時而至其故一也岐伯曰夫氣之生化與其衰盛異也寒暑溫涼盛衰之用其在四維故陽之動始於溫盛於暑陰之動始於清盛於寒春夏秋冬各差其分故大要曰彼春之暖為夏之暑彼秋之忿為冬之怒謹按四維斥候皆歸其終可見其始可知彼論勝復之不當位此論五氣之發不當位所論勝復五發之事則異而命其差之義則同帝曰差有數乎言日數也岐伯曰後皆三十度而有奇也後謂四時之後也差三十日餘八十七刻半氣猶未去而甚盛也度日也四時之後今當冬○新校正云詳註云八十七刻半當作四十三刻又四十分刻之三十帝曰氣至而先後者何謂未應至而至太早應至而至不及六運之數也正謂氣至在期先後岐伯曰運太過則其至先運不及則其至後此候之常也帝曰當時而至者何也岐伯曰非太過非不及則至當時非是者眚也當時謂應日刻之期也非

應先後至而有先後至者皆為從皆從也帝曰善氣有非時而化者何也岐伯曰太過者當其時不及者歸其己勝也冬雨春涼秋熱夏寒之類皆為歸己勝也帝曰四時之氣至有早晏高下左右其候何如岐伯曰行有逆順至有遲速故太過者化先天不及者化後天氣有餘故化先氣不足故化後帝曰願聞其行何謂也岐伯曰春氣西行夏氣北行秋氣東行冬氣南行觀萬物生長收藏如斯故春氣始於下秋氣始於上夏氣始於中冬氣始於標春氣始於左秋氣始於右冬氣始於後夏氣始於前此四時正化之常察物以明之可知也故至高之地冬氣常在至下之地春氣常在高山之巔盛夏冰雪汙下川澤嚴冬草生常在之義足明矣○新校正云按五常政大論云地有高下氣有溫涼高者氣寒下者氣熱必謹察之帝曰善天地陰陽視而可見何必思諸冥昧演法推求智極心勞而無所得耶黃帝問曰五運六氣之應見六化之正六變之紀何如岐伯對曰夫六氣正紀有化有變有勝有復有用有病不同其候帝欲何乎帝曰願盡聞之岐伯曰

謂識言之也歲書夫氣之所至也厥陰所至為和平初之氣木之化少陰所
至為暄二之氣君火也太陰所至為埃溽四之氣土之化少陽所至為炎暑三之氣相
火也陽明所至為清勁五之氣金之化太陽所至為寒氛終之氣水之化時化之常
也四時氣正化之常候厥陰所至為風府為璺啟璺微裂也啟開折也少陰所至為大
火府為舒榮太陰所至為雨府為員盈物承土化質皆盈滿又雨界地綠文見如環為員化
明矣少陽所至為熱府為行出藏熱者出行也陽明所至為司殺府為庚蒼
庚更也更易代也太陽所至為寒府為歸藏物寒故歸藏也司化之常也厥陰所
至為生為風搖木之化少陰所至為榮為形見火之化太陰所至為化
為雲雨土之化少陽所至為長為蕃鮮火之化陽明所至為收為霧露
金之化太陽所至為藏為周密水之化氣化之常也厥陰所至為風生
終為肅風化以生則風生也肅靜也○新校正云按六微旨大論云風位之下金氣承之故厥陰為風生而終為肅也少
陰所至為熱生中為寒熱化以生則熱生也陰精承上故中為寒也○新校正云按六微旨大論云少陰之

廿五

土熱氣治之中見大陽故為熱生而中為寒也又云君位之下陰精承之亦為寒之象也大陰所至為濕生終
為注雨濕化以生則濕生也大陰在上故終為注雨○新校正云按六微旨大論云土位之下風氣承之王注云疾風之後
雨乃零濕為風吹化而為雨故大陰為濕生而終為注雨也少陽所至為火生終為蒸溽火化以生
則火生也陽在上故終為蒸溽○新校正云按六微旨大論云相火之下水氣承之故少陽為火生而終為蒸溽也陽明所
至為燥生終為涼燥化以生則燥生也陰在上故終為涼○新校正云詳此六氣俱先言本化次言所反之氣而
獨陽明之化言燥生終為涼未見所反之氣再尋上下文義當云陽明所至為涼生終為燥方與諸氣之義同貫蓋以金位之下火
氣承之故陽明為清生而終為燥也大陽所至為寒生中為溫寒化以生則寒生也陽在內故終為溫○
新校正云按五運行大論云大陽之上寒氣治之中見少陰故為寒生而中為溫德化之常也風生毛形熱生翮形
濕生倮形火生羽形燥生介形寒生鱗形六化皆為主歲及間氣所在而各化生常無替也非德化則無能化生也翮胡革反厥
陰所至為毛化形之有毛者少陰所至為羽化有羽翮飛行之類大陰所至為
倮化無毛羽鱗甲之類少陽所至為羽化薄明羽翼蜂蟬之類非翎羽之羽也陽明所至為
介化有甲之類大陽所至為鱗化身有鱗也德化之常也厥陰所至為化生

少陰所至爲榮化也暄化太陰所至爲濡化也溫化少陽所至爲茂化也熱化陽明所至爲堅化也凉化太陽所至爲藏化也寒化布政之常也厥陰所至爲飄怒大凉飄怒，木也；大凉，下承之金氣也。少陰所至爲大暄寒大暄，君火也；寒，下承之陰精也。太陰所至爲雷霆驟注烈風雷霆驟注，土也；烈風，下承之木氣也。少陽所至爲飄風燔燎霜凝飄風旋轉，火也；霜凝，下承之水氣也。陽明所至爲散落溫散落，金也；溫，下承之火氣也。太陽所至爲寒雪冰雹白埃霜雪冰雹，水也；白埃，下承之土氣也。氣變之常也變，謂變平常之氣而爲甚用也。用甚不已，則下承之氣兼行，故皆非本氣也。厥陰所至爲撓動爲迎隨風之性也少陰所至爲高明燄爲曛燄，陽燄也；曛，赤黄色也。太陰所至爲沉陰爲白埃爲晦暝暗蔽不明也少陽所至爲光顯爲彤雲爲曛光顯，電也，流光也，明也；彤，赤色也；彤雲氣同。陽明所至爲煙埃爲霜爲勁切爲淒鳴殺氣也太陽所至爲剛固爲堅芒爲立寒化也令行之常也令行則無物無違。厥陰所至爲裏急筋緛縮急也少陰所至爲瘍胗身熱火氣生也太陰所至爲積

欲不得出也氣　少陽所至爲嚏嘔爲瘡瘍火氣生也　陽明所至爲浮虛
薄腫按之復起也　太陽所至爲屈伸不利病之常也　厥陰所至爲支痛　少
陰所至爲驚惑惡寒戰慄譫妄譫亂言也慄字一本作慄　太陰所至爲稸滿
少陽所至爲驚躁瞀昧暴病　陽明所至爲鼽尻陰股膝髀腨䯒足
病　太陽所至爲腰痛病之常也　厥陰所至爲緛戾　少陰所至爲悲
妄衄衊衊汙血也　太陰所至爲中滿霍亂吐下　少陽所至爲喉痺耳
鳴嘔涌涌謂溢食不下也　陽明所至爲皴揭皴揭謂皮裂也　太陽所至爲寢汗
痙寢汗謂睡中汗發於胸嗌頸掖之間也俗誤呼爲盜汗　病之常也　厥陰所至爲脅痛
嘔泄泄謂利也　少陰所至爲語笑　太陰所至爲重胕腫胕腫謂肉泥按之不起也　少
陽所至爲暴注瞤瘛暴死　陽明所至爲鼽嚏　太陽所至爲流泄禁
止病之常也　凡此十二變者　報德以德　報化以化　報政以政　報令
以令　氣高則高　氣下則下　氣後則後　氣前則前　氣中則中　氣外則

外位之常也氣用德化謂天地氣也高下前後中外謂生病所在也手之三陰三陽其氣高足之陰陽其氣下足大陽氣在身後故足陽明氣在身前則足少陰大陰厥陰氣在身中足少陽氣在身側則各隨所在言氣變生病象也故風勝則動不寧也〇新校正云詳風勝則動至濕勝則濡泄五句與陰陽應象大論文重而注不同熱勝則腫熱勝氣則為丹熛勝血則為癰膿勝骨肉則為胕腫按之不起燥勝則乾乾於外則皮膚皴揭乾於內則精血枯涸乾於氣及津液則肉乾而皮著於骨寒勝則浮浮謂浮起按之起見也濕勝則濡泄甚則水閉胕腫濡泄水利也胕腫肉泥按之陷而不起也水閉則逸于皮中也隨氣所在以言其變耳帝曰願聞其用也岐伯曰夫六氣之用各歸不勝而為化用謂施其化氣故太陰雨化施於太陽太陽寒化施於少陰新校正云詳此當云少陰少陽少陰熱化施於陽明陽明燥化施於厥陰厥陰風化施於大陰大陰各命其所在以徵之也帝曰自得其位何如岐伯曰自得其位常化也帝曰願聞所在也岐伯曰命其位而方月可知也隨氣所在以定其方六分占之則日及地分無差也帝曰六位之氣盈虛何如岐伯曰太少異也太者之至徐而常少者暴而亡

而作不能久長故暴而無也亡無也帝曰天地之氣盈虛何如岐伯曰天氣不足地
氣隨之地氣不足天氣從之運居其中而常先也運謂木火土金水各主歲者也
地氣勝則歲運上升天氣勝則歲運下降上升下降運氣常先迁降也惡所不勝歸所同和隨歸運
從而生其病也非其位則變生變生則病作故上勝則天氣降而下下勝則地
氣遷而上勝謂多也上多則自降下多則自迁多少相移氣之常也○新校正云按六微旨大論云升已而降降者謂天
降已而升升者謂地天氣下降氣流于地地氣上升氣騰于天故高下相召升降相因而變作矣此亦升降以義也勝多少
而差其分多則迁降多少則迁降少多少之應有微有甚之異也微者小差甚者大差甚則
位易氣交易則大變生而病作矣大要曰甚紀五分微紀七分其
差可見此之謂也以其在分七分之所以知天地陰陽過差矣帝曰善論言熱無犯熱
寒無犯寒余欲不遠寒不遠熱奈何岐伯曰悉乎哉問也發表不
遠熱攻裏不遠寒汗泄故用熱不遠熱下利故用寒不遠寒皆以其不住於中也如是則夏可用熱冬可用寒不
發不泄而無畏也是謂妄遠法所禁也皆謂不獲已而用之必差秋冬亦同法○新校正云按至真要大論云發不遠熱無犯溫涼

帝曰：不發不攻而犯寒犯熱，何如？岐伯曰：寒熱內賊，其病益甚也。以水濟水，以火濟火，適足以更生病，豈惟本病之益甚乎。帝曰：願聞無病者何如？岐伯曰：無者生之，有者甚之。無病者犯禁，猶能生病，況有病者而求輕減，不亦難乎。帝曰：生者何如？岐伯曰：不遠熱則熱至，不遠寒則寒至。寒至則堅否腹滿，痛急下利之病生矣。食已不飢，吐利腥穢，亦寒之疾也。熱至則身熱，吐下霍亂，癰疽瘡瘍，瞀鬱注下，瞤瘛腫脹，嘔，鼽衄頭痛，骨節變，肉痛，血溢血泄，淋閟之病生矣。暴瘖冒昧，目不識人，躁擾狂越，妄見妄聞，罵詈驚癎，亦熱之病。帝曰：治之奈何？岐伯曰：時必順之，犯者治以勝也。春宜涼，夏宜寒，秋宜溫，冬宜熱，此時之宜，不可不順。然犯熱治以寒，犯寒治以熱，犯春宜用涼，犯秋宜用溫，是以勝也。犯熱治以鹹寒，犯寒治以甘熱，犯涼治以苦溫，犯溫治以辛涼，亦勝之治也。黃帝問曰：婦人重身，毒之何如？岐伯曰：有故無殞，亦無殞也。故，謂有大堅癥瘕，痛甚不堪，則治以破積愈癥之藥，是謂不救必死盡死，救之蓋存其大也，雖服毒不死也。上無殞，言母必全；亦無殞，言子亦不死也。帝曰：願聞其故何謂也？岐伯曰：大積大聚，其可犯也，衰其大半而止，過者死。

衰其大半不足以害生故衰大半則止其藥若過禁待盡毒氣內餘無病可攻以當毒藥毒攻不已則敗損中和故過則死○新校正云詳此婦人身重一節與上下文義不接疑他卷脫簡於此

帝曰善鬱之甚者治之奈何天地五行應運有鬱抑不伸之甚者岐伯曰木鬱達之火鬱發之土鬱奪之金鬱泄之水鬱折之然調其氣達謂吐之令其條達也發謂汗之令其疏散也奪謂下之令無擁礙也泄謂滲泄解表利小便也折謂抑之制其衝逆也通是五法乃氣可平調後乃觀其虛盛而調理之也過者折之以其畏也所謂寫之過太過也太過者以其味寫之以鹹寫腎酸寫肝辛寫肺甘寫脾苦寫心過者畏寫故謂寫為畏也

帝曰假者何如岐伯曰有假其氣則無禁也正氣不足臨氣勝之假寒熱溫涼以資四正之氣則可以熱犯熱以寒犯寒以溫犯溫以涼犯涼也所謂主氣不足客氣勝也客氣謂六氣更臨之氣主氣謂五藏應四時正王春夏秋冬也

帝曰至哉聖人之道天地大化運行之節臨御之紀陰陽之政寒暑之令非夫子孰能通之請藏之靈蘭之室署曰六元正紀非齋戒不敢示慎傳也新校正云詳此與氣交變六論末文重

刺法論篇第七十二亡

本病論篇第七十三 亡 新校正云：詳此二篇亡在王注之前。按病能論篇末王冰注云：世本既闕第七二篇，謂此二篇也。而今世有素問亡篇及昭明隱旨論，以謂此三篇，仍託名王冰為注，辭理鄙陋，無足取者。舊本此篇名在六元正紀論後列之，為後人於此，若以尚書亡篇之名皆在前篇之末，則舊本為

至真要大論篇第七十四

黃帝問曰：五氣交合，盈虛更作，余知之矣。六氣分治，司天地者，其至何如？五行主歲，歲有少多，故曰盈虛更作也。天元紀大論曰：其始也，有餘而往，不足隨之；不足而往，有餘從之，則其義也。天分六氣，散主太虛，三之氣司天，終之氣監地，天地生化，氣為大紀，故言司天地者，餘四可知矣。岐伯再拜對曰：明乎哉問也！天地之大紀，人神之通應也。天地變化，人神運為，中外雖殊，然其通應則一也。帝曰：願聞上合昭昭，下合冥冥，奈何？岐伯曰：此道之所主，工之所疑也。不知其要，流散無窮。帝曰：願聞其道也。岐伯曰：厥陰司天，其化以風；飛揚鼓拆，和氣發生，萬物榮枯，皆因而化變成敗也。少陰司天，其化以熱；炎蒸鬱燠，故庶類蕃茂。太陰司天，其化以濕；雲雨潤澤，津液生成。少陽司天，其化以火；炎熾赫烈，以爍寒災。陽明司

天其化以燥乾化以行物先溫煖太陽司天其化以寒對陽之化也○新校正云詳註云對陽之
化陽字疑誤以所臨藏位命其病者也肝木位東方心火位南方脾土位西南方及四維肺金位西
方腎水位北方是五藏定位然天氣御五運所至氣不相得則病相得則和故先以六氣所臨後言五藏之病帝曰地化
奈何岐伯曰司天同候間氣皆然六氣之本自有常性故雖位易而化治皆同帝曰間
氣何謂岐伯曰司左右者是謂間氣也六氣分化常以二氣司天地為上下吉凶勝復客主
之事歲中悔吝從而明之餘四氣散居左右也故陰陽應象大論曰天地者萬物之上下左右者陰陽之道路此之謂也帝曰
何以異之岐伯曰主歲者紀歲間氣者紀步也歲三百六十五日四分日之一步六
十日餘八十七刻半也積步之日而成歲也帝曰善歲主奈何岐伯曰厥陰司天為風
化巳亥之歲風高氣遠雲飛物揚風之化也在泉為酸化寅申之歲木司地氣故物化從酸司氣為蒼
化木運之氣丁壬之歲化蒼青也間氣為動化謂主六十日餘八十七刻半也○新校正云詳丑未之歲厥陰為動
化子午之歲為二之氣辰戌之歲為四之氣卯酉之歲為五之氣少陰司天為熱化子午之歲君光燿暄暑
行熱之化[illegible]羊入如在泉為苦化卯酉之歲火司地氣故物以苦生不司氣化君不主運○新校正

云按天元紀大論云君火以名相火以位謂君火不主運也居氣為灼化六十日餘八十七刻半也居本位君火為居不當間之也○新校正云詳少陰不曰間氣而云居氣者蓋尊君火無所不居不當間之也王註云君本位為居不當間之則居也位不為居而可間也寅申之歲為初之氣丑未之歲為二之氣巳亥之歲為四之氣辰戌之歲為五之氣

大陰司天為溼化丑未之歲埃鬱蒙昧雲雨潤溼之化也在泉為甘化辰戌之歲也土司地氣故甘化先焉司氣為黅化土運之氣甲己之歲黅黃也間氣為柔化溼化行則庶物柔耎○新校正云詳太陰卯酉之歲為初之氣寅申之歲為二之氣子午之歲為四之氣巳亥之歲為五之氣

少陽司天為火化寅申之歲也炎光赫烈燔灼焦然炎火之化也在泉為苦化巳亥之歲也火司地氣故苦化先焉司氣為丹化火運之氣戊癸歲也間氣為明化明炳明也亦謂霞燒○新校正云詳少陽辰戌之歲為初之氣卯酉之歲為二之氣寅申之歲為四之氣丑未之歲為五之氣

陽明司天為燥化卯酉之歲清切高明霧露蕭瑟之化也在泉為辛化子午之歲也金司地氣故辛化先焉司氣為素化金運之氣乙庚歲也間氣為清化風生高勁草木清冷清之化也○新校正云詳陽明巳亥之歲為初之氣辰戌之歲為二之氣寅申之歲為四之氣丑未之歲為五之氣

大陽司天為寒化辰戌之歲霰霜凝塞凜寒凝堅寒之化也在泉為鹹化丑未之歲水司地氣故鹹化先焉司氣為

藏化冰凝之氣間氣為藏化陰凝而冷庶物斂容歲之化也○新丙辛歲也校正云詳子午之歲太陽為初之氣巳亥之歲為二之氣卯酉之歲為四之氣寅申之歲為五之氣故治病者必明六化分治五味五色所生五藏所宜迺可以言盈虛病生之緒也文不厭備者也帝曰厥陰在泉而酸化先余知之矣風化之行也何如岐伯曰風行于地所謂本也餘氣同法厥陰在泉風行于地少陰在泉熱行于地太陰在泉濕行于地少陽在泉火行于地陽明在泉燥行于地太陽在泉寒行于地故曰餘氣同法也本謂六氣之上元氣也本乎天者天之氣也本乎地者地之氣也化於天者為天氣化於地者為地氣○新校正云按易曰本乎天者親上本乎地者親下此之謂也天地合氣六節分而萬物化生矣萬物居天地之間悉為六氣所生化陰陽之用未嘗有逃生化出陰陽也故曰謹候氣宜無失病機此之謂也病機下文具矣帝曰其主病何如言采藥之歲也岐伯曰司歲備物則無遺主矣謂時天地所生化者則其味可當也故彼藥上專司歲氣物所奉物則一歲二歲其所主用無遺略也○新校正云詳判字當作采矣帝曰先歲物何也岐伯曰天地之專精也專精之氣藥物肥濃又於使用當其正氣味也○新校正云詳先歲疑作非司歲帝曰司氣

者何如（司運氣也）岐伯曰：司氣者主歲同，然有餘不足也。（五運主歲者有餘不足比之歲物恐有薄有餘之歲藥專精也）帝曰：非司歲物何謂也？岐伯曰：散也。（非專精則散氣散氣則物不純也）故質同而異等也。（形質雖同力用則異故不尚之）氣味有薄厚，性用有躁靜，治保有多少，力化有淺深，此之謂也。（物與歲不同者何以此）帝曰：歲主藏害何謂？岐伯曰：以所不勝命之，則其要也。（水不勝金金不勝火之類是也）帝曰：治之奈何？岐伯曰：上淫于下，所勝平之，外淫于內，所勝治之。（淫謂行所不勝己者也上淫于下天之氣也外淫于內地之氣也隨所制勝而以平治之也制勝謂五味寒熱溫涼隨勝用之下文備矣○新校正云詳天氣主歲雖有淫勝但當平調之故不曰治而曰平也）帝曰：善。平氣何如？（平謂診平和之氣）岐伯曰：謹察陰陽所在而調之，以平為期，正者正治，反者反治。（知陰陽所在則知尺寸應與不應不知陰陽所在則以得為失以逆為從故謹察之也陰病陽不病陽病陰不病是為正病則正治之謂以寒治熱以熱治寒也陰位已見陽脈陽位又見陰脈是謂反病則反治之謂以寒治寒以熱治熱也諸方之制咸悉不然故曰反者反治也）帝曰：夫子言察陰陽所在而調之，論言人迎與寸口相應，若引繩小大齊等命曰平（新校正云：詳論言至曰平，本靈樞之文，今出甲乙經云：寸口主中，人迎主外，兩者相應，俱往俱來，若引繩小大齊等，春夏人迎微大，秋冬寸口微大者，名曰平也。）陰之所在寸口何如（陰之所在，脈沉不應，引繩齊等，其候頗乖，故問以明之。）岐伯曰：視歲南北可知之矣。帝曰：願卒聞之。岐伯曰：北政之歲，少陰在泉，則寸口不應（木火金水運面北受氣凡氣之在泉者脈悉不見唯其左右之氣脈可見之在泉之氣善則不見惡者可見病以氣及客主淫勝名之在天之氣其亦然矣）厥陰在泉則右不應（少陰在右故）太陰在泉則左不應（少陰在左故）南政之歲，少陰司天，則寸口不應（土運之歲面南行令故少陰司天則二手寸口不應也）厥陰司天則右不應，太陰司天則左不應（[illegible]左右[illegible]也）諸不應者，反其診則見矣（不應皆為脈沉，脈沉下者仰手而沉，覆其手則沉為浮，細為大也）帝曰：尺候何如？岐伯曰：北政之歲，三陰在下，則寸不應；三陰在上，則尺不應（司天曰上，在泉曰下）南政之歲，三陰在天，則寸不應；三陰在泉，則尺不應。左右同（尺不應寸，左右悉與寸不應義同）故曰：知其要者，一言而終，不知其要，流散無窮，此之謂也（要謂知陰陽所在也，知則用之不惑，不知）

謂寸口之氣也浮小大常三歲是故求其意備處明始終白首區匕尚未知所指究其旬月而可知乎帝曰善天地之氣内淫而病何如岐伯曰歲厥陰在泉風淫所勝則地氣不明平野昧草迺早秀民病洒洒振寒善呻數欠心痛支滿兩脇裏急飲食不下鬲咽不通食則嘔腹脹善噫得後與氣則快然如衰身體皆重謂甲寅丙寅戊寅庚寅壬寅甲申丙申戊申庚申壬申歲也地氣不明謂天圍之際氣色昏暗風行地上故平野皆然昧謂暗也脇謂兩乳之下及胠外也伸謂以欲伸努筋骨也○新校正云按甲乙經洒洒寒善伸數欠為胃病食則嘔腹脹善噫得後與氣則快然如衰身體皆重脾病飲食不下鬲咽不通邪在胃管也蓋厥陰在泉之歲木王而剋脾胃故病如是又按脈解云所謂食則嘔者物盛滿而上溢故嘔也所謂得後與氣則快然如衰者十二月陰氣下衰而陽氣且出故曰得後與氣則快然如衰也歲少陰在泉熱淫所勝則焰浮川澤陰處反明民病腹中常鳴氣上衝胸喘不能久立寒熱皮膚痛目瞑齒痛䪼腫惡寒發如瘧少腹中痛腹大蟄蟲不藏謂乙卯丁卯己卯辛卯癸卯乙酉丁酉己酉辛酉癸酉歲也似瘧北方也不能久立足无力也腹大謂心氣不足也金火相薄而為是也○新校正云按甲乙經齒痛䪼腫為大腸病腹中雷鳴氣上衝

背當不然文立昭在大陽少陰在泉之歲火盛故大腸病也矣歲太陰在泉草乃早榮新校正云詳此四字疑衍濕淫所勝則埃昏巖谷黃反見黑至陰之交民病飲積心痛耳聾渾渾焞焞嗌腫喉痺陰病血見少腹痛腫不得小便病衝頭痛目似脫項似拔腰似折髀不可以回膕如結腨如別謂甲辰丙辰戊辰庚辰壬辰甲戌丙戌戊戌庚戌壬戌歲也大陰為土色見應黃於天中而反見於北方黑處也水土同見故曰至陰之交合其氣色也○衝頭痛謂脛脈循行間病也膕謂膝後曲脚之中也腨膝後軟肉處也○新校正云按甲乙經耳聾渾渾焞焞嗌腫喉痺為三焦病衝頭痛目似脫項似拔腰似折髀不可以回膕如結腨如別為足太陽病又少腹腫痛不得小便邪在三焦今太陰在泉之歲土王剋太陽故病如是也腨戈容切歲少陽在泉火淫所勝則焰明郊野寒熱更至民病注泄赤白少腹痛溺赤甚則血便少陰同候謂乙巳丁巳己巳辛巳癸巳乙亥丁亥己亥辛亥癸亥歲也處寒之時熱更其氣熱氣既往寒氣後來故云更至也餘候與少陰在泉正同歲陽明在泉燥淫所勝則霧霧清瞑民病喜嘔嘔有苦善太息心脇痛不能反側甚則嗌乾面塵身無膏澤足外反熱謂甲子丙子戊子壬子甲午丙

于戊午庚午壬午歲也霿謂霧暗不分以霧也清薄寒也言霧起霿暗不辨物形而薄寒也心脅痛謂心之傍脅中痛也面塵謂面上如有觸冒塵土之色也○新校正云按甲乙經病喜嘔嘔有苦善太息心脅痛不能反側甚則嗌乾面塵身無膏澤足外反熱為陽病也面塵為肝病蓋陽明在泉之歲金壯木衰病如是又按脉解云少陽所謂心脅痛者言少陽盛也盛者心之所表也九月陽氣盡而陰氣盛故心脅痛所謂不可反側者陰氣藏物也物藏則不動故不可反側也歲太陽在泉寒淫所勝則凝肅慘慄民病少腹控睪引腰脊上衝心痛血見嗌痛頷腫乙丑丁丑己丑辛丑癸丑乙未丁未己未辛未癸未歲也凝肅謂寒氣靄空凝而不動萬物靜肅其儀形也慘慄寒甚也控引也睪陰丸也額頰車前牙之下也○新校正云按甲乙經嗌痛頷腫為小腸病也又少腹控睪引腰脊上衝心肺邪在小腸也蓋太陽在泉之歲水尅火故病如是矣帝曰善治之奈何岐伯曰諸氣在泉風淫于內治以辛涼佐以苦以甘緩之以辛散之風性喜溫而惡清故治之涼是以勝氣治之也佐以苦隨其所利也木苦急則以甘緩之若抑則以辛散之藏氣法時論曰肝苦急急食甘以緩之肝欲散急食辛以散之此之謂也食亦音飼己曰食他曰飼也大法正味如此諸為方者不必盡用之佐一佐二佐病已則止餘氣皆分熱淫于內治以鹹寒佐以甘苦以酸收之以苦發之熱性惡寒故治以寒也熱之大盛甚於表者以苦發之不盡復寒制之寒

散不盡復苦發之以酸收之甚者再方微者一方可使必已時發時止亦以酸收之濕淫于內治以苦熱佐
以酸淡以苦燥之以淡泄之濕與燥反故治以苦熱佐以酸淡也燥除濕故以苦燥其濕也淡利竅故
以淡滲泄也藏氣法時論曰脾苦濕急食苦以燥之靈樞經曰淡利竅也生氣通天論曰味過於苦脾氣不濡胃氣乃厚明苦燥也
○新校正按天元正紀大論曰下大陰其化下甘溫火淫于內治以鹹冷佐以苦辛以酸收
之以苦發之火氣大行心腹心怒之所生也鹹性柔耎故以治之以酸收之大法候其須汗者以辛佐之不必要資苦
味令其汗也欲柔耎者以鹹治之藏氣法時論曰心欲耎急食鹹以耎之心苦緩急食酸以收之此之謂也燥淫于內
治以苦溫佐以甘辛以苦下之溫利涼性故以苦治之下謂利之使不得也新校正云按藏氣法時
論曰肺苦氣上逆急食苦以泄之以辛瀉之以酸補之又按下文司天燥淫所勝佐以酸辛此云甘辛者甘字疑當作酸天元正紀大
論云下酸熱與苦溫之治又異又云以酸收之而安其下甚則以苦泄之寒淫于內治以甘熱佐以苦
辛以鹹之以辛潤之以苦堅之以熱治寒是為摧勝折其氣用令不滋繁也苦辛之佐通事行
之○新校正云按藏氣法時論曰腎苦燥急食辛以潤之腎欲堅急食苦以堅之用苦補之鹹瀉之舊注引此在溼淫于內之下无
義今移於此帝曰善天氣之變何如岐伯曰厥陰司天風淫所勝則太

虛埃昏雲物以擾寒生春氣流水不冰民病胃脘當心而痛上支
兩脇鬲咽不通飲食不下舌本強食則嘔冷泄腹脹溏泄瘕水閉
蟄蟲不出病本于脾謂乙巳丁巳己巳辛巳癸巳乙亥丁亥辛亥癸亥歲也是歲民病集於中也風自天行故
大虛埃起風動飄蕩故雲物擾也寒[illegible]也不分[illegible]物[illegible][illegible]寒昏土之為病其善泄利若病水則小便附而不下若大泄利則經水
亦受閉絕也○新校正云按甲乙經舌本強食則嘔腹脹溏泄瘕水閉為脾病又胃病者腹脹胃脘當心而痛上支兩脅鬲咽不
通食飲不下善厥陰司人之當木勝上故病如是心者[illegible]衝陽絕死不治衝陽在足跗上動脈[illegible]胃之氣也[illegible]
脈故則食飲減少絕則棄食不入亦下[illegible]之不入於之不生邪氣日強其氣內絕故其必[illegible]也少陰司
天熱淫所勝怫熱至火行其政民病胸中煩熱嗌乾右胠滿皮膚
痛寒熱欬喘大雨且至唾血血泄鼽衄嚏嘔溺色變甚則瘡瘍胕
腫肩背臂臑及缺盆中痛心痛肺䐜腹大滿膨膨而喘欬病本于
肺謂甲子丙子戊子庚子壬子甲午丙午戊午庚午壬午歲也熱至是火行其政乃爾是歲民病集於右蓋以小腸通心故也
病自肺生故曰病本于肺也○新校正云按甲乙經溺色變肩背臂臑及缺盆中痛腹脹滿膨膨而喘欬為肺病鼽衄為大腸病盛

少陰司天之歲火熱金故病如以又王主民病集於右以小腸通
心故按甲乙經大腸附脊左環迴腸附脊右環所從下連心背非次
盛熱金而
大腸病故
尺澤絕死不治
尺澤在肘內廉大文中動脈應手肺之
氣也火爍於金承天之命金氣內絕故
必危亡天澤不至肺氣已絕榮衛之
氣豈行先天真氣內竭生之何有哉
太陰司天濕淫所勝則沈陰
且布雨變枯槁胕腫骨痛陰痺陰痺者按之不得腰脊頭項痛時
眩大便難陰氣不用飢不欲食咳唾則有血心如懸病本于腎謂
丑丁丑己丑辛丑癸丑乙未丁未己未辛未癸未之歲也沈久也近背心
氣受邪水先無潤下焦枯涸故大便難也○新校正云按甲乙經
飢不用食咳唾則有血心懸如飢狀為腎病又邪在腎則骨痛陰
痺陰痺者按之而不得腹脹腰痛大便難肩背頸項痛時眩善[illegible]大
陰司天之歲土勝
水故病如是也
太谿絕死不治
太谿在足內踝後跟骨上動脈
應手腎之氣也土邪勝水而腎
氣內絕邪甚正微
故方無所用矣
少陽司天火淫所勝則溫氣流行金政不平民
病頭痛發熱惡寒而瘧熱上皮膚痛色變黃赤傳而為水身面胕
腫腹滿仰息泄注赤白瘡瘍咳唾血煩心胸中熱甚則鼽衄病本
于肺
謂甲寅丙寅戊寅庚寅壬寅甲申丙申戊申庚申壬申歲也
火來用事則金氣受邪故曰金政不平也火炎於上金肺受

邪客熱肺水不能救故化生諸病也制火之氣則已矣○新校正云按甲乙經邪在肺則皮膚骨痛發寒熱蓋少陽司天之歲火[illegible]金受病故如是天府絕死不治天府在肘後內側上腋下同身寸之三寸動脈應手肺之氣也火勝而金脈絕故死

陽明司天燥淫所勝則木廼晚榮草廼晚生筋骨內變民病左胠脅痛寒清于中感而瘧大涼革候咳腹中鳴注泄鶩溏名木斂生菀于下草焦上首心脅暴痛不可反側嗌乾面塵腰痛丈夫㿗疝婦人少腹痛目昧眥瘍瘡痤癰蟄蟲來見病本于肝謂乙卯丁卯己卯辛卯癸卯乙酉丁酉己酉辛酉癸酉歲也金勝故草木晚生革也[illegible]身則筋骨內應而不相也大涼之氣變易時候則人寒清發於中內感寒氣則為痎瘧也大陽居右肺氣通之今肺內淫所居下左故注胠脅痛如刺割也其病民自注泄則死淫勝之病也大涼次寒也大涼且甚陽氣不行故木容收斂草榮悉晚生氣已升陽[illegible]布令故行精生氣而稿於下也在人之應則少腹之內痛氣居之發於上仲夏瘡瘍之疾猶及秋中㽵痤之患生於上雖運之[illegible]生於下瘍色雖赤忠心正白物氣之常也○新校正云按甲乙經[illegible]痛不可以俛仰丈夫㿗疝婦人少腹腫甚則嗌乾面塵為[illegible]病文胷滿洞泄為所病又心胷痛不能反側目眥皆痛缺盆中腫痛[illegible]下盛馬刀俠癭汗出脹寒瘧為瘖病甚陽明司天之歲金氣本故[illegible]按脉解云所謂㿗疝婦人少腹腫者厥陰者辰也

三月陽中之陰邪在中故曰㿗疝少腹腫也痒泌不切太衝絕死不治太衝在足大指本節後二寸脈動應手肝之氣也金來伐木肝氣內絕真不勝邪其死宜也太陽司天寒淫所勝則寒氣反至水且冰血變于中發為癰瘍民病厥心痛嘔血血泄鼽衄善悲時眩仆運火炎烈雨暴乃雹胸腹滿手熱肘攣掖腫心澹澹大動胸脅胃脘不安面赤目黃善噫嗌乾甚則色炲渴而欲飲病本于心謂甲辰丙辰戊辰庚辰壬辰甲戌丙戌戊戌庚戌壬戌歲也大陽司天寒氣布化故水且冰而血凝皆其大熱痛宗結熱故發癰瘍也若乘火運而火炎烈與水交戰故暴雨雹下水冰發也心氣寒甚故善悲是歲民病集下心熱內作也濁氣內薀溫氣下陷心跳動而怪血亡[illegible]手攣腋腫其寒氣寒陽水亡交火下[illegible]變化故云病本于心也新校正云[illegible]手熱肘攣腋腫甚則胸脇支滿心澹澹大動[illegible]目黃[illegible]在心則病心痛善悲時眩仆蓋大熱[illegible]之時水勝火故病如是神門絕死不治神門在手之掌後銳骨之端動脈應手真心氣也水行勝火而心氣內絕神氣已亡不死何待善知其診故不治也所謂動氣知其藏也所以診視而知死者何以皆是藏之細脉動氣知神藏之存亡也帝曰善治之奈何謂可攻治者岐伯曰司天之氣風淫

所勝，平以辛涼，佐以苦甘，以甘緩之，以酸瀉之。

[illegible]熱，故以涼藥平之。夫氣之用也，積涼為寒，積溫為熱。以熱少之，其則溫也；以寒少之，其則涼也；以溫多之，其則熱也；以涼多之，其則寒也。各當其分，則寒寒也，溫溫也，熱熱也，涼涼也。方書之用，可不務乎？故寒熱溫涼，迭遞勝，小善為方者，意以精過餘氣，皆自然從其制也。〇新校正云：按本論上文云：上淫于下，所勝平之；外淫于內，所勝治之。故在泉曰治，司天曰平也。

熱淫所勝，平以鹹寒，佐以苦甘，以酸收之。

熱氣已退，時發動者，是為心虛，氣散不斂，以酸收之。雖以酸收，亦兼寒，而乃能殄除其源本矣。熱見大甚，則以苦發之。汗已便涼，是邪氣盡，加寒水之。汗已猶熱，是邪氣未盡，則以酸收之。已又熱，則加汗之。汗復熱，是藏虛也，則補其心可矣。法則合爾。諸治熱者，亦未必得再三發三治，況四變而反覆者乎矣。

濕淫所勝，平以苦熱，佐以酸辛，以苦燥之，以淡泄之。

濕氣所淫，皆為腫滿，但除其濕，腫滿自衰。因濕生病，不腫不滿者，亦爾治之。濕氣在上，以苦吐之；濕氣在下，以苦泄之，以淡滲之，則皆燥也。泄，謂滲泄，以利水道，下小便為法。然酸雖熱，亦用利小便，去伏水也。治濕之病，不下小便，非其法也。〇新校正云：按濕淫于內，佐以酸淡，此云酸辛者，辛疑當作淡。

濕上甚而熱，治以苦溫，佐以甘辛，以汗為故而止。

身半以上，濕氣餘，火氣復鬱，鬱濕相薄，則以苦溫甘辛之藥解表流汗而去之，故云以汗為除病之故而已也。

火淫所勝，平以鹹冷，佐以苦甘，以酸收之。

以苦發之以酸復之熱淫同同亦淫義熱亦如此法以酸復其本氣也不復其氣則淫氣空虛招其本
燥淫所勝平以苦溫佐以酸辛以苦下之制燥之勝必以苦溫是火之氣味也宜下必以
苦宜補必以酸宜寫必以辛清甚生寒留而不去則以苦溫下之氣有餘則以辛寫之諸氣同○新校正云按上文燥淫于內治以
苦溫此云苦濕々當為溫文注中濕字三並當作溫焉又按六元正紀大論亦作苦小溫寒淫所勝平以辛熱
佐以苦甘以鹹寫之乖散止之不可過也○新校正云按上文寒淫于內治以甘熱佐以苦辛此云平以辛熱
佐以甘苦者此文為異又按六元正紀大論云大陽之政歲宜苦以燥之帝曰善邪氣反勝治之奈何
不能淫勝於他氣反為不勝之氣為邪治勝之也岐伯曰風司于地清反勝之治以酸溫佐
以苦甘以辛平之厥陰在泉則風司于地謂五寅歲五申歲邪氣勝盛故先以酸寫佐以苦甘邪氣退則正氣虛
故以辛補養而平之熱司于地寒反勝之治以甘熱佐以苦辛以鹹平之少陰
在泉則熱司于地謂五卯五酉歲也先寫其邪而後平其正氣也濕司于地熱反勝之治以苦冷
佐以鹹甘以苦平之大陰在泉則濕司于地謂五辰五戌歲也補寫之義餘氣皆同火司于地寒
勝之治以甘熱佐以苦辛以鹹平之少陽在泉則火司于地謂五巳五亥歲也

于地熱反勝之治以平寒佐以苦甘以酸平之以和為利[陽明在泉則燥司于地謂五子五午歲也燥之惡熱熱而畏寒故以冷熱和平為方治也]寒司于地熱反勝之治以鹹冷佐以甘辛以苦平之[太陽在泉則寒司于地謂五丑五未歲也以六氣方治與前七勝法殊異其云治者謂客邪之勝氣也云佐者皆所利所宜也云平者補已弱之正氣也]帝曰其司天邪勝何如岐伯曰風化于天清反勝之治以酸溫佐以甘苦[巳亥歲也]熱化于天寒反勝之治以甘溫佐以苦酸辛[子午歲也]濕化于天熱反勝之治以苦寒佐以苦酸[丑未歲也]火化于天寒反勝之治以甘熱佐以苦辛[寅申歲也]燥化爲天熱反勝之治以辛寒佐以苦甘[卯酉歲也]寒化于天熱反勝之治以鹹冷佐以苦辛[辰戌歲也]帝曰六氣相勝奈何[先舉其用為勝]岐伯曰厥陰之勝耳鳴頭眩憒憒欲吐胃鬲如寒大風數舉倮蟲不滋胠脅氣并化而為熱小便黃赤胃脘當心而痛上支兩脅腸鳴飧泄小腹痛注下赤白甚則嘔吐鬲咽不通[五巳五亥歲也心下齊上謂之分胃鬲兩脅胃脘之上及大鬲之]

下氣若氣所生也氣所謂偏者二息遞再咽謂食飲入而復出也新校正云按甲乙經胃病者胃脘當心而痛上支兩脇膈咽不通

少陰之勝心下熱善飢臍下反痛氣遊三焦炎暑至木廼津草廼萎嘔逆躁煩腹滿痛溏泄傳為赤沃五子五午歲也沃沬也

太陰之勝火氣内鬱瘡瘍於中流散於外病在胠脇甚則心痛熱格頭痛喉痺項強獨勝則濕氣内鬱寒迫下焦痛留頂互引眉間胃滿雨數至燥火廼見少腹滿腰脽重強内不便善注泄足下溫頭重足脛胕腫飲發於中胕腫於上五丑五未歲也濕勝於上則火氣内鬱瘡瘍於中則水治下焦水溢河渠則鱗見雖水也謂脾肉也不便謂腰重内強直屈伸不利也濕勝則不熱鬱火也胕腫於上謂首面也足脛胕腫是火鬱所生也○新校正云王注云水溢河渠則鱗見此王作失注下經文无所解又按大陰之復云大雨時行鱗見於陸則此文於雨數至下脫鱗見於陸四字不然則王注无因為解也

少陽之勝熱客於胃煩心心痛目赤欲嘔嘔酸善飢耳痛溺赤善驚譫妄暴熱消爍草萎水涸介蟲廼屈少腹痛下沃赤白五寅五申歲也暴熱甚故草萎水涸陰氣消爍介蟲屈也此火氣大勝故介蟲屈伏鱗潛水也

陽明之勝

清發於中左胠脅痛溏泄內為嗌塞外發㿗疝大凉肅殺華英改容毛蟲乃殃胸中不便嗌塞而欬乙卯丁酉歲也大凉肅殺金氣勝木故草木華英為殺氣損削改易形容而焦其上首也毛蟲木化氣不宜金故金政大行而毛虫死也胠脇木之氣下王然故大凉行而顯然殃也胸中不便謂呼吸回轉或痛或[illegible]而[illegible]氣大盛故嗌塞而欬也嗌謂喉之下接連胸中肺兩葉之間也大陽之勝凝凓且至非時水冰羽乃後化痔瘧發寒厥入胃則內生心痛陰中乃瘍隱曲不利互引陰股筋肉拘苛血脈凝泣絡滿色變或為血泄皮膚否腫腹滿食減熱反上行頭項囟頂腦戶中痛目如脫寒入下焦傳為濡寫丙辰丙戌歲也寒氣凌逼陽不勝之故[illegible]特而上冰結也水氣大勝陽火不行故[illegible]生化而後也拘急也苛重也絡絡脈也大陽兩氣標在於頭故熱反上行於頭也以其脈起於目內眥上額交巔上入絡腦還出別下項故囟頂及腦戶中痛目如欲脫也濡謂水利也○新校正云按甲乙經痔瘧頭項囟頂及腦戶中痛目如脫為大陽經病帝曰治之奈何岐伯曰厥陰之勝治以甘清佐以苦辛以酸寫之少陰之勝治以辛寒佐以苦鹹以甘寫之太陰之勝治以鹹熱佐以

辛甘，以苦寫之。少陽之勝，治以辛寒，佐以甘鹹，以甘寫之。陽明之勝，治以酸溫，佐以辛甘，以苦泄之。太陽之勝，治以甘熱，佐以辛酸，以鹹寫之。六勝之至，皆先歸其不勝己者，故不勝者當先寫之，以通其道，次寫所勝之氣，令其退釋也。治諸勝而不寫遣之，則勝氣浸盛而內生諸病也。○新校正云：詳此為治，皆先寫其不勝，而後寫其來勝。獨太陽之勝治以甘熱為異，疑甘字苦之誤也。若云治以苦熱，則六勝之治皆一貫也。

帝曰：六氣之復何如？復謂報復，報其勝也。凡先有勝，後必復。○新校正云：按《玄珠》云：六氣分正化、對化。厥陰正司於亥，對化於巳；少陰正司於午，對化於子；太陰正司於未，對化於丑；少陽正司於寅，對化於申；陽明正司於酉，對化於卯；太陽正司於戌，對化於辰。正司化令之實，對司化令之虛。對化勝而有復，正化勝而不復。此注云凡先有勝後以復，以太後。

岐伯曰：悉乎哉問也！厥陰之復，少腹堅滿，裏急暴痛，偃木飛沙，倮蟲不榮，厥心痛，汗發，嘔吐，飲食不入，入而復出，筋骨掉眩，清厥，甚則入脾，食痹而吐。厥復之中也。木偃沙飛，風之大也。風為木勝，故土不榮。氣厥，謂氣衝胸脅而陵及心也。胃受逆氣而上攻，心痛，甚則汗發出。掉眩，食痹，謂食已心下痛，陰陰然不可名也，不可忍也，吐出乃止，此胃氣逆而不下流也。食飲不入，入已而復出，肝乘脾胃，故令爾也。衝陽絕，死不治。衝陽明病氣也少陰之復燠熱內作煩躁鼽嚏少腹絞痛火見燔焫嗌燥分注時止氣動於左上行於右欬皮膚痛暴瘖心痛鬱冒不知人迺洒淅惡寒振慄譫妄寒已而熱渴而欲飲少氣骨痿隔腸不便外為浮腫噦噫赤氣後化流水不冰熱氣大行介蟲不復病疿胗瘡瘍癰疽痤痔甚則入肺欬而鼻淵火熱之氣自小腸從齊下之左入大腸上行至左脅甚則上行於右而入肺故動於左上行於右皮膚痛也分注謂大小俱下也骨痿言骨弱無力也隔腸謂腸如隔絕而不便也[illegible]甚則然陽明先勝故赤氣後化流水不冰少陰之下可冰於此也[illegible]人之寒則冬脉不凝若高山窮谷已是至高之處[illegible]水下而流則如泣矣火氣內燔金氣外拒陽熱內[illegible]為燔沸也熱少則外生疿胗熱多則內[illegible]陽有熱則[illegible]熱甚復熱之變皆病於身後以外[illegible]也天府絕死不治生於上一經病痤瘍生於下反其陽[illegible]動脉氣也○新校正云按上文少陰[illegible]所勝尺澤絕死不治少陽司天火淫所勝天府絕死不治此云少陰之復天府絕死不治下文少陽之復尺澤絕死不治文[illegible]反者蓋尺澤天府俱手太陰脉之所發動故此互文也太陰之復濕變迺舉體重中滿食飲不化陰氣上厥胷中不便飲發於中欬喘有

聲大雨時行鱗見於陸頭頂痛重而掉瘛尤甚嘔而密默唾吐清

液甚則入腎竅瀉無度濕氣內逆寒氣不行太陽上流故為是病頭項痛重則腦中掉瘛尤甚謂胃寒溫熱不折行重肖附故胸中不便食飲不化嘔而客熱欲靜定也寒中飲於唾出於水也其氣易位上入於喉則傷通不利故欲病而喉中有聲也水居平澤則魚遊於市頭項囟痛女人亦兼痛於留閒也○新校正云按上文大陰在泉頭痛項似拔又大陰司天云頭項痛項頂當作項

太谿絕死不治太谿腎脈氣也

少陽之復大熱將至枯燥燔爇介蟲乃耗驚瘛欬衄心熱煩躁便數憎風厥氣上行面如浮埃目乃瞤瘛火氣內發上為口糜嘔逆血溢血泄發而為瘧惡寒鼓慄寒極反熱嗌絡焦槁渴引水漿色變黃赤少氣脈萎化而為水傳為胕腫甚則入肺欬而血泄火氣甚盛焦燥草木當燔灼生故溢汗上內鐵如驚瘛欬衄心熱煩躁便數憎風也火炎於上則安故若浮於面而瞤喉間動也火燥於內則口舌糜爛及為血溢血泄皆火氣因為溫瘧寒氣客熱化則為水病傳為胕腫謂皮肉俱腫按之陷下泥而不起也如是之證皆火氣所生也

尺澤絕死不治尺澤肺脈氣也

陽明之復清氣大舉森木蒼乾毛蟲乃厲病生胠脇氣

發於左，善太息，甚則心痛否滿，腹脹而泄，嘔苦咳噦煩心，病在鬲中，頭痛，甚則入肝，驚駭筋攣。殺氣大舉，木不勝之，故蒼青之葉不及黃而乾燥也[illegible]謂[illegible]方疾[illegible]也。清甚於內，熱鬱於外故也。太衝絕，死不治。太衝，肝脈氣也。太陽之復，厥氣上行，水凝雨冰，羽蟲迺死，心胃生寒，胸中不利，心痛否滿，頭痛善悲，時眩仆，食減，腰脽反痛，屈伸不便，地裂冰堅，陽光不治，少腹控睾，引腰脊，上衝心，唾出清水，及為噦噫，甚則入心，善忘善悲。雨冰，謂雹也。寒而遇雹，死亦其宜。寒化於地，其上復土，故地體分裂。水積冰堅，久而不釋，是陽光之氣不治矣。疑之物也。太陽之復，與不相持，上是下寒，火無所往，心氣內鬱，熱由是生，火熱內鬱，故生斯病。○新校正云：詳注云與不相持，不字疑作上。神門絕，死不治。神門，真心脈氣。

帝曰：善。治之奈何？復氣倍勝，故先問以治之。岐伯曰：厥陰之復，治以酸寒，佐以甘辛，以酸瀉之，以甘緩之。不大緩之，夏猶不已，復重於勝，故治以辛寒也。○新校正云：按別本治以酸寒作治以辛寒也。少陰之復，治以鹹寒，佐以苦辛，以甘瀉之，以酸收之，以苦發之，以鹹耎之。不大發汗，以寒攻之，持至仲秋，熱內伏結，而為瘧熱，少氣少力而不能起矣。熱伏不出，則歸於骨也。

太陰之復治以苦熱佐以酸辛以苦寫之燥之泄之不燥泄之久而為身腫腹滿關節不利腨及伏兔髀膝內作痛腰脛內側跗腫病少陽之復治以鹹冷佐以苦辛以鹹耎之以酸收之辛苦發之發不遠熱無犯溫涼少陰同法不發汗以奪盛陽則熱內淫於四支而為解㑊不可名也謂熱不甚謂寒不盛謂強不甚謂弱不甚不可以名言故謂之解㑊粗醫呼為鬼氣惡病也久久不已則骨熱髓涸齒乾乃為骨熱病也發汗奪陽故先留熱故發汗者雖熱生病夏月及差亦可以熱藥發之以春秋時後火熱盛亦不得以熱藥發汗汗不發而藥熱內甚助病為瘧逆伐神靈故曰無犯溫涼少陰氣熱為療則同故云與少陰同法也數奪其汗則津液竭涸故以酸收以鹹潤也新校正云按六元正紀大論云發表不遠熱陽明之復治以辛溫佐以苦甘以苦泄之以苦下之以酸補之泄謂滲泄汗及小便湯浴皆是也秋分前後則亦發之春有勝則依勝法或不已亦湯清和其中外也然復之後其氣皆虛故補之以安全其氣餘復治同太陽之復治以鹹熱佐以甘辛以苦堅之不堅則寒氣內變止而復發發而復止綿歷年歲生大寒疾治諸勝復寒者熱之熱者寒之溫者清之清者溫之散者收之抑者散之燥者潤之急者緩之堅者耎之脆者堅之衰者補之強者寫

之各安其氣必清必靜則病氣衰去歸其所宗此治之大體也一歲
氣有多少熱則陰氣清大陰氣温有勝復則各
倍其氣以調之故可使平也宗屬也調不失理則餘之氣自歸其
所屬少之氣自安其所居勝復衰已則各補養而平定之必清必
靜無妄撓之則六氣循環五神安泰若運氣之寒熱治之平之亦
各歸司天
地氣也
帝曰善氣之上下何謂也岐伯曰身半以上其氣三矣
天之分也天氣主之身半以下其氣三矣地之分也地氣主之以
名命氣以氣命處而言其病半所謂天樞也身之半正謂齊中也
或以腰為身半是以
居中為義過天中也中原之人悉如此矣當伸臂指天舒足指地
以繩量之中正當齊也故又曰半所謂天樞也天樞正當齊兩旁
同身寸之二寸也其氣三者假如少陰司天則上有熱中有大陽
兼之三也六氣皆然司天者其氣三司地者其氣三故身半以上
三氣身半以下三氣也以名言其氣以氣言其處以氣處寒熱而
言其病之形證也則如足厥陰氣居足及股脛之內側上行於少
腹循脇足陽明氣在足之上脛之外股之前上行挾齊之傍循胷
乳上面足大陽氣起於目上額絡頭下項背過腰橫過髀樞股後
下行入膕貫腨出外踝之後足小指外側足大陰氣循足及股脛
之內側上行腹脇之前同六定少陽氣循脛外側上行腹
陽之側循頰耳至目銳眥之側此足六氣之部主也手[illegible]陰
少陰大陰氣循心脅腋出循臂內側至中指小指大之端手陽明

少陽太陽氣並起手足循所行處則上有及甲上頭此手足六氣之部主也欲知病診當隨氣所在以言之當陰之分冷病歸之當陽之分熱病歸之故勝復之作先言病生寒熱者必依此物理也○新校正云按六微旨大論云天樞之上天氣主之天樞之下地氣主之氣交之分人氣從之故上勝而下俱病者以地名之下勝而上俱病者以天名之彼氣既勝此未能復抑鬱不暢而無所行進則外於必樂退則窮於卝甚故上勝至則下與俱病下勝至則上與俱病上勝下病地氣鬱也故從地鬱以名地病下勝上病天氣塞也故從天塞以名天病夫以天名者方順天氣為制逆地氣而攻之以地名者方從天氣為制則可攻如陽明司天少陰在泉上勝而下俱病者是抑於下而生也天氣正勝天可逆之故順天之氣方同清也少陰等司天上下勝同法○新校正云按六元正紀大論云上勝則天氣降而下下勝則地氣遷而上謂也所謂勝至報氣屈伏而未發也復至則不以天地異名皆如復氣為法也勝至未復而病生以天地異名為式復氣已發則所生病賜也勝下勝上皆依復氣所病所定之主也帝曰勝復之動時有常乎氣有必乎岐伯曰時有常位而氣無必也雖位有常而發有動有無不必定之也帝曰願聞其道也岐伯曰初氣終三氣天氣主之勝之常也四氣盡終氣地氣主之復之常也有勝則復無勝則否帝曰

善。復已而勝何如。岐伯曰：勝至則復，無常數也，衰乃止耳。勝微則復微，故復已而又勝；勝甚則復甚，故復已則少有再勝者也。假有勝者，亦隨微甚而復之爾。然勝復之道，雖無常數，至其衰謝，則勝復皆自止也。復已而勝，不復則害，此傷生也。有勝無復，是復氣已衰，衰不能復，是天真之氣已傷敗甚，而生意盡。帝曰：復而反病何也。岐伯曰：居非其位，不相得也。大復其勝則主勝之，故反病也。捨己宮觀，適於他邦，己力已衰，主不相得，怨隨其後，故力極而復，主反之，反自病者也。所謂火燥熱也。少陽火也，陽明燥也，少陰熱也。少陰少陽在泉，為火居水位；陽明司天，為金居火位。金復其勝，則火主勝之；火復其勝，則水主勝之。餘氣勝復，則無主勝之病氣也。故又曰所謂火燥熱也。帝曰：治之奈何。岐伯曰：夫氣之勝也，微者隨之，甚者制之；氣之復也，和者平之，暴者奪之；皆隨勝氣，安其屈伏，無問其數，以平為期，此其道也。隨，謂隨之；安，謂順勝氣以和之也；制，謂制止；平，謂平調；奪，謂奪其盛氣也。治此者，不以數之多少，但以氣和為準度爾。帝曰：善。客主之勝復奈何。客，謂天之六氣；主，謂五行之位也。氣有宜否，故名有勝復之者。岐伯曰：客主之氣，勝而無復也。客主自有多少，以其為勝與勝分。帝曰：其逆從何如。岐伯曰：主勝逆，客

勝從天之道也客承天命部統其方主為之下固宜祗奉天命不順而勝則天命不行故為逆也客勝于主承天而
行理之道故為順也帝曰其生病何如岐伯曰厥陰司天客勝則耳鳴掉眩
甚則欬主勝則胷脇痛舌難以言五巳五亥歲也少陰司天客勝則鼽嚏
頸項強肩背瞀熱頭痛少氣發熱耳聾目瞑甚則胕腫血溢瘡瘍
欬喘主勝則心熱煩躁甚則脇痛支滿五子五午歲也太陰司天客勝則
首面胕腫呼吸氣喘主勝則胷腹滿食已而瞀五丑五未歲也少陽司天
客勝則丹胗外發及為丹熛瘡瘍嘔逆喉痺頭痛嗌腫耳聾血溢
內為瘈瘲主勝則胷滿欬仰息甚而有血手熱五寅五申歲也陽明司天
清復內餘則欬衄嗌塞心鬲中熱欬不止而白血出者死復謂復居也
白血謂欬出淺紅色血似肉似肺者五卯五酉歲也○新校正云詳此不言客勝主勝者以金居火位無客勝之理故不言也大
陽司天客勝則胷中不利出清涕感寒則欬主勝則喉嗌中鳴五辰
五戌歲也厥陰在泉客勝則大關節不利內為痙強拘瘈外為不便主

髀腨胻足病瞀熱以酸胕腫不能久立溲便變主勝則厥氣上行心痛發熱鬲中衆痹皆作發於胠脅魄汗不藏四逆而起五卯五酉歲也太陰在泉客勝則足痿下重便溲不時濕客下焦發而濡寫及為腫隱曲之疾主勝則寒氣逆滿食飲不下甚則為疝五丑五未歲也隱曲之疾謂隱蔽委曲之處病也少陽在泉客勝則腰腹痛而反惡寒甚則下白溺白主勝則熱反上行而客於心心痛發熱格中而嘔少陰同候五巳五亥歲也陽明在泉客勝則清氣動下少腹堅滿而數便寫主勝則腰重腹痛少腹生寒下為鶩溏則寒厥於腸上衝胸中甚則喘不能久立五子五午歲也鶩鴨也言如鴨之後也太陽在泉寒復內餘則腰尻痛屈伸不利股脛足膝中痛五辰五戌歲也○新校正云詳此不言客主勝者蓋太陽以水居水位故不言也

帝曰善治之奈何岐伯曰高者抑之下者舉之有餘折之不足補之佐以所利和以所宜必安其主客適其寒溫同者逆之異

者從之高者抑之制其勝也下者舉之濟其弱也有餘者折之屈其銳也不足者補之全其氣也雖制勝扶弱而客主須安一氣失所則矛楯更作榛棘互興各伺其便不相得志內淫外并而危敗之由作矣同謂寒熱溫清氣相比和者異謂水火金木土不比和者氣相得者則逆所勝之氣以治之不相得者則順所不勝氣以治之治火勝負欲益者以其味欲寫者亦以其味勝與不勝皆折其氣也何者以其性躁動也治熱亦然帝曰治寒以熱治熱以寒氣相得者逆之不相得者從之余已知之矣其於正味何如岐伯曰木位之主其寫以酸其補以辛木位春分前六十一日初之氣也火位之主其寫以甘其補以鹹君火之位春分之後六十一日二之氣也相火之位夏至前後各三十日三之氣也二火之氣則殊然其氣用則一矣土位之主其寫以苦其補以甘土之位秋分前六十一日四之氣也金位之主其寫以辛其補以酸金之位秋分後六十一日五之氣也水位之主其寫以鹹其補以苦水之位冬至前後各三十日終之氣也厥陰之客以辛補之以酸寫之以甘緩之少陰之客以鹹補之以甘寫之以鹹收之新校正云按藏氣法時論云心苦緩急食酸以收之心欲耎急食鹹以耎之此云以鹹收之者誤也太陰之客以甘補之以苦寫之以甘緩之少

陽之客以鹹補之以甘寫之以鹹耎之陽明之客以酸補之以辛
寫之以苦泄之太陽之客以苦補之以鹹寫之以苦堅之以辛潤
之開發腠理致津液通氣也客之部主各六十日居無常所隨歲遷移客勝則寫客而補主主勝則寫
主而補客應隨當緩急以治之帝曰善願聞陰陽之三也何謂岐伯曰氣有多
少異用也大陰為正陰大陽為正陽次少者為少陰次少者為少陽又次為陽明又次為厥陰厥陰為盡義具靈樞繫日
月論中○新校正云按天元紀大論云何謂氣有多少形有盛衰陰陽之氣各有多少故曰三陰三陽也帝曰陽明何
謂也岐伯曰兩陽合明也靈樞繫日月論曰辰者三月主左足之陽明巳者四月主右足之陽明兩陽合
於前故曰陽明也帝曰厥陰何也岐伯曰兩陰交盡也靈樞繫日月論曰戌者九月主右足
之厥陰亥者十月主左足之厥陰兩陰俱盡故曰厥陰也帝曰氣有多少病有盛衰新校正云按天元紀
大論云形有盛衰治有緩急方有大小願聞其約奈何岐伯曰氣有高下
病有遠近證有中外治有輕重適其至所為故也藏位有高下府氣有遠近病
證有表裏藥用有輕重調其多少和其緊慢令藥氣至病所為故勿太過與不及也大要曰君一臣二奇之

制也君二臣四偶之制也君二臣三奇之制也君三臣六偶之制

也奇謂古之單方偶謂古之複方也單複一制皆有小大故奇方云君一臣二君二臣三偶方云君二臣四君三臣六也病有大

小氣有遠近治有輕重所宜故云制也故曰近者奇之遠者偶之汗者不以奇下者

不以偶補上治上制以緩補下治下制以急急則氣味厚緩則氣

味薄適其至所此之謂也汗藥不以偶方氣不可以外發泄下藥不以奇制藥毒攻而致過治上補上方

迅急則上不任而迫下治下補下方緩慢則滋道路而力又微制急方而氣味薄則力與緩等制緩方而氣味厚則勢與急同如是

為緩不能緩急不能急厥而不能攻藥而不能過則大小非制輕重無度則虛實寒熱藏府紛撓無由致理豈神靈而可望安哉病

所遠而中道氣味之者食而過之無越其制度也假如病在腎而心之氣味飼而

令足仍急過之不飼以氣味腎藥陵心心復益衰餘上下遠近例同是故平氣之道近而奇偶制小

其服也遠而奇偶制大其服也大則數少小則數多多則九之少

則二之湯丸多少凡如此也近遠謂府藏之位也心肺為近肝腎為遠脾胃居中三陽胞脂膽亦有遠近身三分之上為近

下為遠也或識見高遠權以合宜方奇而分兩偶方偶而分兩奇

如是者近而偶制多數服之遠而奇制少數服之則肺服九心服

七脾服五服服三腎服一為常制矣故曰小則數多大則數少〇新校正云詳注云三陽胞脂膽一作三陽胞脂膽再詳三陽元素二陽亦未為得陽有大小并脂陽為三今已云胞脂則不得云三陽三當作三脂之力切奇之不去則偶之是謂重方偶之不去則反佐以取之所謂寒熱溫涼反從其病矣方与其重也寧輕与其毒也寧善与其大也寧小是以奇方不去与偶方主之偶方病在則反其一佐以同病之氣而取之也夫熱与寒背寒与熱違微小之熱為寒所折微小之冷為熱所消甚大寒熱則不能与違性者爭雄能与異氣者相格声不同不相應氣同不相合如是則且憚而不敢攻之攻之則病氣与藥氣抗衡而自為寒熱以開閉固守矣是以聖人反其佐以同其氣令声氣應合復令其熱參合使其終異始同燥潤而敗堅剛強必折柔脆同消爾脆須銳切帝曰善病生於本余知之矣生於標者治之奈何岐伯曰病反其本得標之病治反其本得標之方言少陰太陽之二氣餘四氣標本同帝曰善六氣之勝何以候之岐伯曰乘其至也清氣大來燥之勝也風木受邪肝病生焉流於膽熱氣大來火之勝也金燥受邪肺病生焉流於迴腸大腸〇新校正云詳注云迴腸大腸按甲乙經迴腸即大腸也寒氣大來水之勝也火熱受邪心病生焉流於三焦小腸溫氣大來

土之勝也寒水受邪腎病生焉流於膀胱風氣大來木之勝也土濕受
邪脾病生焉流於胃所謂感邪而生病也外有其氣而内惡之中外不喜因而遂病是謂感也
乘年之虛則邪甚也年木不足外有清邪年火不足外有寒邪年土不足外有風邪年金不足外有熱邪年水
不足外有溼邪是年之虛也時歲氣不足外邪湊甚也失時之和亦邪甚也六氣臨統與位氣相尅感之而病亦
隨所不勝而與内藏相應邪復甚也遇月之空亦邪甚也謂上弦前下弦後月輪中空也重感於邪
則危病矣年已不足邪氣大至是一歲也年已不足天氣赴之此時感邪是重感也内氣召邪天氣不佑欲病之不危可
乎有勝之氣其必來復也天地之氣不能相无故有勝之氣其必來復也帝曰其脈至何
如岐伯曰厥陰之至其脈弦耎虛而滑端直以長是謂弦實而強則病不實而微亦病不端直長亦病
不當其位亦病位不能弦亦病少陰之至其脈鈎來盛去衰如偃帶鉤是謂鉤來來不盛去反盛則病來盛去盛亦
病來不盛去不盛亦病不當其位亦病位不能鉤亦病大陰之至其脈沈沈下也按之乃得下諸位脈也沈甚
則病不沈亦病不當其位亦病位不能沈亦病少陽之至大而浮浮高也大謂稍大諸位脈也大浮甚則病浮而
不大亦病大而不浮亦病不大不浮亦病不當其位亦病位不能大浮亦病陽明之至短而濇往來不利是

濇也往來不遠是謂短也短甚則病甚則病不短不濇亦病不当其病亦病位不能短濇亦病大陽之至大而

長往來遠是謂長大甚則病長甚則病長病不大亦病大而不長亦病不當其位易病位不能長大亦病至而和則

平不大甚則為平調不弱不強是為和也至而甚則病弦以張弓弦滑如連珠沈濇附骨浮高於皮濇而止往短

如麻黍大如帽簪長如引繩皆謂至而大甚也至而反者病應弦反濇應大反則應脉浮濇浮反沉應短濇反長滑應

更虛反強实應則反大浮濇為氣及常平之脈有易病乃如此見也至而不至者病氣未巳至而脉氣不應也未

至而至者病按曆古之凡得鄭氣當年六位之分當始南北之歲脉象改易而應之氣序未發而脉先變是先天而

至故病陰陽易者危不應天常氣見交錯失其常位更易見之陰位見陽脉陽位見陰脉是易位而見也二氣錯乱

故氣危〇新校正云按六微旨大論云帝曰其有至而至有至而不至有至而太過何也岐伯曰至而至者和至而不至來氣不及

也未至而至來氣有餘也帝曰至而不至未至而至何如岐伯曰應則順否則逆〻則變生〻則病帝曰請言其應岐伯曰物生

其應也氣脉其應也所謂脉應即此脉應也帝曰六氣標本所從不同柰何岐伯曰氣

有從本者有從標本者有不從標本者也帝曰願卒聞之岐伯曰

少陽太陰從本少陰太陽從本從標陽明厥陰不從標本從乎中

也少陽之本火太陰之本濕本末同故從本也少陰之本熱其標陰太陽之本寒其標陽本末異故從本從標陽明之中太陰厥陰之中少陽本乎中不同故不從標本從乎中也從本從標從中皆以其為化生之用也故從本者化生於本從標本者有標本之化從中者以中氣為化也化謂氣化之元主也有病以元主氣用寒熱治之○新校正云按六微旨大論云少陽之上火氣治之中見厥陰陽明之上燥氣治之中見太陰太陽之上寒氣治之中見少陰厥陰之上風氣治之中見少陽少陰之上熱氣治之中見太陽太陰之上濕氣治之中見陽明所謂本也本之下中之見也見之下氣之標也本標不同氣應異象此之謂也帝曰脈從而病反者其診何如岐伯曰脈至而從按之不鼓諸陽皆然言病熱而脈數按之不動乃寒盛格陽而致之非熱也帝曰諸陰之反其脈何如岐伯曰脈至而從按之鼓甚而盛也形證是寒按之而脈氣鼓擊於手下盛者此為熱盛拒陰而生病非寒也是故百病之起有生於本者有生於標者有生於中氣者有取本而得者有取標而得者有取中氣而得者有取標本而得者有逆取而得者有從取而得者反佐取之是為逆取奇偶取之是為從取寒病治以寒熱病治以熱是為逆取從順也逆正順也若順逆也寒盛格陽治熱

以热二盛拒热治寒以寒之类皆时谓之逆外虽用立中乃顺也此逆乃正顺也若寒格阳而治以寒热拒寒而治以热外则虽顺中气乃逆故方若顺是逆也故曰知標與本用之不殆明知逆順正行無問此之謂也不知是者不足以言診足以亂經故大要曰粗工嘻嘻以為可知言熱未已寒病復始同氣異形迷診亂經此之謂也嘻嘻悅也言心意治悅以為知道終意也六氣之用相之與五得其半也厥陰之化相以為寒其乃是溫大陽炎化相以為熱其乃是寒由此差互用失其道故其等問識根不違工文道平矣夫大陽少陰各有寒化然量其標本應用則正反矣何以言之大陽本為寒標為熱少陰本為熱標為寒方之用亦如是也厥陰陽明中氣亦尔厥陰之中氣為熱陽明之中氣為溫此二氣亦反其類大陽少陰也然大陽與少陰有標本用與諸氣不同故曰同氣異形也夫一經之標本寒熱既殊言究其標論標合尋其本言氣不窮其標本論病未小其陰陽雜同二氣而乇其阻寒溫之候故心迷正理治益亂經呼曰粗工乙淮其其称卬矣大標本之道要而博小而大可以言一而知百病之害言標與本易而勿損察本與標氣可令調明知勝復為萬民式天之道畢矣天地尽知[illegible]診而云宜其昧得經之要扌法之宗為天下師尚畢其道万民式[illegible]豈曰大執○新校正云按標本病傳論云有其在標而求之於標[illegible]

有其在本而求之於本有其在本而求之於標有其在標而求之於本故治有取標而得者有取本而得者有逆取而得者有從取而得者故知逆與從正行無問知標本者萬舉萬當不知標本是為妄行夫陰陽逆從標本之為道也小而大言一而知百病之害少而多淺而博可以言一而知百也以淺而知深察近而知遠言標與本易而勿及治反為逆治得為從先病而後逆者治其本先逆而後病者治其本先寒而後生病者治其本先熱而後生病者治其本先熱而後生中滿者治其標先病而復泄者治其本先也而後生化病者治其本必且調之乃治其他病先病而後生中滿者治其標先中滿而後煩心者治其本人有客氣有同氣小大不利治其標小大利治其本病發而有餘本而標之先治其本後治其標病發而不足標而本之先治其標後治其本謹察間甚以意調之間者并行甚者獨行先小大不利而後生病者治其本此經論標本尤詳帝曰勝復之變早晏何如岐伯曰夫所勝者勝至以病〻已慍〻而復已萌也復心之溫不遠而有天所復者勝盡而起得位而甚勝有微甚復有少多勝和而和勝虛者虛天之常也帝曰勝復之作動不當位或後時而至其故何也言陽盛於夏陰盛於冬清盛於秋溫盛於春天之常候然其勝復氣用四序不同其何由歟岐伯曰夫氣之生與其化衰盛異也寒暑溫涼盛衰之用其在四維故陽之動始於

溫盛於暑，陰之動始於清，盛於寒。春夏秋冬，各差其分。言春夏秋冬四正之氣在於四維之分也。即事驗之，春之溫正在辰巳之月，夏之暑正在未申之月，秋之涼正在戌亥之月，冬之寒正在丑寅之月。春始於仲春，夏始於仲夏，秋始於仲秋，冬始於仲冬。故丑之月陰結層冰於厚地，未之月陽焰電掣於天垂，戌之月霜清肅殺而庶物堅，辰之月風扇和舒而陳柯榮秀。此則氣差其分，昭然而不可蔽也。然陰陽之氣生發收藏與常法相會，徵其氣化及在人之應，則四時每差其日數，與常法相違，從差法乃正當之也。故大要曰：彼春之暖，為夏之暑；彼秋之忿，為冬之怒。謹按四維，斥候皆歸，其終可見，其始可知。此之謂也。言氣之少壯也。陽之少為暖，其壯也為暑；陰之少為忿，其壯也為怒。此悉謂少壯之異氣，證用之盛衰，但立盛衰於四維之位，則陰陽終始應用皆可知矣。帝曰：差有數乎？岐伯曰：又凡三十度也。度日也。○新校正云：按六元正紀大論云：差有數乎？宜後皆三十度而有奇也。此云三十度也者，此文為略。帝曰：其脈應皆何如？岐伯曰：差同正法，待時而去也。脈亦差以隨氣應也，待差日足，應王氣至而乃去也。脈要曰：春不沉，夏不弦，冬不濇，秋不數，是謂四塞。天地四時之氣，閉塞而無所運行也。沉甚曰病，弦甚曰病，濇甚曰病，數甚曰病。但應天和氣，是則為平；形見太甚，則為力致，以力而致，安能久

爭故甚指病 參見曰病復見曰病未去而去曰病去而不去曰病 參謂參和諸氣來見復見未所見已衰已死之氣也去謂王已而去者也日行之疾去出於前是為天氣未出日度過於是為天氣已去而脈尚在既非得應故曰病 反者死 夏見沈秋見數冬見緩春見濇是謂反也犯逆天命生其能久乎〇新校正云詳上文秋不數是謂寒此注云秋見數是謂反蓋以脈差只在仲月差之度盡而數不去謂秋之季月而脈尚數則為反也 故曰氣之相守司也如權衡之不得相失也 權衡秤也天地之氣寒暑相封溫清相望低如持秤也高者石下者否兩者齊等无相奪倫則清靜而生化各得其分也 夫陰陽之氣清靜則生化治動則苛疾起此之謂也 動謂變動常平之候而為災眚也〇新校正云按六微旨大論云成敗倚伏生乎動上而不已則變作矣 帝曰幽明何如岐伯曰兩陰交盡故曰幽兩陽合明故曰明幽明之配寒暑之異也 兩陰交盡於戌亥兩陽合明於辰巳靈樞繫日月論云亥十月左足之厥陰戌九月右足之厥陰此兩陰交盡故曰厥陰辰三月左足之陽明巳四月右足之陽明此兩陽合於前故曰陽明然陰交則幽陽合則明幽明之象當由是也寒暑位西南東北幽明位西北東南幽明之配寒暑之位誠斯異也〇新校正云按大始天元冊文云幽明既位寒暑弛張 帝曰分至何如岐伯曰氣至之謂至氣分之謂分至則

氣同分則氣異所謂天地之正紀也因幽明之問而形斯義也言冬夏二至是天地氣主歲至其所在也春秋二分是間氣初二四五六氣各分其政於主歲左右也故曰至則氣同分則氣異也所言二至二分之氣配者此新謂是天地氣之正紀也帝曰夫子言春秋氣始于前冬夏氣始于後余已知之矣然六氣往復主歲不常也其補寫柰何以分至明六氣分位則初氣四氣始於立春立秋前各一十五日為紀法三氣六氣始於立夏立冬後各一十五日為紀法由是四氣前後之紀則三氣六氣之中正當二至日也故曰春秋氣始于後也然以三百六十五日閒一歲已往氣則改耕耕氣既來舊氣復去所宜之味天地不同補寫之方應知先後故復以門之也岐伯曰上下所主隨其攸利正其味則其要也左右同法大要曰少陽之主先甘後鹹陽明之主先辛後酸太陽之主先鹹後苦厥陰之主先酸後辛少陰之主先甘後鹹太陰之主先苦後甘佐以所利資以所生是謂得氣主謂主歲得謂得其性用也得其性用則氣卷由人不得性用則動生乖忤豈祗和之可望乎適足以伐天真之妙氣爾如是先後之味皆謂有病先寫之而後補之也帝曰善夫百病之生也皆生於風寒暑溼燥火以之化之變也風寒

暑溫燥火天之大氣也靜而順者為化動而變者為變故曰之化之變也經言盛者寫之虛者補之余

錫以方士而方士用之尚未能十全余欲令要道必行桴鼓相應

由拔刺雪汙工巧神聖可得聞乎鍼曰工巧藥曰神聖○拔[?]正云按難經云望而知之謂之神

聞而知之謂之聖問而知之謂之工切脉而知之謂之巧以外知之曰聖以內知之曰神岐伯曰審察病机無

失氣宜此之謂也得其机要則動小而功大用淺而功深也帝曰願聞病机何如岐

伯曰諸風掉眩皆屬於肝風性動木氣同之諸寒收引皆屬於腎收謂

歛也引謂急也寒物收則水凝[?]也諸氣膹鬱皆屬於肺肺[?]秋氣清霧氣煙集有[?]則[?]熱[?]甚則氣膹

[?]其[?]象屬可知矣腫謂[?]熱[?]滿[?]謂[?]泊也氣之為用金氣同之[?]諸濕腫滿皆屬於脾土薄則水淺土

厚則水深土平則乾土高則溫[?]氣之[?]土[?]氣同之諸熱瞀瘛皆屬於火火象微諸痛痒瘡

皆屬於心心寂則痛微心躁則痛甚[?]瘡之起皆息生痛瘡[?]於心也諸厥固泄皆屬

於下下謂下焦肝腎氣也夫守司於下腎之氣也門戶東要肝之氣也故諸厥固泄皆屬下也厥謂氣逆固謂禁固諸有氣逆

上行[?]固不禁出入無度燥過不恒也皆由下焦之主守也諸痿喘嘔皆屬於上上謂上焦心肺氣也炎熱薄爍心之

[illegible]熱[illegible]諸[illegible]之氣也熱鬱化上故病屬上焦○新校正云[illegible]所以非上病王注不解所以遲上之由使後人疑議今按痿論云五藏使人痿者因肺熱葉焦發為痿躄故云屬於上也痿又謂肺痿也諸禁鼓慄如喪神守皆屬

於火熱之內作諸痙項強皆屬於温太陽傷温諸逆衝上皆屬於温炎上之性用也

諸脹腹大皆屬於熱熱鬱於內肺脹所生諸躁狂越皆屬於火熱盛於胃及四末也諸

暴強直皆屬於風陽內鬱而陰行於外諸病有聲鼓之如鼓皆屬於熱謂有聲也

諸病胕腫疼酸驚駭皆屬於火諸氣受也諸轉反戾水液渾濁皆屬於

熱反戾筋轉也水液小便也諸病水液澄澈清冷皆屬於寒上下所出及吐出溺出也諸嘔

吐酸暴注下迫皆屬於熱酸匕木及味也故大要曰謹守病機各司其屬

有者求之無者求之盛者責之虛者責之必先五勝疏其血氣令

其調達而致和平此之謂也深乎[illegible]之言理宜然也有无求之[illegible]病清[illegible]悉由也夫如大寒而甚

熱之不熱是无火也熱來復去晝見夜伏夜發晝止時節而動是

无火也當助其心又如火熱而甚寒之不寒是无水也熱動復止

倏忽往來時動時止是无水也當助其腎內格嘔逆食不得入是

有火也病嘔而吐食入反出是无火也暴速注下食不及化是无

水也滯泄而久止發无相是无水也故心盛則生熱腎盛則生寒腎虛則寒痛於中心虛則熱收於內又熱不得寒是无火也寒不得熱是无火也夫寒之不寒責其无水熱之不熱責其无火熱之不久責心之虛寒之不久責腎之少有者寫之无者補之虛者補之盛者寫之居其中間疎者壅塞令上下无礙氣血通調則寒熱自和陰陽調達矣是以方有治熱以寒寒之而水食不入攻寒以熱熱之而昏躁以生此則氣不疎通壅而為是也死於水火餘氣可知故曰有者求之无者求之盛者責之虛者責之令氣通調妙之道也五勝謂五行更勝也先以五行寒暑温涼温酸鹹甘辛苦相勝為法也帝曰善五味陰陽之用何如岐伯曰辛甘發散為陽酸苦涌泄為陰鹹味涌泄為陰淡味滲泄為陽六者或收或散或緩或急或燥或潤或耎或堅以所利而行之調其氣使其平也涌吐也泄利也滲泄小便也言水液自迴腸泌別汁滲入膀胱之中胞氣化之而為溺以泄出也○新校正云按藏氣法時論云辛散酸收甘緩苦堅鹹耎又云辛酸甘苦鹹各有所利或散或收或緩或急或堅或耎四時五藏病隨五味所宜也帝曰非調氣而得者治之奈何有毒無毒何先何後願聞其道夫病生之類其有四焉一者始因氣動而內有所成二者因其動而外有所成三者不因氣動而病生於內四者不因氣動而病生於外夫因氣動而內成者謂積聚癥瘕瘤氣癭起結核癲癇之類也外成者謂癰腫瘡瘍痂疥疽痔掉瘛

浮腫目赤標瘮附腫痛痺之類也不因氣動而病生於內者謂留飲癖食飢飽勞損宿食霍亂悲恐喜怒想慕憂結之類也生於外者謂瘴氣賊魅蟲蛇蠱毒蜚尸鬼擊衝薄墜墮風寒暑溫所射刺割捶仆之類也如是四類有獨治內而愈者有兼治內而愈者有獨治外而愈者有兼治外而愈者有先治內而後治外而愈者有先治外後治內而愈者有須齊毒而攻擊者有須無毒而調引者凡此之類方法所施或重或輕或緩或急或收或散或潤或燥或耎或堅方士之用見解不同各擅己心好丹非素故復問之也岐伯曰有毒無毒所治為主適大小為制也言但能破積愈疾解急脫死則為良方非必要言以先毒為是後毒為非有毒為非有毒為是必量病輕重大小制之也帝曰請言其制岐伯曰君一臣二制之小也君一臣三佐五制之中也君一臣三佐九制之大也寒者熱之熱者寒之微者逆之甚者從之夫病之微小者猶人火也遇草而焫得木而燔可以溫伏可以水滅故逆其性氣以折之攻之病之大甚者猶龍火也得溫而焰遇水而燔不知其性以水溫折之適足以光焰詣天物窮方止矣識其性者反常之理以火逐之則燔灼自消焰火撲滅然逆之謂以寒攻熱以熱攻寒從之謂攻以寒熱雖從其性用不必皆同是以下文曰逆者正治從者反治從少從多觀其事也此之謂乎○新校正云按神農云藥有君臣佐使以相宣攝合和宜用一君二臣三佐五使又可一君三臣九佐使也堅者削之客者除之勞者溫之結

者散之，留者攻之，燥者濡之，急者緩之，散者收之，損者益之，逸者行之，驚者平之，上之下之，摩之浴之，薄之劫之，開之發之，適事為故。量病證候，適事用之。帝曰：何謂逆從？岐伯曰：逆者正治，從者反治，從少從多，觀其事也。言逆者正治也，從者反治也。逆病氣而正治，則以寒攻熱，以熱攻寒。雖從順病氣，乃反治法也。從少，謂一寒同而二異；從多，謂二同而三異也。言盡同者，是奇制也。帝曰：反治何謂？岐伯曰：熱因寒用，寒因熱用，塞因塞用，通因通用，必復其所主，而先其所因，其始則同，其終則異，可使破積，可使潰堅，可使氣和，可使必已。夫大寒內結，稸聚疝瘕，以熱攻除，寒格熱反縱，反縱之則痛發尤甚，攻之則熱不得前。方以蜜煎烏頭，佐之以熱，蜜多其藥，服已便消，是則張公從此而以熱因寒用也。有火氣動，服冷已過，熱為寒格，而身冷嘔噦，嗌乾口苦，惡熱好寒，衆議攸同，咸可為熱，熱治[illegible]逆[illegible]則拒，治順其心則加病，若調寒熱逆，冷熱以行，則熱物冷服，下嗌之後，冷体既消，熱性便發，由是病氣隨愈，嘔噦皆除，情且不違，而致大益，醇酒冷飲，則其類矣。是則熱因寒用也。所謂惡熱者，凡諸食餘氣主於生者。○新校正云：詳主字疑誤。上見之已嘔也，反病熱者，寒攻不入，惡其寒勝，熱乃消除，從其氣則熱增，寒攻之則不承，以故立諸冷藥，酒清消，或溫而服之，酒熱氣同，固所違忤，酒熱既盡，寒以藥已行，從其服食，熱便隨散，此則寒因熱用也。或以諸冷物熱齊和之，服之食之，熱復圍解，是亦寒因熱用也。又熱食猪肉及粉葵乳，以椒薑橘熱齊和之，亦其類也。又熱在下焦，治亦然。假如下氣虛乏，中焦氣擁，胠脇滿甚，食已轉增，粗工之見，無能斷也，欲散滿則恐虛其下，補下則滿甚於中，散氣則下焦轉虛，補虛則中滿滋甚，醫病參議，言意皆同，不救其虛，且攻其滿，藥入則減，藥過依然，故中滿下虛，其病常在，乃不知疏啓其中，峻補於下，少服則資壅，多服則宣通，由是而療，中滿自除，下虛斯實，此則塞因塞用也。又大熱內結，注泄不止，熱宜寒療，結復須除，以寒下之，結散利止，此則通因通用也。又大寒凝內，久利溏泄，愈而復發，綿歷歲年，以熱下之，寒去利止，亦其類也。投寒以熱，涼而行之，投熱以寒，溫而行之，始同終異，斯之謂也。諸如此等，其徒實繁，略舉宗兆，猶是反治之道，斯其類也。○新校正云：按五常政大論云：治熱以寒，溫而行之；治寒以熱，涼而行之。亦熱因寒用，寒因熱用之義也。

帝曰：善。氣調而得者何如？岐伯曰：逆之從之，逆而從之，從而逆之，疏氣令調，則其道也。逆，謂逆病氣以正治。從，謂從病氣而反療。逆其氣以正治，使其從順；從其病以反取，令彼和調，故曰逆從也。不疏其氣，令道路開通，則氣感寒熱而為變，始生化多端也。

帝曰：善。病之中外何如？岐伯曰：從內之外者，調其內；從外之內者，治其外；各絕其源。從內之外而盛於外者，先調其內而後治其外；從外之內而盛於內者，先治其外而

後調其內皆謂先除其根屬後制其枝條中外不相及則治主病中外不相及自各一病也帝曰
善火熱復惡寒發熱有如瘧狀或一日發或間數日發其故何也
岐伯曰勝復之氣會遇之時有多少也陰氣多而陽氣少則其發
日遠陽氣多而陰氣少則其發日近此勝復相薄盛衰之節瘧亦
同法陰陽齊等則一日之中寒熱相半陽多陰少則一日之發而但熱不寒陽少陰多則隔日發而先寒後熱雖勝復之氣微
則一發後六七日乃發時謂之愈而復發或頻三日發而六七日止或隔十日發而四五日止者皆由氣之多少會遇與不會遇也
俗見不遠乃謂鬼神祟疾而又祈禱避匿病勢已過旋至其轍病者殞殁自謂其分致令冤塞於廣路夭延盈於彊野仁愛鑒兹
能不傷楚習俗既久難卒釐革復可改末如之何悲哉悲哉也帝曰論言治寒以熱治熱以寒
而方士不能廢繩墨而更其道也有病熱者寒之而熱有病寒者
熱之而寒二者皆在新病復起奈何治謂治之而病不衰退反因藥寒熱而隨生寒熱病之
新者也亦有止而復發者亦有藥在而除藥去而發者亦有全不息者方士若廢此繩墨則无更新之法欲依標格則病熱不除捨
之則阻彼凡情治之則藥无能驗心迷意惑无由通悟不知其道何恃而為因藥病生新舊相對欲求其愈安可奈何岐伯

曰諸寒之而熱者取之陰熱之而寒者取之陽所謂求其屬也言益火之源以消陰翳壯水之主以制陽光故曰求其屬也夫粗工褊淺學未精深以熱攻寒以寒療熱治熱未已而冷疾已生攻寒日深而熱病更起熱起而中寒尚在寒生而外熱不除欲攻寒則懼熱不前欲療熱則思寒又止進退交戰危亟已臻豈知臟腑之源有寒熱溫涼之主哉取心者不必齊以熱取腎者不必齊以寒但益心之陽寒亦通行強腎之陰熱之猶可觀斯之故或治熱以熱治寒以寒萬舉萬全孰知其意思方智極理盡辭窮嗚呼人之死者豈謂命不謂方士愚昧而殺之耶帝曰善服寒而反熱服熱而反寒其故何也岐伯曰治其王氣是以反也物體有寒熱氣性有陰陽觸生之氣則強其用也夫肝氣溫和心氣暑熱肺氣清涼腎氣寒冽脾氣兼并之故也春以清治肝而反溫夏以冷治心而反熱秋以溫治肺而反清冬以熱治腎而反寒蓋由補益王氣太甚也補王太甚則臟之寒熱氣多矣帝曰不治王而然者何也岐伯曰悉乎哉問也不味王味屬也夫五味入胃各歸所喜故酸先入肝苦先入心甘先入脾辛先入肺鹹先入腎新校正云按宣明五氣篇云五味所入酸入肝辛入肺苦入心鹹入腎甘入脾是謂五入久而增氣物化之常也氣增而久夭之由也夫入肝為溫入心為熱入肺為清入腎為寒入脾為至陰而四氣兼之皆為增

其味而益其氣故各從本藏之氣用爾故久服黃連苦參而反熱者此其復也餘味皆然但人意竦忽不能精候耳故曰久而增氣物化之常也氣增不已益歲年則藏氣偏勝氣有偏勝則有偏絕藏有偏絕則有暴夭者故曰氣增而久夭之由也是以正理見化藥集商較服餌曰藥不具五味不備四氣而久服之雖且獲勝益久必致暴夭此之謂也絕粒服餌則不暴亡斯何由哉無五穀味資助故也復令食穀其亦夭焉帝曰善方制君臣何謂也岐伯曰主病之謂君佐君之謂臣應臣之謂使非上下三品之謂也上藥為君中藥為臣下藥為佐使所以異善惡之名位服餌之道當從此為法治病之道不必皆然以主病者為君佐君者為臣應臣之用者為使皆所以贊成方用也帝曰三品何謂岐伯曰所以明善惡之殊貫也三品上中下三品也此明藥善惡不同性用也○新校正云按神農云上藥為君主養命以應天中藥為臣主養性以應人下藥為佐使主治病以應地也帝曰善病之中外如何言前問病之中外謂調氣之命此未盡故復問之此下對其次前求其屬也之下應古之錯簡也岐伯曰調氣之方必別陰陽定其中外各守其鄉內者治內外者治外微者調之其次平之盛者奪之汗之下之寒熱溫涼衰之以屬隨其攸利病有中外治有表裏在內者以內治法利之在外者以外治法和之其次大者以平氣法平之甚盛不已則奪其氣

令其衰也假如不寒之氣溫以和之大寒之氣熱以取之甚寒之氣則下奪之奪之不盡則逆折之折之不盡則求其屬以衰之小熱之氣和以和之大熱之氣寒以取之甚熱之氣則汗發之發之不盡則逆制之制之不盡則求其屬以衰之故曰汗之下之寒熱溫涼衰之以屬隨其攸利攸利所也

謹道如法萬舉萬全氣血正平長有天命守道以行

孝氏不中故能服餌草石召遣神靈調開闔陰陽歸除衆疾血氣保平安和之候大真元耗竭之曰天如是者蓋以善在心去留從意故精神內壽命盈長

補註釋文黃帝內經素問十一卷終

· 白 頁 ·

※

※

重刻京本補註釋文黄帝内經素問卷之十二

●著至教論篇第七十五 新校正云按全元起本在四時病類論之本末

黄帝坐明堂召雷公而問之曰子知醫之道乎明堂布政之宫也八窻四闥上貟下方在国之南故称明堂夫知民之疾恤民之隱大聖之用心故召引雷公問拯済生靈之道雷公對曰誦而頗能解解而未能別別而未能明明而未能彰言所知解但得法守數而已猶未能深尽精微之妙用也○新校正云按楊上善云習道有五一誦二解三別四明五彰足以治群僚不足至侯王公不敢有高其道然則布衣與血食主療亦殊矣願得受樹天之度四時陰陽合之別星辰與日月光以彰經術後世益明周天之度言高遠不極四時陰陽合之言順気序也列星辰與日月光言別斈者二明大小異也○新校正云按大素別作別事上通神農著至教疑於二皇公歎其教法明著通於神農使後世見之疑是二皇並行之教○新校正云按全元起本及大素疑作擬帝曰善無失之此皆陰陽表裏上下雌雄相輸應也而道上知天文下知地理中知人事可以長久以教衆庶亦不疑殆醫道論篇可傳後世可以

為䆁以明著故雷公曰請受道諷誦用解誦亦諭也諷諭者所以此切近而令解也帝曰子
不聞陰陽傳乎曰不知曰夫三陽天為業天為業言三陽之氣在人身形所行居上也陰
陽傳上古書各化者○新校正云按大素天作大上下無常合而病至偏害陰陽上下无常言氣
乖通不定在上下也合而病至謂手是三陽氣相合而為病至也陽并至則精氣微故偏損害陰陽之用也雷公曰三
陽莫當請聞其解莫當言氣并至而不可當帝曰三陽獨至者是三陽并至并
至如風雨上為巔疾下為漏病并至謂手三陽足三陽氣并合而至也足太陽脉起於目內眥上額
交巔上其支別者從巔至耳上角其直行者從巔入絡腦還出別下項從眉髆內俠脊抵腰中入循腦絡腎屬膀胱手大王脉起於
手循臂上行交肩上入缺盆絡心循咽下鬲抵胃屬小腸故上為巔疾下為漏病也漏血膿出所謂并至如風雨者言无常準也故
下文曰○新校正云按陽上古云漏病謂膀胱漏泄大小便數不禁守也外無期內無正不中經紀診
無上下以書別言三陽并至上下无常外无色氣可朝內无正經常尒所至之時皆不中經脉綱紀所病之證候
止下无常以書記銓量乃应分別尒雷公曰臣治疏愈說意而已雷公言臣之所治稀得痊愈請言深
意而已疑心乃止也謂得說則疑心乃止帝曰三陽者至陽也六陽并合故曰至盛之陽也積并則

為驚病起疾風至如礔礰九竅皆塞陽氣滂溢乾嗌喉塞積謂重也言三六

陽重并洪盛莫當陽憤鬱惟盛是為滂溢无涯故九竅塞也并於陰則上下無常薄為腸澼謂闢

此謂三陽直心坐不得起臥者

藏也然陽薄於藏為病外上下无常定之診若在下為病便數赤白此謂三陽直心坐不得起臥者

便身全三陽之病足太陽脉循肩下至腰故坐不得起臥便身全也所以然者起則陽盛鼓故常欲得臥臥則經

氣鈞故身安全○新校正云按甲乙經便身全作身重且以知天下何以別陰陽應四時合

之五行言知未備也雷公曰新校正云按自此至論末全元起本別為一篇名方盛衰也陽言不別

陰言不理請起受解以為至道旁未許為深知故重請也帝曰子若受傳不知

合至道以惑師教語子至道之要不知其要流散无窮後世相習去聖久遠而學者各自是其法

則惑乱於師氏之教日矣病傷五藏筋骨以消子言不明不別是世主學盡矣

言病之深重尚不明別然輕微者亦何開愈令得遍知耶然後是不知明出上學教之道從斯盡矣腎且絕惋惋日

暮從容不出人事不殷齊藏之易知者也然腎脉且絕則心神內爍筋骨脉内日晚酸空也暮晚也若此

之類諸藏氣相少不出者當人子養弱不復散者所以不者是則胃不足非傷損故也○新校正云按太素作腎且絶死亡旦暮猶鳥之貫功

●示從容論篇第七十六

新校正云按全元起本在第八卷名從容別白黑

黄帝燕坐召雷公而問之曰汝受術誦書者若能覽觀雜學及於比類通合道理為余言子所長五藏六府膽胃大小腸脾胞膀胱腦髓涕唾哭泣悲哀水所從行此皆人之所生治之過失五藏別論黄帝問曰余聞方士或以腦髓為藏或以腸胃為藏或以為府敢問更相反皆自謂是不知其道願聞其說岐伯曰腦髓骨脉膽女子胞此六者地氣之所生也皆藏於陰而象於地故藏而不寫名曰奇恒之府夫胃大腸小腸三焦膀胱此五者天氣之所生也其氣象天故寫而不藏此受五藏濁氣故名曰傳化之府是以古之治病者以為過失也子務明之可以十全即不能知為世所怨不能知之動則殆如此者故人間謂論之為怨咎之所歸雷公曰臣請誦脉經上下篇甚衆多矣別異比類猶未能以十全又安足以明之言臣所請誦脉經兩篇衆多别異比類例猶未能以義而會見十全又何足以明至理乎安知何也帝曰子別試通五藏之過六府之所不和針石之敗毒藥所宜湯液滋味具言其狀悉

書以封請問不知過謂過失所謂不事常可而生病者也毒藥攻邪滋味充養試公之問知與不知爾○新校正云按大素別試作誠別

雷公曰肝虛腎虛脾虛皆令人體重煩冤當投毒藥刺灸砭石湯液或已或不已願聞其解公以問問使言五藏之過毒藥湯液滋味故問此病

帝曰公何年之長而問之少余真問以自謬也言問之不相應也以問不相應故言余真發問以自招謬誤之封也吾問子窈冥子言上下篇以封何也窈冥謂不可見者則形氣榮衛也八正神明論岐伯封黃帝曰觀其冥冥者言形氣榮衛之不形於外而工獨知之以日之寒溫月之虛盛四時氣之浮沉參伍相合而調之工常先見之然而不形於外故曰觀於冥冥焉由此帝故曰吾問子窈冥也然肝虛腎虛脾虛則上下篇之旨帝故曰子言上下篇以封何也夫脾虛浮似肺腎小浮似脾肝急沉散似腎此皆工之所時亂也然從容得之脾虛脈浮候則似肺腎小浮上候則似脾肝急沉散候則似腎皆何以然以三藏相近故脈象參差而相類也是以工惑亂之為治之過失矣雖爾乎尤宜從容安緩審比類之而得二藏之形候矣何以取之然浮而緩曰脾浮而短曰肺小浮而滑曰心急緊而散曰肝搏沉而滑曰腎不能比類則疑亂彌甚若夫三藏土木火參居此童子之所知問之何也脾合土肝合木腎合木三藏皆在鬲下居止相近也

雷

公曰於此有人頭痛筋攣骨重怯然少氣噦噫腹滿時驚不嗜臥此何藏之發也脉浮而弦切之石堅不知其解復問所以三藏者以知其比類也脉有浮弦石堅故云問所以三藏者以知其比類也帝曰夫從容之謂也言比類也夫年長則求之於府年少則求之於經年壯則求之於藏年之長者甚於味年之少者勞於使年之壯者過於內過於內則耗傷精氣勞於使則經中風邪恣於味則傷於府故求之異也今子所言皆失八風菀熟五藏消爍傳邪相受夫浮而弦者是腎不足也脉浮為虛弦為肝氣以腎氣不足故脉浮弦也澀胡[illegible]切沉而石者是腎氣內著也石之言堅也著謂腎氣內薄著而不行也怯然少氣者是水道不行形氣消索也腎氣不足故水道不行肺藏被衝故形氣消散索盡也欬嗽煩寃者是腎氣之逆也腎氣內著上游於母也一人之氣病在一藏也若言三藏俱行不在法也謬不然也雷公曰於此有人四支解墮喘欬血泄而愚診之以為傷肺切脉浮大而緊愚不敢治粗工下砭石病愈多出血血止身輕此何物也帝曰子所能治

知亦衆多與此病失矣以為傷■而不敢治是乃狂見法所失矣念方切譬以鴻飛亦冲於天鴻飛冲天偶然而得豈其羽翮之所能哉粗工下砭亦猶是矣夫聖人之治病循法守度援物比類化之冥冥循上及下何必守經經謂經脈非經法也今夫脈浮大虛者是脾氣之外絕去胃外歸陽明也足太陰絡支別者入絡腸胃是以脾氣外絕不至胃外歸陽明也夫二火不勝三水是以脈乱而無常也二火謂二陽藏三水謂三陰藏二陽藏者心肺也以在鬲上故三陰藏者肝脾腎也以在鬲下故然三陰之氣上勝二陽陽不勝陰故脈乱而無常也四支解墮此脾精之不行也土主四支故四支解墮脾精不化故使之然喘欬者是水氣并陽明也腎氣逆入於胃故水氣并於陽明血泄者脈急血無所行也泄謂泄出也然脈氣數急血溢於中血不入經故為血泄以脈奔急而血溢故曰血無所行也若夫以為傷肺者由失以狂也不引比類是知不明也言所識不明不能比類以為傷肺由失狂言耳夫傷肺者脾氣不守胃氣不清經氣不為使真藏壞決經脈傍絕五藏漏泄不衄則嘔此二者不相類也肺氣傷則脾外救故云脾氣不守肺藏損則氣不行氣不行則胃滿故云胃氣不清肺者主行

榮衛陰陽故肺傷則經脉不能爲之行使也眞藏謂肺藏也若肺藏損壞皮膜決破經脉傍絶而不流行五藏之氣上溢而漏泄者不衄血則嘔血也何者肺主鼻胃應口也然口鼻者氣之門戶也今肺藏已損胃氣不清不上衄則血下流於胃中故不衄出則嘔出也然傷肺傷脾衄血泄血標出且異本歸亦殊故此二者不相類也譬如天之無形地之無理白與黑相去遠矣言傷肺傷脾形證懸別譬天地之相遠如黑白之異象也是失吾過矣以子知之故不告子是此此也言循公子之與見病脉者是吾不教子比類之道故自謂過也明引比類從容是以名曰診輕新校正云按大素作經是謂至道也明引形證比量類例今從容之旨則輕微之者亦不失矣所以然者何哉以道之至妙而能尔也從容上古經篇名也何以合之陰陽類論雷公曰臣悉盡意受傳經脉頌得從容之道以合從容明古文有從容矣

●疏五過論篇第七十七新校正云按全元起本在第八卷名論過失

黄帝曰嗚呼遠哉閔閔乎若視深淵若迎浮雲視深淵尚可測迎浮雲莫知其際嗚呼遠哉歎至道之不極也閔閔乎言妙用之不窮也深淵清澄見之必定故可測浮雲漂寓際不守常故莫知○新校正云詳此文與六微旨論文重聖人之術為萬民式論裁志意必有法

則循經守數，按循醫事，為萬民副。故事有五過四德，汝知之乎其五逆則敬順四時之德氣矣然所循者道之用生之上故不可不敬順之也上古天真論曰所以能年皆度百歲而動作不衰者以其德全不危也靈樞經曰天之在我者德也由此則天降德氣人賴而生生氣抱神上通於天生氣通天論曰夫自古通天者生之本此之謂也○新校正云按為萬民副揚上善云副助也雷公避席再拜曰：臣年幼小，蒙愚以惑，不聞五過與四德，比類形名，虛引其經，心無所對。經未師授心昧生知功業微薄故卑辭也帝曰：凡未診病者，必問嘗貴後賤，雖不中邪，病從內生，名曰脫營；神屈故也貴之尊榮賤之屈辱心懷眷慕志結憂惶故雖不中邪而病從內生血脈虛減故曰脫營嘗富後貧，名曰失精，五氣留連，病有所并。富而從欲貪奪豐財內結憂煎外悲過物然則心從想慕神隨往計榮衛之道閉以遲留氣血不行積并為病醫工診之，不在藏府，不變軀形，診之而疑，不知病名，言病之初也病由想戀所為故未居藏府事因情念所起故不變軀形醫不悉之故診而疑也身體日減，氣虛無精，言病之次也氣血相迫形肉消爍故身體日減陰陽應象大論曰氣歸精精食氣今氣虛不化精无所滋故也病深無氣，洒洒然時驚。言病之深也病氣深谷氣盡陽氣內薄故惡寒而驚洒洒寒貌病深者以其外耗於衛內奪於榮血為憂煎氣隨悲減故外耗於衛內奪於榮病深者何以此耗奪故爾新校正云按太素病深者以其作病深以良工所失不知病情此亦治之一過也失謂失其所始也凡欲診病者必問飲食居處飲食居處五方不同故問之也異法方宜論曰東方之域天地之所始生魚塩之地海濱傍水其民食魚而嗜鹹安其處美其食西方金玉之域沙石之處天地之所收引其民陵居而多風水土剛強其民不衣而褐薦其民華食而脂肥北方者天地所閉藏之域其地高陵居風寒冰列其民樂野處而乳食南方者天地所長養陽之所盛處其地下水土弱霧露之所聚其民嗜酸而食胕中央者其地平以濕天地所以生万物也眾其民食雜而不勞以此以診病之道當先問為故聖人雜合以治各得其所宜此之謂矣暴樂暴苦始樂後苦新校正云按太素作始苦皆傷精氣精氣竭絕形體毀沮喜則氣緩悲則氣消然悲哀動中者竭絕而失生故精氣竭絕形體殘毀心神沮喪矣暴怒傷陰暴喜傷陽怒則氣逆故傷陰喜則氣緩故傷陽厥氣上行滿脈去形厥氣逆也逆氣上行滿於經絡則神氣禪散去離形骸矣愚醫治之不知補寫不知病情精華日脫邪氣迺并此治之二過也不知喜怒哀樂之殊情槩為補寫而同貫則五藏精華之氣日脫邪氣薄蝕而乃并於正真之氣矣善為脈者必以比類奇恒從容知之為工而不

知道此診之不足貴此治之三過也奇恒謂氣候奇異於恒常之候也從容謂分別藏氣虛實脈見高下幾相似也示從容論曰脾虛浮似肺腎小浮似脾肝急沉散似腎此皆工之所時亂然從容分別而得之也診有三常必問貴賤封君敗傷及欲侯王貴則形樂志樂賤則形苦志苦苦樂殊貴故先問也敗傷謂失君之位封公卿也及欲侯王謂情慕尊貴而妄為不已也○新校正云按太素欲作公故貴脫勢雖不中邪精神內傷身必敗亡憂惶煎迫怫結所為始富後貧雖不傷邪皮焦筋屈痿躄為攣以五藏氣留連病有所并而為是也醫不能嚴不能動神外為柔弱亂至失常病不能移則醫事不行此治之四過也嚴謂戒所以禁非也所以令從命也外為柔弱言委隨而順從也然戒不足以禁非動不足以從令委隨任物亂失天常病且不移何醫之有也凡診者必知終始有知餘緒切脈問名當合男女始終謂氣色也脈要精微論曰知外者終而始之明知五色氣象終而復始也餘緒謂病發端之餘緒也切謂以指按脈也問名謂問病證之名也男子陽氣多而左脈大為順女子陰氣多而右脈大為順故宜以脈常先合之也離絕菀結憂恐喜怒五藏空虛血氣離守工不能知何術之語離謂離間親愛絕謂絕念所懷菀謂菀積思慮結謂結固餘怨夫間親愛者魂遊絕所懷者意

喪積所慮者神勞結餘怨者志苦憂愁者閉塞而不行恐懼者蕩散而失守盛怒者迷惑而不治喜樂者憚散而不藏由是八者故
五藏空虛血氣離守工不思曉又何言哉○新校正云按蕩憚而失守甲乙經作不收憚音但嘗富大傷斬筋絕
脈身體復行令澤不息斬筋絕脈言非分之過損也身体雖已復舊而行且令津液不為滋息也何者精氣
耗減也澤液也故傷敗結留薄歸陽膿積寒炅陽謂諸陽脈及六府也炅謂熱也言非分傷敗筋脈
之氣血氣內結留而不去薄於陽脈則化為膿久積腹中而外為寒熱也粗工治之亟刺陰陽身體解
散四支轉筋死日有期不知寒熱為膿積所生以為常熱之疾槩施其法數刺陰陽經脈氣奪病甚故身体
解散而不用四支廢運而轉筋如是故死日有期豈謂命不謂醫耶醫不能明不問所發唯言死日
亦為粗工此治之五過也言粗工不必謂解不備學者總備盡三此於法必不備一常療法須五過不咷
餘緒不問持身亦足為粗略之醫爾凡此五者皆受術不通人事不明也言是五者皆名受術
之徒不足以通悟精微之理人間之事尚猶懵然故曰聖人之治病也必知天地陰陽四
時經紀五藏六府雌雄表裏刺灸砭石毒藥所主從容人事以明
經道貴賤貧富各異品理問年少長勇怯之理審於部分知病本

始八正九候，診必副矣。聖人之備識也，如此工宜勉之。治病之道，氣内為寶，循求其理，求之不得，過在表裏。工之治病，必由於形氣之内，求有過者，是為聖人之寶也。求之不得，則以藏府之氣陰陽表裏而察之。新校正云：按全元起本及太素作氣内為實。楊上善云：天地間氣為外氣，人身中氣為内氣。外氣裁成萬物，是為外實；内氣榮衛裁生，故為内實。治病能求内氣之理，是治病之要也。守數據治，無失俞理，能行此術，終身不殆。守數，謂血氣多少及刺深淺之數也。據治，謂據穴俞所治之旨而用之也。但守數據治而用之，則不失穴俞之理矣。殆者，危也。不知俞理，五藏菀熟，癰發六府。菀，積也。熟，熱也。五藏積熱，六府受之，陽熱相薄，熱之所過，則為癰。診病不審，是謂失常。謂失常經術正用之道也。謹守此治，與經相明。謂前氣内循求俞會之理也。上經下經，揆度陰陽，奇恒五中，決以明堂，審於終始，可以横行。所謂上經者，言氣之通天也。下經者，言病之變化也。言此二經揆度陰陽之氣，奇恒五中，皆決於明堂之部分也。揆度者，度病之深淺也。奇恒者，言奇病也。五中者，謂五藏之氣色也。夫明堂者，所以視萬物，別白黑，審長短，故曰決以明堂也。審於終始者，謂審察五色囚王，終而復始也。夫道循如是，應用不窮，目牛無全，萬舉萬當，由斯高遠，故可以横行於世間矣。

徵四失論篇第七十八

新校正按全元起本在第八卷，名方論得明著。

黄帝在明堂雷公侍坐黄帝曰夫子所通書受事衆多矣試言得失之意所以得之所以失之雷公封曰循經受業皆言十全其時有过失者願聞其事解也（言循學經師受傳事業皆謂十全於人庶及乎施用正術宣行至道或得失之於世中故請聞其解說也）帝曰子年少智未及邪將言以雜合邪（言謂年少智未及而不得十全耶為復且以言而雜合衆人之用耶帝疑先知而反問也）夫經脉十二絡脉三百六十五此皆人之所明知工之所循用也（謂循學而用也）所以不十全者精神不專志意不理外内相失故時疑殆（外謂色内謂脉也然精神不專於循用志意不從於條理所謂粗略發度失常故色脉相失而時自疑殆也）診不知陰陽逆從之理此治之一失矣（脉要精微論曰冬至四十五日陽氣微上陰氣微下夏至四十五日陰氣微上陽氣微下陰陽有時與脉為期又曰微妙在脉不可不察〻之有紀從陰陽始由此故診不知陰陽逆從之理為一失矣）受師不卒妄作雜術謬言為道更名自功（新校正云按大素功作巧）妄用砭石後遺身咎此治之二失也（不終師術惟妄是為易古變常自功循己遺身之咎不亦宜乎故為失也老子曰无遺身殃是謂襲常盖嫌其妄也）不適貧富貴賤

之居坐之薄厚形之寒温不適飲食之宜不別人之勇怯不
知比類足以自乱不足以自明此治之三失也貧賤者勞富貴者佚佚則
邪不能傷易傷以勞勞則易傷以邪其於勞也則富者處實者之
半其於邪也則貧者居賤者之半例率如此然世祿之家或此殊
矣夫勇者難感怯者易傷二者不同蓋以其神氣有壯弱也觀其
貧賤富貴之義則坐之薄厚形之寒温飲食之宜理可知矣不知
比類用必乖衰則適足以汨乱心
緒豈通明之可望乎故為失三也診病不問其始憂患飲食之失
節起居之過度或傷於毒不先言此卒持寸口何病能中妄言作
名為粗所窮此治之四失也憂謂憂懼也患謂患難也飲食失節言甚飽也起居過度言瀆耗也或傷
於毒謂病不可拘於藏府相乘之法而為療也卒持寸口謂不先
待寸口之脉和平與不平也然工巧絡識四術統歟故診工能中
病之形名言不能合經而妄作粗略醫者尚能中妄
診之道指此深明者見而不謂非乎故為失四也是以世人之
語者馳千里之外不明尺寸之論診無人事言工之得失毀譽在世人之言語皆可至
千里之外然其不明尺寸之
診論當以何事知見於人耶治數之道從容之葆治王也葆平也言診數當王之
氣皆以氣高下而為比類之
原本也故下文曰葆音保坐持寸口診不中五脉百病所起始

以自怨遺師其咎自不能深學道術而致診差違始上申怨謗之詞遺過咎於師氏者未之有也是故治不能循理棄術於市妄治時愈愚心自得不能修學至理乃衒賣於市廛人不信之謂乎虛謬故云棄術於市也然愚者百慮而一得何自功之有耶○新校正云按全元起本作自巧大素作自功嗚呼窈窈冥冥孰知其道今詳孰當作熟道之大者擬於天地配於四海汝不知道之諭受以明為晦嗚呼歎也窈窈冥冥言玄遠也至道玄遠誰得知之孰誰也擬於天地言高下之不可量也配於四海言深廣之不可測也然不能曉諭於道則受明道而成暗昧也晦暗也

●陰陽類論篇第七十九新校正云按全元起本在第八卷

孟春始至黃帝燕坐臨觀八極正八風之氣而問雷公曰陰陽之類經脈之道五中所主何藏最貴孟月春始至謂立春之日也燕安也觀八極謂視八方遠際之色正八可覩候八方所至之風朝會於太一者也五中謂五藏○新校正云詳八風朝太一具天元玉冊中又按楊上善云天為陽地為陰人為和陰無其陽衰殺而已陽無其陰生長不殖生長不上則傷於陰陰傷則陰災起衰殺不已則傷於陽陽傷與陽禍故須聖人在天地間和陰陽氣令萬物生也和氣之道謂先[illegible]為德則陰陽氣和陰陽氣和則八節風調八節風調則八正

風止於是疵厲不起寃祥皆集亦不知所以然而然也故黃帝問身之經脈貴賤依之調揖循德於身以正八風之氣

雷公對曰：春甲乙青，中主肝，治七十二日，是脈之主時，臣以其藏最貴。東方甲乙春氣主之自然青色內通肝也金匱真言論曰東方青色入通於肝故曰青中主肝也然五行之氣各主七十二日五七二五積而乘之則終一歲之數三百六十日故云治七十二日也長四時之氣以春為始五藏之應肝藏合之公故以其藏為最貴藏或焉道非也

帝曰：却念上下經，陰陽從容，子所言貴，最其下也。於容[illegible]安綏此類也帝念脈經上下篇陰陽比類形氣不以肝藏為貴故謂公之所貴最其下也

雷公致齋七日，旦復侍坐。悟非致齋以洗心顯益故坐而復請

帝曰：三陽為經，二陽為維，一陽為游部，經謂經論所以濟成務維謂維持所以繫天真游謂游行部謂身形部分也故主氣者濟成務化谷者繫天真主色者散布精微游行諸部也○新校正云按楊上善云三陽足太陽脈也從目內眥上頭分為四道下項并正別脈上下六道以行於背與身為經二陽足陽明脈也從鼻而起下咽分為四道并正別脈六道上下行腹綱維下身一陽足少陽脈也起目外眥絡頭分為四道下缺盆并正別脈六道上下主經營百節流氣三部故曰游部

此知五藏終始。勘此經論維繫游部之義則五藏之終始可謂知矣

三陽為表，二陰為裏，三陽大陽二陰少陰也少陰與大陽為表裏故曰三陽為表二陰為裏一陰至

絕作朔晦却具合以正其理一陰厥陰也厥猶盡也靈樞經曰亥爲左足之厥陰戌爲右足之厥陰兩陰俱尽故曰厥陰夫陰尽爲晦陰生爲朔厥陰者以陰尽爲義也徵其氣王則朔適言其氣尽則晦既見其朔又當其晦故曰一陰至絕作朔晦也然徵彼俱尽之陰合此發生之木以正應五行之理而无替循環故云却具合以正其理也新校正云按注言陰盡爲晦陰生爲朔疑是陽生爲朔雷公曰受業未能明言未明氣候之態見帝曰所謂三陽者大陽爲經陽氣盛大故曰大陽三陽脉至手大陰而弦浮而不沉决以度察以心合之陰陽之論大陰爲寸口也寸口者手大陰也脉氣之所行故脉皆至於寸口也大陽之脉洪大以長今弦浮不沉則當約以四時高下之度而斷決之察以五藏異同之候而參合之以應陰陽之論知其藏否耳所謂二陽者陽明也靈樞經曰辰爲左足之陽明巳爲右足之陽明兩陽合明故曰二陽者陽明也至手大陰弦而沉急不鼓炅至以病皆死鼓謂鼓動炅熱也陽明之脉浮大而短今弦而急沉不鼓者是陰氣勝陽木來乘土也然陰氣勝陽木來乘土而反熱病至者足陽氣之衰敗也猶灯之焰欲威反明故皆死也一陽者少陽也陽氣未大故曰少陽至手大陰上連人迎弦浮皆之丕雷大者人之病人迎謂結喉兩傍同身寸之一寸五分脉動應手者也弦爲少陽之脉今急懸不絕是經氣不足故曰少陽之病也懸者謂如

[illegible][illegible]動[illegible]者也專陽則死專獨也言其獨有陰氣而無陽氣則死三陰者六經之所主也三陰者大陰也言所以諸脉皆至手大陰者何耶以足六經之主故也六經謂三陰三陽之經脉也所以至手大陰者何以肺朝百脉之氣皆交会於氣口也故下文曰交於大陰此正義明肺朝百脉之義也經脉別論云肺朝百脉伏鼓不浮上空志心脉伏鼓擊而不上浮者是心氣不足故上鼓引於心而為病也志心謂小心也刺禁論曰七節之旁中有小心此之謂也○新校正云按揚上善云肺脉浮濇此為平也今見伏鼓是腎脉也况少陰脉貫脊屬腎上入肺中從肺出絡心肺氣下入腎志上入心神也王氏謂志心為小心義未通二陰至肺其氣歸膀胱外連脾胃二陰謂足少陰腎之脉少陰之脉別行者入跟中以上至腨內後廉貫脊屬腎絡膀胱其直行者從腎上貫肝膈入肺中故上至於肺其氣歸於膀胱外連於脾胃一陰獨至經絕氣浮不鼓鉤而滑若一陰独至肺經氣內絶則氣浮不鼓於手若經不內絶則鉤而滑○新校正云按揚上善云一陰厥陰也此六脉者乍陰乍陽交屬相并繆通五藏合於陰陽或陰見陽脉見陰脉故云乍陰乍陽也所以然者以氣交會故不當審此類以知之陰陽也先至為主後至為客脉氣乍陰見陽乍陽見陰何以別之當以審先至為主後至為客也至謂至寸口也

雷公曰臣悉盡意受傳經脉頌得從容之道以合從容不知陰陽

知雌雄頌謂今誦也公言臣所頌誦令從容之妙道以合上古從容而比類形名猶不知陰陽尊卑之次不知雌雄殊目之義請行其旨以明著至教陰陽雌雄相輸應也帝曰三陽為父父所以督濟群小言高尊也二陽為衛衛所以卻禦諸邪言扶生也一陽為紀紀所以綱紀形氣言其平也三陰為母母所以育養諸子言滋生也二陰為雌雌者陰之月也一陰為獨使一陰之藏外合三焦三焦主謁尊諸氣名為使者故云獨使也二陽一陰陽明主病不勝一陰脉耎而動九竅皆沉一陰厥陰肝木氣也二陽陽明胃土氣也木土相薄故陽明主病也木我其土土不勝不故云不勝一陰脉耎而動者耎為胃氣動謂本刑土才和特則胃氣不轉故九竅沉滿而不通利也三陽一陰太陽脉勝一陰不能止內亂五藏外為驚駭三陽是太陽之氣故曰太陽勝也木生火今盛陽層木上侵受之陽氣洪盛內為狂熱故內亂五藏肝邪上驚駭故外形驚駭之狀也二陰二陽病在肺少陰脉沉勝肺傷脾外傷四支二陰謂手少陰心之脉也二陽亦胃脉也心胃合病相上下井故內傷脾外傷肺所以然者胃為脾府心火勝金故尔脾土四支故脾病則外傷[illegible]以少陰脉謂手掌後同身寸之五分當小指神門之脉也○[illegible]正云按詳此二陽乃手陽明大腸肺之府也少陰心火勝金[illegible]刑故云病在肺王氏以二陽為胃義未甚通況又以見胃病腎[illegible]說此乃是心病肺也又全元起本及甲乙經大素等並云二陰

二陰二陽皆交至病在腎罵詈妄行巔疾為狂二陰為腎水之藏也二陽為胃土之府也上氣刑水故交至而病在腎也以腎水不勝故胃盛而癲為狂二陰一陽病出於腎陰氣客遊於心脘下空竅堤閉塞不通四支別離一陽謂手少陽三焦心主火之府也水上干火病出於腎陰氣客遊於心也何者腎之脉從腎上貫肝鬲入肺中其支別者從肺中出絡心注胸中故如是也然空竅陰客上遊胃不勝制胃不能制是土氣衰故脘下空竅皆不通也言堤者謂如堤防不容泄漏胃脉循足心脉絡手故四支如別離而不用也○新校正云按王氏云胃脉循足按此二陰一陽病出於腎胃當作腎一陰一陽代絕此陰氣至心上下無常出入不知喉咽乾燥病在土脾一陰厥陰脉一陽少陽脉並木之氣也代絕者動而中止也以其代絕故為病也木氣生火故病生而陰氣至心也夫火炎之氣上在頭首下在腰足中在腹脇故病發上下無常處也下交納不知其味穀為不知其要而喉咽乾燥者喉吭之後又咽氣為膽之使故病則咽喉乾燥雖病在脾土之中蓋由肝膽之所為尔二陽三陰至陰皆在陰不過陽陽氣不能止陰陰陽並絕浮為血瘕沉為膿胕二陽〻明三陰手太陰至陰脾也故病至陰皆在也然陰氣不能過越於陽〻氣不能制心令陰陽相[illegible]脉並絕斷而不相連續也脉浮為陽氣薄陰故為血瘕脉沉為陰氣薄陽故為膿聚而胕爛也陰陽皆壯下

至陰陽若陰陽皆壯而和薄不已者漸下至陰陽之內為大病矣陰陽者男子為陽道女子為陰器者以其盛受故也上合昭昭下合冥冥昭昭謂陽明之上冥冥謂至陰之內幽暗之所也診決死生之期遂合歲首謂一下短期之旨雷公曰請問短期黃帝不應欲其復問而定之也雷公復問黃帝曰在經論中上古經之中也○新校正云按全元起本自雷公已下別為一篇名四時病類雷公曰請問短期黃帝曰冬三月之病病合於陽者至春正月脈有死徵皆歸出春病合於陽謂前陰合陽而為病者也雖正月脈有死徵陽已發生至王不死故出春三月而[illegible]物也冬三月之病在理已盡草與柳葉皆殺長謂二[illegible]也熱皆而正月脈有死徵者以杜陰青[illegible]藥生出而皆死也理長也已以也古用何春陰陽皆絕期在孟春孟春之後而脈陰陽皆懸絕若期亦不此正月○新校正云大素先春字春三月之病曰陽殺陽病不謂陰實盛熱熱病謂非時病脈熱脈洪盛數也然春三月中陽氣尚少未當全盛而反病熱脈應夏氣者經云脈不再見夏脈當其數既陽外旋必死於夏至也以死於夏至陽氣[illegible]物之時[illegible]陽殺陰陽皆絕期在草乾若不陽病但陰陽之脈皆懸絕者死在於霜降草乾之時也[illegible]三月之病至陰不過十日謂熱病也脾熱病則五藏危土成數十故不過十日也陰陽交

期在溓水評熱病論曰溫病而汗出輒復熱而脉燥疾不為汗衰狂言不能食者病名曰陰陽交六月病暑陰陽復交二氣相持故乃死於立秋之候已○新校正云按全元起本云溓水者七月也建申水生於申陰陽逆也楊上善云溓廉儉反水靜也七月水生時也秋三月之病三陽俱起不治自已秋陽氣衰陰氣漸出陰陽不勝陰故自已也陰陽交合者立不能坐坐不能起以氣不由其正用故尓三陽獨至期在石水有陽无陰故云獨至也著至教論曰三陽獨至者是三陽并至由此則但有陽而无陰也石水者謂冬月水冰如石之時故云石水也火墓於戌冬陽氣微故石水而死也○新校正云詳石水之解本全元起之説王氏取之二陰獨至期在盛水亦所謂并至而无陽也盛水謂雨雪皆解為水之時則正謂正月中氣也○新校正云按全元起本二陰作三陰

●方盛衰論篇第八十新校正云按全元起本在第八卷

雷公請問氣之多少何者為逆何者為從黃帝荅曰陽從左陰從右陽氣之多少者從左陰氣之多少者從右從者為順反者為逆陰陽應象大論曰左右者陰陽之道路也老從上少從下老者穀衰故從上為順少者欲甚故從下為順是以春夏歸陽為生歸秋冬為死歸秋冬謂反歸陰也歸陰則順殺伐之氣故也反之則歸秋冬為生反之謂秋冬秋冬則歸陰為生也是以

氣多少逆皆為厥陽氣之多少反從右陰氣之多少反從左是為不順故曰氣少多逆也如是從左從右之不順者皆為厥厥謂氣逆故曰皆為厥也問曰有餘者厥耶言少之不順者為逆有餘者則成厥逆之病乎答曰一上不下寒厥到膝少者秋冬死老者秋冬生一經之氣厥逆上而陽氣不下者何以別之寒厥到膝是也四支者諸陽之本當溫而反寒上故曰寒厥也秋冬謂歸陰陽歸陰則從右發生其病也少者以陽氣用事故秋冬死老者以陰氣用事故秋冬生○新校正云按楊上善云近若厥也陽氣一上於頭不下於足足脛虛故寒厥至膝氣上不下頭痛巔疾巔謂身之上巔疾則頭首之疾也求陽不得求陰不審五部隔無徵若居曠野若伏空室綿綿乎屬不滿日謂之陽乃脉似陰盛謂之陰又脉似陽盛故曰求陽不得求陰不審也五部謂五藏之部隔謂隔遠无徵无可信驗也然求陽不得其熱求陰不審是寒五藏部分又隔遠無可信驗故曰求陽不得求陰不審五部隔無徵也夫如是者乃從氣久逆所作非由陰陽寒熱之氣所為也若居曠野言心神散越若伏空室謂志意沉潛散越以氣逆而痛甚未止沉潛以痛定而復恐再來也綿綿乎謂動息微也身雖綿綿乎且存然其心所屬望將不得終其盡日也故曰綿綿乎屬不滿日也○新校正云按太素云若伏空室為陰陽之一有此五字疑此脫漏文也

少陰之厥令人妄夢其極至迷氣之少有厥逆則令人妄為夢寐其人之盛極則令人夢至迷亂

三陽絶三陰微是為少氣三陽之脈懸絶三陰之診細微是為少氣之候也○新校正云按大素云三陽絶気是為少氣是以肺氣虛則使人夢見白物見人斬血藉藉白物是象金之色也斬者金之用也藉一夢死狀也得其時則夢見兵戰得時謂秋三月也金為兵革故夢見兵戰腎氣虛則使人夢見舟船溺人舟船溺人皆水之用腎象水故夢形之得其時則夢伏水中若有畏恐冬三月也肝氣虛則夢見菌香生草菌香草生草木之類也肝合草木故夢見之○新校正云按全元起本云菌香是桂園失綸切得其時則夢伏樹下不敢起春三月也心氣虛則夢救火陽物心合火故夢之陽物亦火之類得其時則夢燔灼夏三月也脾氣虛則夢飲食不足脾納水穀故夢飲食不足得其時則夢築垣蓋屋得時謂辰戌丑未之月末合十八日築垣盖屋皆十之用此皆五藏氣虛陽氣有餘陰氣不足府者陽氣藏者陰氣合之五診調之陰陽以在經脉靈樞經曰備有調陰陽合五診故此之口以在經脉脉則靈樞經之篇目也診有十度度人脉度藏度肉度筋度俞度度各有其二故二五為十一量度陰陽氣盡人病自具診備盡陰陽虛盛之理則人病自具知之脉動無常散陰頗陽脉脫

不具診無常行診必上下度民君卿脉動无常數者是陰散而陽頗調理也若脉診脫略而不具備者无以常行之診而察候之則當度量民及君卿三者調養之殊異爾何者憂樂苦分不同狀故也受師不卒使術不明不察逆從是為妄行持雌失雄棄陰附陽不知并合診故不明皆謂學不該備傳之後世反論自章章路也以不明而授與人反古之迹自然章路也至陰虛天氣絕至陽盛地氣不足至陰虛天氣絕而不降至陽盛地氣微而不升是所謂不交通也至謂至盛也陰陽並交至人之所行交謂交通也惟聖人乃能調理使行也陰陽並交者陽氣先至陰氣後至陰陽之氣並行而交逆於一處者則當陽氣先至陰氣後至何者陽速而陰遲也靈樞經曰所謂交通者並行一數也由此則二氣亦交會於一處也是以聖人持診之道先後陰陽而持之奇恒之勢乃六十首診合微之事追陰陽之變章五中之情其中之論取虛實之要定五度之事知此乃足以診奇恒勢六十首今世不傳是以切陰不得陽診消亡得陽不得陰守學不知知左不知右知右不知左知上不知下知先不知後故治不久知醜知善知病知不

病知高知下知坐知起知行知止用之有診診道乃其萬世不殆聖人持診之明誠也起所有餘知所不足寶命全形論曰內外相得無以形先言起己身之有餘則當知病人之不足也度事上下脈事因格度事上下之宜脈事因而至於微妙矣格至也是以形弱氣虛死中外俱不足也形氣有餘脈氣不足死藏衰故脈不足也脈氣有餘形氣不足生藏盛故脈氣有餘是以診有大方坐起有常坐起有常則息力調適故診之方法必先用之出入有行以轉神明言所以貴坐起有常者何以出入行運皆神明隨轉也必清必靜上觀下觀司八正邪別五中部按脈動靜上觀謂氣色下觀謂形氣也八正謂八節之正候五中謂五藏之部分然後按寸尺之動靜而定死生矣循尺滑濇寒溫之意視其大小合之病能逆從以得復知病名診可十全不失人情故診之或視息視意故不失條理數息之長短候脈之至數故診之法或視喘息也知息合脈病處必知聖人察候條理斯皆合也道甚明察故能長久不知此道失經絕理亡言妄期此謂失道謂失精微至妙之道

●解精微論篇第八十一

新校正云按全元起本在第八卷名方論解

黄帝在明堂雷公請曰臣受業傳之行教以經論從容形法陰陽刺灸湯藥所滋行治有賢不肖未必能十全言所自授用可十全然傳所教習未能必爾也賢謂心明智遠不肖謂擁遏不法若先言悲哀喜怒燥濕寒暑陰陽婦女請問其所以然者卑賤富貴人之形體所從群下通使臨事以適道術謹聞命矣皆以先聞吞旨尤未究其意端請問有毚愚仆陋之問不在經者欲聞其狀言不智故見頒問也妄也漏脱漏也謂經有所未解者也毚狡此愚不智見也仆尤頓也尤不漸也○新校正云按全元起本仆作朴帝曰大矣人之所大要也公請問哭泣而淚不出者若出而少涕其故何也言何藏之不為而致是乎帝曰在經有也謂樞經有悲哀涕泣之義復問不知水所從生涕所從出也復問重問也欲知水涕所生之由也帝曰若問此者無益於治也工之所知道之所生也言涕水若皆道氣之所生問之何也夫心者五藏之專精也專任也言五藏之精氣任心之所使以為神明之府是故徐竅目者其竅也神內守明外鑒故目其竅也華色者其榮也華色其神明之外飾是以人有德也則氣和於目有亡憂知於色

德者道之用人之生也老子曰道生之德畜之氣者生之主神之舍也天布德地化氣故人因之以生也氣和則神安神安則外鑒明矣氣不和則神不守神不守則外榮減矣故曰人有德也氣和於目有亡也憂知於色也○新校正云按太素德則得是以悲哀則泣下泣下水所由生水宗者積水也新校正云按甲乙經正水宗作衆精積水者至陰也至陰者腎之精也宗精之水所以不出者是精持之也輔之裹之故水不行也夫水之精為志火之精為神水火相感神志俱悲是以目之水生也目為上液之道故水火相感神志俱悲水液上行乃生於目故諺言曰心悲名曰志悲志與心精共湊於目也水火相感故曰心悲名曰志悲神志俱悲故志與心神共奔湊於目之[illegible]是以俱悲則神氣傳於心精上不傳於志而志獨悲故悲出也泣涕者腦也腦者陰也五藏別論以腦為地氣所生皆藏於陰而象於地故言腦者陰陽上樂也髓則銷也○新校正云按全元起本及甲乙經太素陰作陽髓者骨之充也充滿也言髓滿於骨充而滿也故腦滲為涕鼻竅通腦故腦滲為涕流於鼻中矣志者骨之主也是以水流而涕從之者其行類也類同類也夫涕之與泣者譬如人之兄弟

急則俱化生則俱生同源故生死俱○新校正云按太素生則俱生作出則俱亡其志以早悲是以涕泣俱出而橫行也行恐當為流夫人涕泣俱出而相從者所屬之類也所屬謂於腦也何也上文云涕泣者腦也雷公曰大矣請問人哭泣而淚不出者若出而少涕不從之何也怪其所屬同而行出異也帝曰夫涕不出者哭不悲也不哭者神不慈也神不慈則志不悲陰陽相持故安能獨來泣不出者泣淚也不泣者泣謂哭也水之精為志火之精為神水為陰火為陽故曰陰陽相待泣安能獨來也夫志悲者惋惋則沖陰沖陰則志去目志去則神不守精精神去目涕淚出也惋謂內爍也爍充升世神志相感謂由是生故內爍則陽氣升於陰也陰腦也夫目謂陰不守目也志去於目故神亦浮游失志去目則光无內爍神失守則精不外明故曰精神去目涕泣出也且子獨不念不謂夫經言乎厥則目無所見夫人厥則陽氣并於上陰氣併於下并謂各并於本位也陽并於上則天独光也陰并於下則足寒足寒則脹也夫一水不勝五火故目眥盲眥視也一水目也五火謂五藏之厥陽也○新校正云按甲乙經无眥字是以氣衝

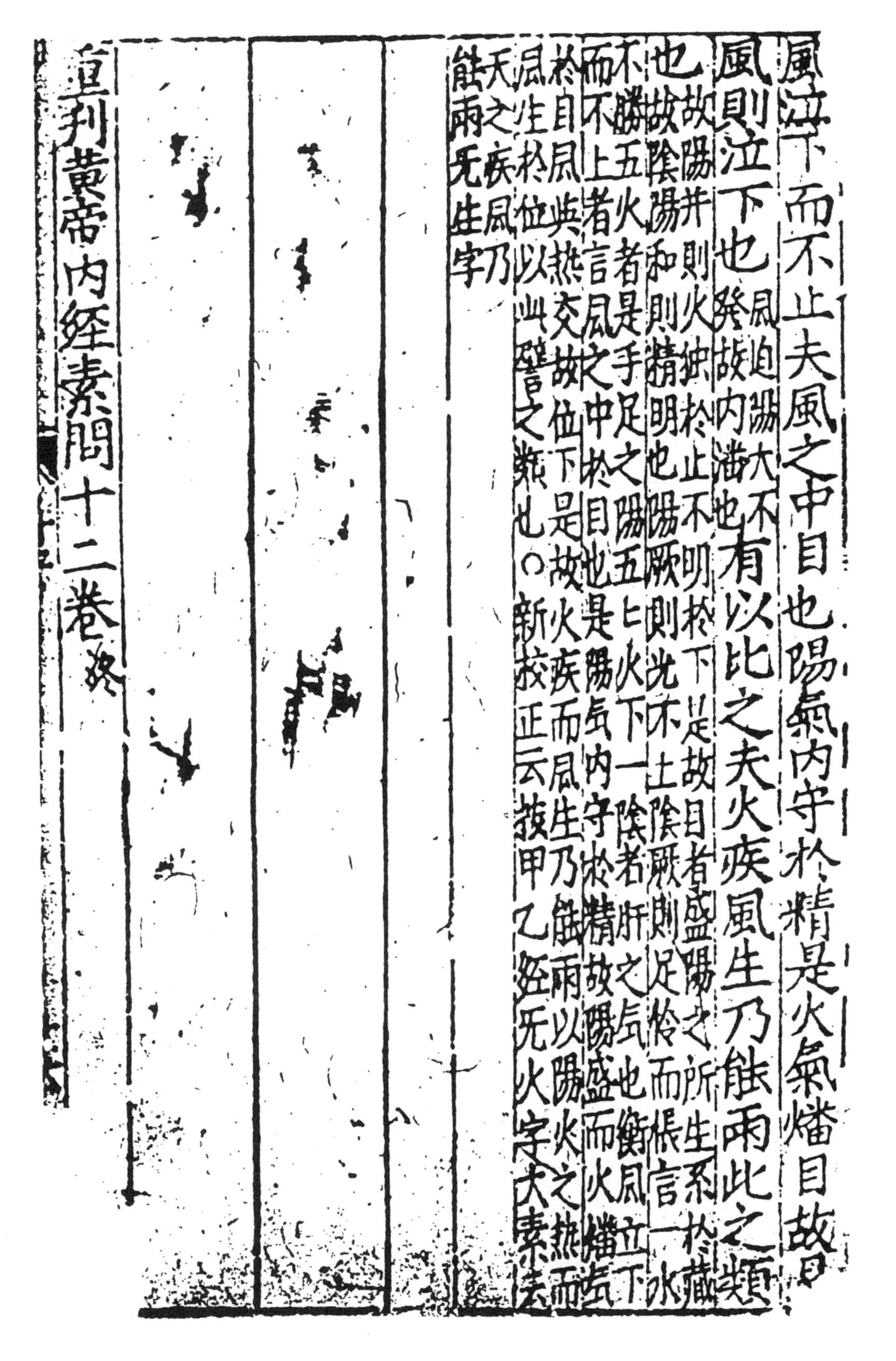

風泣下而不止夫風之中目也陽氣內守於精是火氣燔目故見風則泣下也風迫陽入不發故內溢也有以比之夫火疾風生乃能雨此之類也故陽并則火獨於上不明於下是故目者盛陽之所生系於藏故陰陽和則精明也陽厥則光不上陰厥則足冷而脹言一水不勝五火者是手足之陽五匕火下一陰者肝之氣也衝風立下而不上者言風之中於目也是陽氣內守於精故陽盛而火燔氣於目風熱交故位下是故火疾而風生乃能雨以陽火之熱而風生於位以此譬言之類也○新校正云按甲乙經無火字太素作天之疾風乃能雨無生字

重刊黃帝內經素問十二卷終

· 白頁 ·

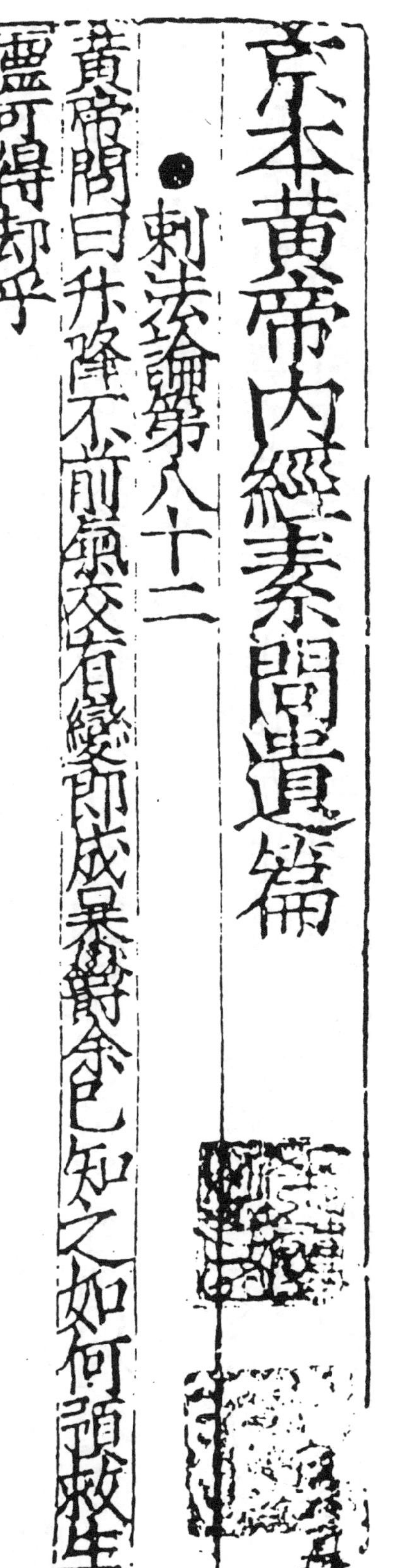

京本黃帝內經素問遺篇

●刺法論第八十二

黃帝問曰升降不前氣交有變即成暴鬱余已知之如何預救生靈可得却乎

却之言去也何以去之

岐伯稽首再拜對曰昭乎哉問臣聞夫子言既明天元須窮法刺可以折鬱扶運補弱全真瀉盛蠲餘令除斯苦

夫子者祖師之稱復垂折謂折伏也扶謂扶持也蠲除也斯此也令除此苦也

帝曰願卒聞之岐伯曰升之不前即有甚凶也木欲升而天柱窒抑之木欲發鬱亦須待時

木發待間氣也至天作間氣之時作也欲發可刺之也

當刺足厥陰之井

足厥陰之井即大敦穴在足大指端去爪甲上如韭葉三毛之中乃足厥陰之所出也於平旦水下一刻時以手按穴得動脉下鍼可及三分留六呼如得氣急出之先刺左後刺右又可春分日吐之無此管也

火欲升而天蓬窒抑之火欲發鬱亦須待時

火鬱待時至天作左間氣之時也其發也君火春分相火小滿即欲發之時也故君火相火同法即是二時而可預刺之也

君火相火同刺包絡之滎

心包絡之滎在手掌中勞宮穴也水下二刻以手按穴動脉應手刺可同身寸之三分留六呼得氣而急出之先左後右又[illegible]

當春三世汗也

土欲升而天衝窒抑之土欲發鬱亦須待時

土鬱待時至天作左間氣之時也土發鬱日維辰維也各於二間維發之也可預刺之也

當刺足太陰之俞

足太陰之俞太白兌在足内側核骨下陷者中足太陰之所注也水下三刻刺可同身寸之二分留七呼氣至急出之於左右後

金欲升而天英窒抑之金欲發鬱亦須待時

金鬱待時至天作左間氣之日也夏至之後金欲發鬱之時在火王後作可預刺也

當刺手太陰之經

手太陰之經者經渠穴也在兩手寸口脈陷者中手太陰之所

行也動脈應手於水下四刻刺可同身寸之三分留三呼氣至
急出鍼先左後右

水欲升而天內窒抑之水欲發鬱亦須得時
水鬱得時至天作左間氣之時也發於艮維之後次得王之數
水可作也可以預用針刺之也

當刺足少陰之合
足少陰之合陰谷穴也在膝內輔骨之後大筋之下小筋之上
按之應手屈膝而得足少陰之所入也刺可同身寸之四分留
三呼動氣應手可刺急出之先刺左後刺右

帝曰升之不前可以預備願聞其降可以先防
防護者也

岐伯曰既明其升必達其降也升降之道皆可先治也

亦可以升而先刺也

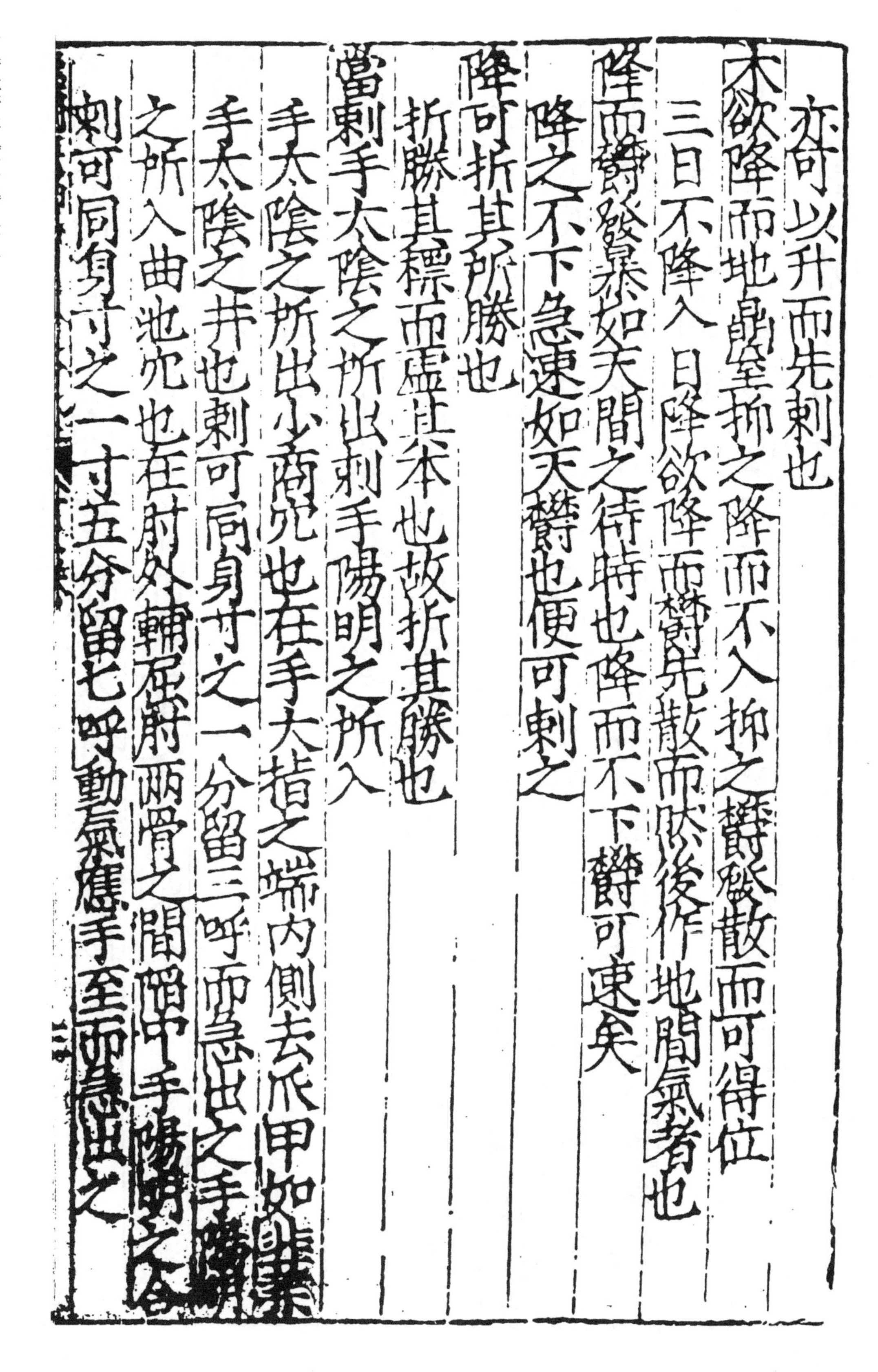

木欲降而地晶窒抑之降而不入抑之鬱發散而可得位

三日不降入　日降欲降而鬱先散而然後作地間氣者也

降而鬱發暴如天間之待時也降而不下鬱可速矣

降之不下急速如天鬱也便可刺之

降可折其所勝也

折勝其標而虛其本也故折其勝也

當刺手太陰之所出刺手陽明之所入

手太陰之所出少商兕也在手大指之端内側去爪甲如韭葉

手太陰之井也刺可同身寸之一分留三呼而急出之手陽明

之所入曲池兕也在肘外輔屈肘兩骨之間陷中手陽明之合

刺可同身寸之一寸五分留七呼動氣應手至而急出之

火欲降而地玄窒抑之降而不入抑之鬱發散而可矣
二日不降七日降欲下而鬱散之速可刺之也
當折其所勝可散其鬱
火鬱折水可以除之
當刺足少陰之所出刺足太陽之所入
足少陰之出湧泉穴也在足心陷者中屈足捲指宛宛中足心
陰之井刺可同身寸之三寸留三呼動氣至而急出之先左後右
足太陽之所入委中穴在膕中央約文中動脉足太陽之
合也刺可同身寸之五分留七呼氣至而急出之先左後右二
次同其法刺也
土欲降而地蒼窒抑之降而不下抑之鬱發散而可入
五日不降十日降欲降而鬱散而可速刺之

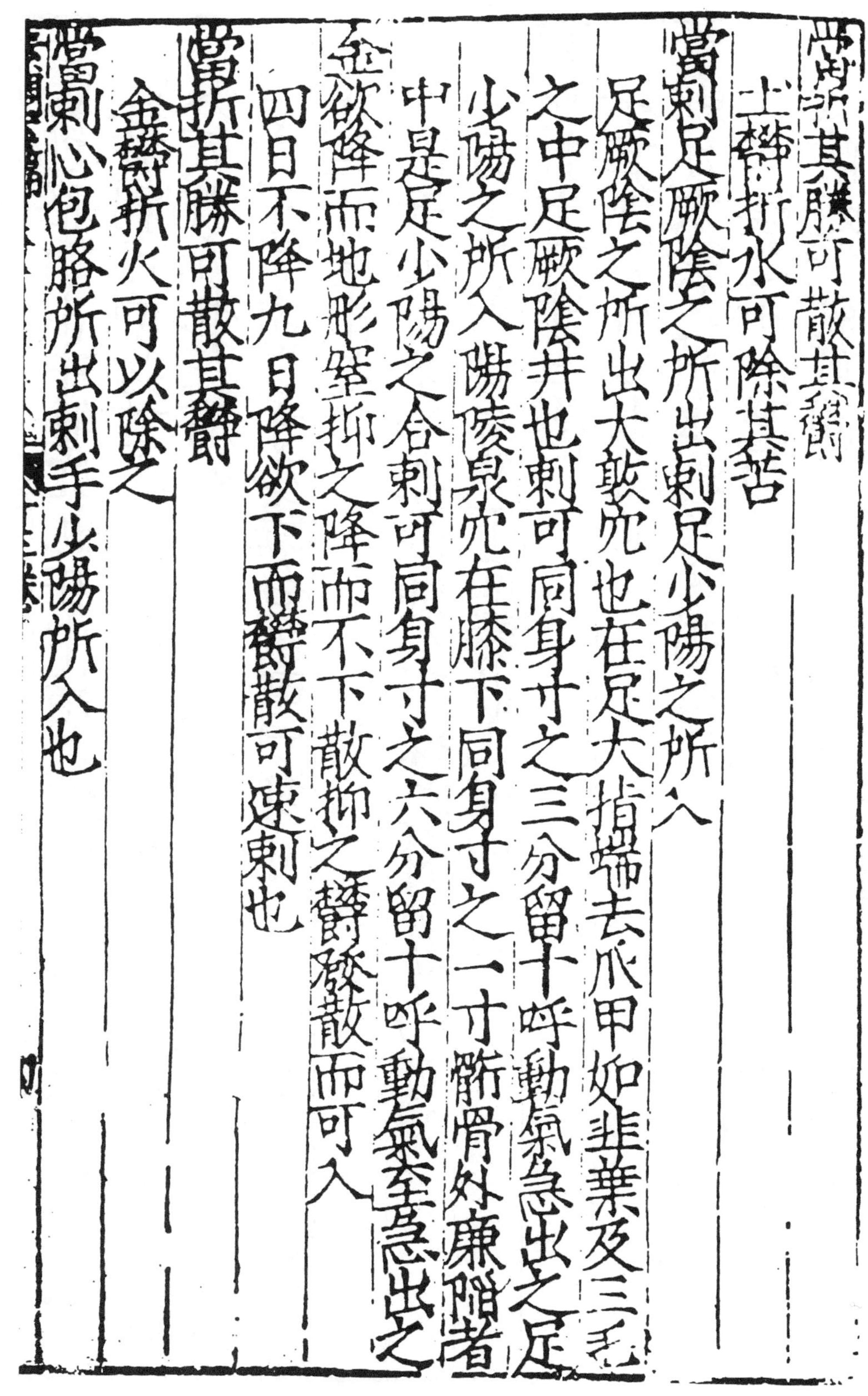

當折其勝可散其鬱
土鬱折水可除其苦
當刺足厥陰之所出刺足少陽之所入
足厥陰之所出大敦穴也在足大指端去爪甲如韭葉及三毛之中足厥陰井也刺可同身寸之三分留十呼動氣急出之足少陽之所入陽陵泉穴在膝下同身寸之一寸骱骨外廉陷者中是足少陽之合刺可同身寸之六分留十呼動氣至急出之
火欲降而地形窒抑之降而不下散抑之鬱發散而可入
四日不降九日降欲下而鬱散可速刺也
當折其勝可散其鬱
金鬱折火可以除之
當刺心包絡所出刺手少陽所入也

心包胳所出中衝宂也在中指之端去爪甲如韭葉是手心主之井刺可同身寸之一分留三呼動氣至急出之手少陽之所入天井宂也在肘外大骨之後肘後同身寸之一寸兩筋間陷者中屈肘得之手少陽合刺可同身寸之一寸留十呼動氣應手至而急出之

水欲降而地氣窒抑之降而不下抑之鬱發散而可入

一日不降六日降欲下而鬱散先可刺之也

當折其土可散其鬱

折其所勝可以散之也

當刺足太陰之所出刺足陽明之所入

足太陰之所出隱白宂也在足大趾之端側去爪甲如韭葉是太陰之井刺可同身寸之一分留三呼得氣至乃出之足陽明

之所入三里穴在膝下三寸骱骨外廉兩筋間足陽明之所合

刺可同身寸之五分留十呼得氣至而急出之

帝曰五運之至有前後與升降往來有所承抑之可得聞乎刺法

岐伯曰當取其化源也是故太過取之不及資之太過取之次抑

其鬱取其運之化源令折鬱氣不及扶資以扶運氣以避虚邪也

不及者當資其化源以補其所斷令不勝

資取之法令出密語

資取化源法方明於玄珠密語第一卷中

黄帝問曰升降之刺以知要領聞司天未得遷正使司化之失其

常政即萬民之或其苍有妄散遍民為病可得先除欲濟羣生願聞

其説

明其遷正故可預防

岐伯稽首再拜曰悉乎哉問言其至理聖念慈憫欲濟群生臣乃
盡陳斯道可申洞微
申顯也洞深也微妙也言可盡顯深妙
太陽復布即厥陰不遷正
即天運不和順四序失合而作疫
不遷正氣塞於上當寫足厥陰之所流
氣得而復遷之故寫之當寫足厥陰之所流行間也在足大
趾之間動脉應手陷者中足厥陰之榮刺可同身寸之六分留
七呼動氣至而急出之
厥陰復布少陰不遷正
天失時令節氣令不正也
不遷正即氣塞於上

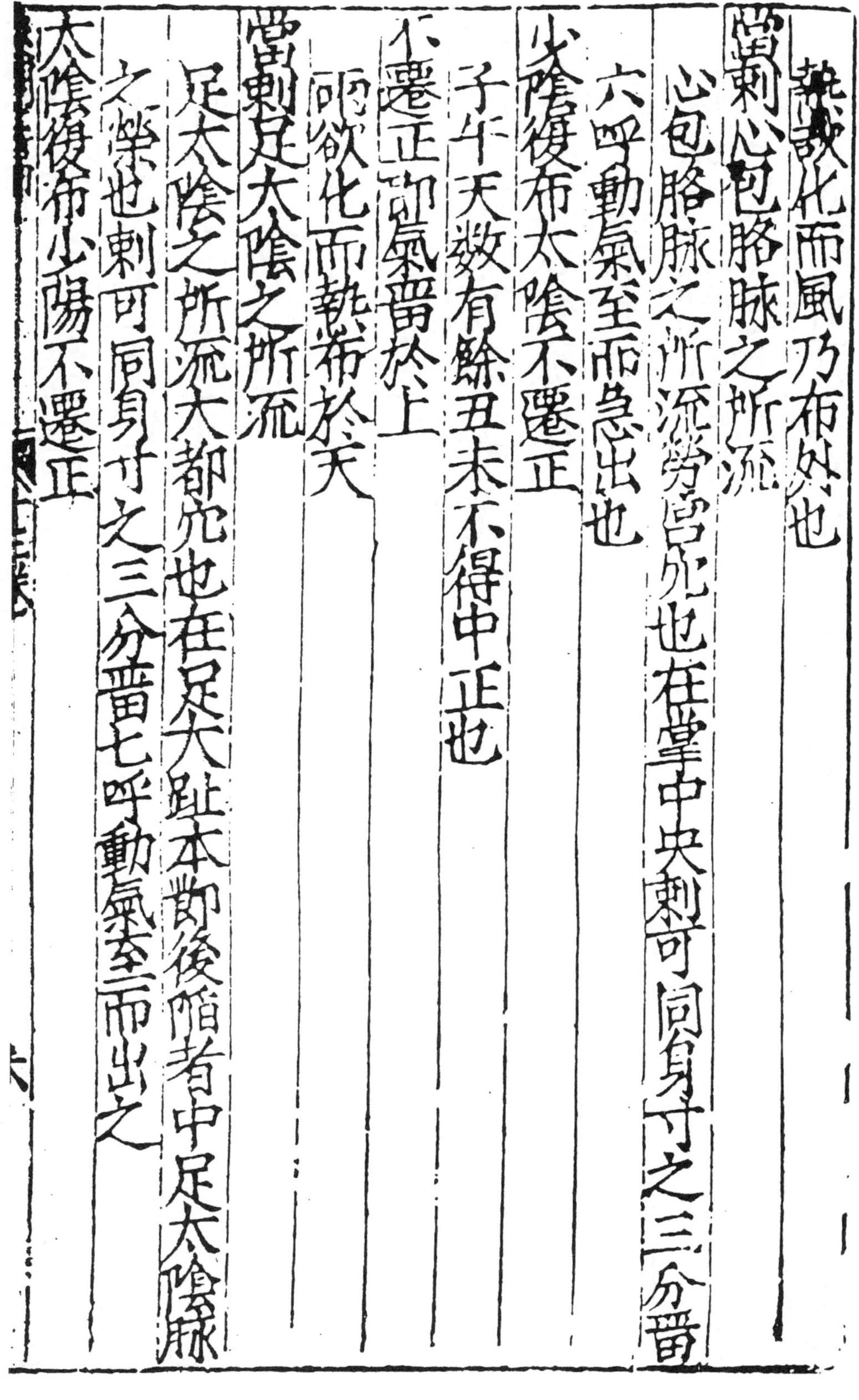

熱欲化而風乃布外也

當刺心包絡脉之所流

心包絡脉之所流勞宮穴也在掌中央刺可同身寸之三分留

六呼動氣至而急出也

少陰復布太陰不遷正

子午天數有餘丑未不得中正也

不遷正即氣留於上

雨欲化而熱布於天

當刺足太陰之所流

足太陰之所流大都穴也在足大趾本節後陷者中足太陰脉

之榮也刺可同身寸之三分留七呼動氣至而出之

太陰復布少陽不遷正

丑未天數有餘寅申未得中正

不遷正則氣塞未通

熱欲化而雨復布

當刺手少陽之所流

手少陽之所流液門穴也在手小指次指間陷者中手少陽之

榮也刺可同身寸之二分留三呼動氣至而急出也

少陽復布則陽明不遷正

寅申天數有餘卯酉未得司天

不遷正則氣未通上

燥欲治天熱化復治

當刺手太陰之所流

手太陰之所流魚際穴也手大指本節後内側散脉文中手太

陰之榮也刺可同身寸之三分留三呼動氣至而急出之

陽明復布太陽不遷正

卯酉天數未終辰戌未得司正

不遷正則復塞其氣

寒欲行天而燥復化

當刺足少陰之所流

足少陰之所流然谷穴也在足内踝前起大骨下陷中足少陰之榮也刺可同身寸之三分留三呼動氣至而急出之

帝曰遷正不前以通其要願聞不退欲折其餘無令過失可得明乎岐伯曰氣過有餘復作布正是名不過位也

即名布正再治天而不能退位

使地氣不得後化新司天未可遷正故復布化令如故也

新歲司天未得中司去歲司天仍舊治天是故氣過天久失當
故與民作災病也
巳亥之歲天數有餘故厥陰不退位也
至子午之年猶尚治天
雨溫之化不令風化至酷作災
當刺足厥陰之所入
足厥陰之所入曲泉穴也在膝內輔骨下大筋上小筋下陷
者中屈膝而得之足厥陰之合也刺可同身寸之六分留七呼
動氣至急出其針也
子午之歲天數有餘故少陰不退位也
至丑未之年猶尚治天
熱行於上火餘化布天

燥清之勝雨化不令熱化復行天令也

當刺手厥陰之所入

心包之所入曲澤穴也在肘內廉下陷者中屈肘而取之手厥陰之合也刺可同身寸之三分留七呼動氣至而急出之

丑未之歲天數有餘故太陰不退位也

至寅申之年猶尚治天也

溫行於上雨化布天

寒化勝濕化不令溫化復布行天令

當刺足太陰之所入

足太陰之所入陰陵泉穴也在內側輔骨下陷者中足太陰之合刺可同身寸之五分留七呼動氣至而急出之也

寅申之歲天數有餘故少陽不退位也

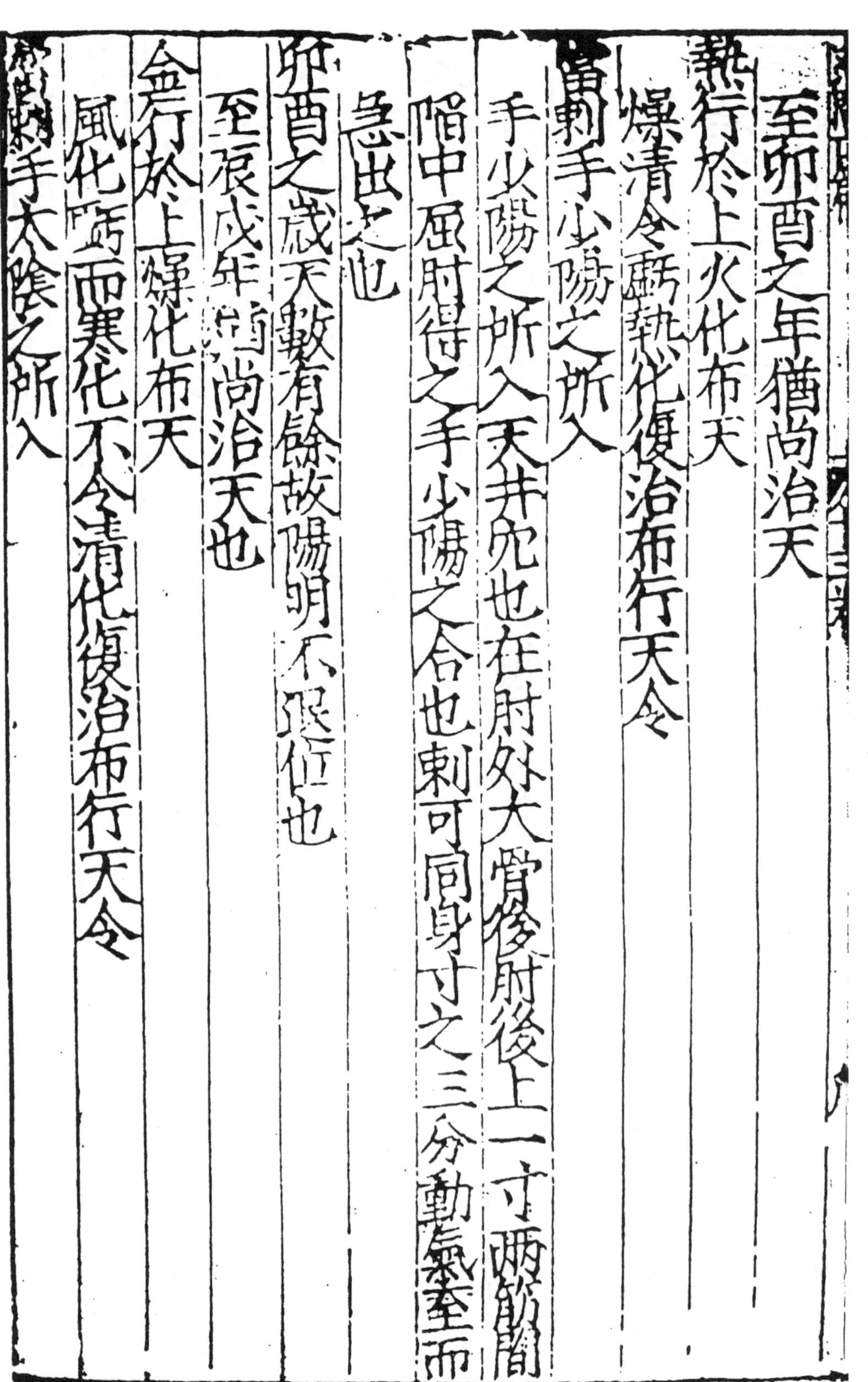

至卯酉之年猶尚治天
熱行於上火化布天
燥清令爲熱化復治布行天令
當刺手少陽之所入
手少陽之所入天井穴也在肘外大骨後肘後上一寸兩筋間
陷中屈肘得之手少陽之合也刺可同身寸之三分動氣至而
急出之也
卯酉之歲天數有餘故陽明不退位也
至辰戌年猶尚治天也
金行於上燥化布天
風化爲而寒化不令清化復治布行天令
當刺手太陰之所入

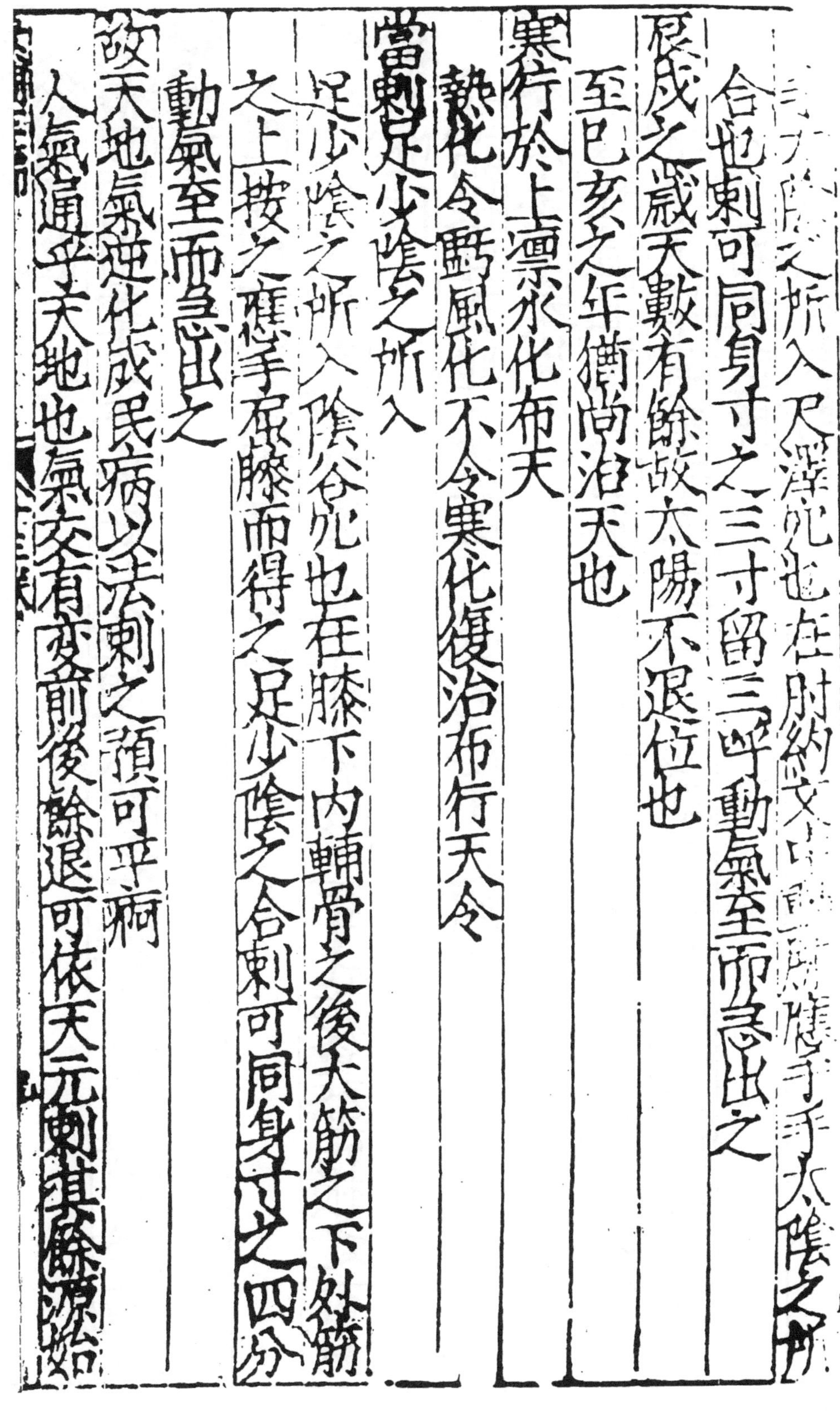
手太陰之所入尺澤穴也在肘約文中動脈手太陰之所
合也刺可同身寸之三寸留三呼動氣至而急出之
辰戌之歲天數有餘故太陽不退位也
至巳亥之年猶尚治天也
寒行於上凛水化布天
熱化令燠風化不令寒化復治布行天令
當刺足少陰之所入
足少陰之所入陰谷穴也在膝下內輔骨之後大筋之下小筋
之上按之應手屈膝而得之足少陰之合刺可同身寸之四分
動氣至而急出之
故天地氣逆化成民病以法刺之預可平痾
人氣通乎天地也氣交有變前後餘退可依天元刺其餘源始

終可平也

黃帝問曰剛柔二干失守其位使天運之氣皆虛乎與民為病可得平乎

天運如虛可以法刺可除之也

岐伯曰深乎哉問明其奧旨天地迭移三年化疫是謂根之可見必有逃門

是謂根究天地之災必有逃危逃生之門戶

假令甲子剛柔失守

未得其位上失其剛雖得交司數可未至甲子上未終司巳行

雖迁正是謂柔干孤虛其下也剛未正之巳不得其甲卯

下虛而本遷勝

柔孤而有虧

巳一不[illegible][illegible]巳[illegible]土運不令正失少陰不化是故天[illegible][illegible][illegible]而使
邪化疫者也
時序不令即音律非從
司天猶布而中運有勝至矣甲未臨而已巳至律無音而呂有
聲即黃鍾大宮不應夾鍾少宮即應以表己卯下位孤主土運者也
如此三年變大疫也
甚即速首尾三年至
詳其微甚察其淺深
大虛而布政日久即深也深即甚矣運未正即勝至久即深甚
也甚即深首尾二年至者也
欲至而可刺刺之
則以明其剌法者即是布正而未遷正者可刺其即今之病也

是言知者是以三年中有大疫至刺補其夭之之吉也即其細詳微甚知其所至之期可先察之者也

腎先補腎俞

大疫至而腎虚者先補之腎俞在骨第十四椎下兩傍各同身寸之一寸五分未刺時先口嚼鍼暖而用之用圓利鍼臨刺時呪曰五帝上真六甲玄靈氣符至陰百邪閉理念三遍自口中取鍼先刺二分留六呼次入鍼至三分動氣至而徐徐出鍼以手捫之令受鍼人咽氣三次又可定神魂者也

次三日可刺足太陰之所注

足太陰之所注大白兑也在内踝核骨下陷者中足太陰脉之所注也先以口嚼鍼令温欲下鍼時呪曰帝扶天形護命成靈三遍乃刺三分留七呼動氣至而急出其鍼也

又有下位己卯不至而甲子孤立者次三年作土癘其法補瀉一如甲子同法也

即甲子甲戌甲申甲午甲辰甲寅并及己丑己亥己酉己未己巳己卯凡甲己上下失守皆此一法而已

其刺以畢又不須夜行及遠行令七日潔清淨齋戒所有自來腎有久病者可以寅時面向南淨神不亂思閉氣不息七遍以引頸咽氣順之如咽甚硬物如此七遍後餌舌下津令無數

仙家咽氣可以深根固蒂以子受母氣也咽下氣令腹中鳴至臍下子氣見母元氣故曰反本還元也久餌之令深根以養固蒂也故咽氣津者此名天池之水可久餌之資精氣與溉五藏先溉元海一名離宮之水一名玉池一名神水不可唾之但可餌之以補精血可益元海也

假令丙寅剛柔失守

柔得其位上失其剛也雖得其歲而丙未遷正治天下辛巳

獨治其泉上位丙失其剛干故中水運不得運大過也反擊土之

上剛干失守下柔不可獨主之

柔干在上猶言不及何況柔失剛者也

中水運非大過不可執法而定之

不以諸丙年作其水大過也當推之天微而知有斷也

布天有餘而失守上正

天雖主治之此即布正之化正司上歲未衍上位也

天地不合即律呂音異

柔干至而呂有音應剛干未遷而律管無聲即少羽鳴響宣哭

羽聲也

如此即天運失序
雖有化而非常化也
後三年變疫
疫有微甚故有遲速當推其天數之淺深也
詳其微甚差有大小
太差七分小差五分每一分一十五日大差速至小差徐徐而
至之也
徐至即後三年至甚即首三年
推數差速即知運遲
當先補心俞
心俞在背第五椎下兩傍各一寸半用圓利鍼於口中令溫暖
次以手按穴得其氣動備呪曰太始上清丹元守靈誦之三遍

先想火光於穴下然後刺可同身寸之一寸半留七呼得氣至
次進針三分以手彈之令氣至而下針得動氣至而徐徐出針
次以手捫其穴令受針人閉氣三息而嚥氣也

次五日可刺腎之所入
腎之所入陰谷穴也在膝内輔骨之後大筋之下小筋之上按
之應手屈膝而得之用圓利針令口中温暖先以手按穴匝咒
曰大微帝君五氣及真六辛都司符扶黑靈吞誦之一遍刺可入
同身寸之四分得動氣至而急出之

又有下位地甲子辛巳柔不附剛亦名失守即地運皆虛後三年
變水癘即刺法皆如此矣
即丙寅丙子丙戌丙申丙午丙辰辛丑辛亥辛酉辛未辛巳辛
卯如此上下失守皆推大小差而刺之

其刺如畢愼其大喜欲情於中如不忌即其氣復散也令靜七日

七日後神氣實而水疫不傷

心欲實令少思

思慮傷神君當登心而神守中即道自降而其氣復上入亂想

勞神即陰中鬼王勞神即神後苦志心亂故天人命實即神和

志安心靜即中也

假令庚辰剛柔失守

乙得其位上失其庚即謂柔失其剛也雖得其歲即庚未得中

位也乙得下位以治其地上位庚失其剛干故中金運不得天

過反受火勝之也

上位失守下位無合

乙未在下主地孤立也上無剛干正之天運虛

乙庚金運故非相招

上下相招陰陽相合也司天與運各得其化

布天未退中運勝來

不以賊化元勝復支干不合有

上下相錯謂之失守

更不與乙相對合也

姑洗林鍾商音不應也

失守即同聲不相應也姑洗上管亦發太陰不如應林鍾下管

乙未少商獨應矣

如此即天運化易

故四序非常也

三年變大疫

[illegible]名木疫

詳其天數差有微甚

大差七分即氣過一百五日即甚矣小差五分即氣過七十五

日即微也

微即微三年至

微即徐也

甚即甚三年至

甚即速也

當先補肝俞

肝俞在背第九椎下兩傍各一寸半用圓利針以口濕溫暖先以

手按兌得動氣欲下針而呪曰氣從始清常符六丁左補天倉[illegible]

右入黃庭誦之三遍先想青氣於兌下然後刺之三分留[illegible]

進針七入五分動氣至而徐徐出針以手捫其穴令受針人咽氣

次三日可刺肺之所行

肺之所行經渠穴也在手寸口陷中手太陰經也用圓利針於口內温令暖先以左手按穴而呪曰太始上真五帝龍君元和氣合司入其神誦之三遍刺可同身寸之三分留一呼動氣至而出其針也

刺畢可静神七日慎勿大怒怒必真氣却散之又或在下地甲子乙未失守者即乙柔干即上庚獨治之亦名失守者即剛干孤主之三年変癘名曰金癘

亦名殺癘

其至待時也詳其地數之等差亦推其微甚可知遲速爾

涉之其三年遲即後三年其至如金疫刺法同前也

諸位乙庚失守刺法同

即天運各異金殺丁之災化民病也同刺而却之也

肝欲平即勿怒

怒即陰陽生肝為陽神也陰陽生即陽天夜臥令安其志勿畜惡語

即陽神魂守中

假令壬午剛柔失守

下得其位上失其主即司天布正木運反虛也雖交歲而天未

遷正中運勝即地見丁酉獨主其運故行燥勝大木勝化是名

二虛者已

上壬未遷正下丁獨然即雖陽年虧及不同

災亦然三日肝自病風化不令運失其壬未得其位天如布假

可得遷正不假復而正角

上下失守相招其有期

推之天別又及幾分天如復正故得相招者也

差之微甚各有其數也

差七分計一百五日即大差少期也差廿分即七十五日其下者又微也

律呂二角失而不和同音有日

上律蕤賓下呂南呂上失角不應下少角應故二角失而不和也後上下遲正之日即上下角同音相應

微甚如見三年大疫

微即至乙酉甚即至甲申甚速微徐也

刺脾之俞

脾之俞在脊第十一椎下兩傍各一寸半動脈應手用圓利鍼

令口中溫暖而刺之訖咒曰五精智精六甲玄靈帝符元首大
始受真歸之三遍先想黃氣於穴下然後刺之二分得氣至而
次進之又得動氣次進之二進各一分留五呼即令仰出針以
手捫之令其人不息三遍而嚥津也
次三日可刺肝之所出也
肝之所出大敦穴也在足大指端去爪甲如韭葉及三毛之中
足厥陰之井也用圓利針令口中溫暖而刺之即咒曰真靈至
玄大道宜然五神各位氣守三田補之然後可刺入同身寸之
三分留十呼動氣至而出其針
刺畢靜神七日勿大醉歌樂其氣復散又勿飽食勿食生物
歌樂者即靜神動而氣散也醉即生亂飽即食脹故慎忌之食
生物即傷脾氣也

欲令脾實氣無滯飽無久坐食無大酸無食一切生物宜甘宜淡

淡入胃也宜益府淡者土之濁味也而又次於甘者無關坐無

久卧故養脾也

又或地下甲子丁酉失守其位未得中司即氣不當位下不與壬

奉合者亦名失守非名合德故柔不附剛

天地二甲子上下不相招故陰陽有錯即中運失其咸合之常故也

即地運不合三年變癘

故名木癘又名風癘其至有即亦推其微甚

其刺法一如木疫之法

即諸丁壬上下失守皆同一法刺之

假令戊申剛柔失守

戊與癸合也天地二甲子即戊申合癸亥也下位癸亥至地甚

主地正司也上下位戊申過丁未天數未退而復布天故失令

戊癸不合也

戊癸雖火運陽年不太過也

戊未正司癸下獨治故非太過反受水勝之也

上失其剛柔地獨主其氣不正故有邪干

火運失守於上中下運有虧也故天虛而地猶主之中見火運

火來犯之故曰邪干

迭移其位差有淺深

天數過差亦有多少却得奉合合要在日數也

欲至將合音律先同

中火運徵也上下二律呂上商太少二徵合音同

如此天運失時三年之中火疫至矣

速至庚戌也徐〻至辛亥所作也

當刺肺之俞

肺俞在背第三椎下兩傍各一寸半動脈應手用圓利鍼令口中溫煖先以手按穴呬呬刺之呪曰直邪用搏氣灌元神帝符反本位合其親誦之三遍刺之三分候氣欲至想白氣於穴下次進一分得氣至而徐〻出其鍼以手捫之於其穴也然可立愈也

刺畢靜神七日勿大悲傷也悲傷即肺動而真氣復散也

凡喜怒悲樂恐皆不可過矣此五者皆可動天乱其神也故聖人忘緣滅動念可存神也故神能主形神在形全可以身安道當長存也

人欲實肺者要在息氣也

無大喘息慎勿多言語及呼吸多氣喘及言語多及飲冷形寒

食歲多大忌悲傷喜怒令傷其肺神也

又或地下甲子癸亥失守者即柔失守位也即上失其剛也即亦名戊癸不相合德者也即運與地虛後三年變癘即名火癘

與火疫同也即法刺一体即諸戊諸癸上下同一体

是故立地五年以明失守以温法刺於是疫之與癘即是上下剛柔之名也窮歸一體也即刺疫法只有五法即總其諸位失守故只歸五行而統之也

此皆五疫癘歸天地不相和之氣化為疫癘大傷人之命也故曉天元可遍法刺復療生民也

黄帝曰余聞五疫之至皆相染易無問大小病狀相似不施救療如何可得不相移易者

其病相染者如何得不相染也

岐伯曰不相染者正氣存内邪不可干避其毒氣天牝從來復得其往

邪毒之氣在於泄汗反下取之其氣入於中毒氣至腦中流入

諸經之中令人染病矣如人嚏得此氣入鼻至腦中欲嚏出令

勿投鼻中令嚏之即出尔如此即不相染也

氣出於腦即不邪干

從鼻而入腦欲干復出即無相染也

氣出於腦即室先想心如日

即正氣存中而神守其本卩卩疫之氣不犯之

欲將入於疫室先想青氣自肝而出左行於東化作林木

想白氣自肺而出右行於西化作戈甲

如春栢之蒼翠

如劒戟之明白利刃

次想赤氣自心而出南行於上化作焰明

如赫赫之炎燎

次想黑氣自腎而出北行於下化作水

如波浪之黑色

次想黄氣自脾而出存於中央化作土

如天地之黄色

五氣護身之畢以想頭上如北斗之煌煌然後可入於疫室

即正氣存中而邪疫不干

又一法於春分之日日未出而吐之

用遠志去心以水煎之飲二盞吐之不疫者也

又一法於雨水日後三浴以藥泄汗

汗不出臭者無疫也

又一法小金丹方辰砂二兩水磨雄黃一兩葉子雌黃一兩紫金半兩

粉作末令細之

同入合中外固了地一尺築地實不用爐不須藥制用火二十斤

煅之也七日終

當令火及二十斤

候冷七日取次日出合子埋藥地中七日

亦須吉地者佳也

取出順日研之三日煉白沙蜜爲丸如梧桐子大每日望東吸日華氣一口冰水下一丸和氣嚥之服十粒無疫干也黄帝問曰人虚即神遊失守位使鬼神外干是致夭亡何以全真願聞刺法岐伯稽首再拜曰昭乎哉問謂神移失守雖在其體然不致死或有

故令夭壽

邪未干而不病邪欲干而有卒亡也

只如厥陰失守天以虛人氣肝虛感天重虛即魂遊於上

肝虛天虛又遇出汗於肝而三虛散神遊上位左無英君下卽

神光不聚而白尸鬼至令人卒亡者也

邪干厥大氣身温猶可刺之

目中神彩有四肢雖冷心腹尚温如口中無涎舌卵不縮者非

感厥也即名尸厥故可救之復蘇

刺其足少陽之所過

足少陽之所過丘墟穴也在足外踝下如前陷者中去臨泣同

身寸之五寸足少陽之原也用毫針於人近體煖針至温以左

手按穴呪曰太上元君常居其左制之三魂誦之三遍次呼三

魂名爽靈胎光幽精誦之三遍次想青龍於穴下刺之可以同

身寸之三分留三呼可徐徐出針親令人按氣於口中腹中鳴者可治之

次刺肝之俞

在背第九椎下兩傍各一寸半用毫針針看身溫之左手按穴咒曰太微帝君元英制魂真元及本令入青雲又呼三魂各如前三遍刺入同身寸之三分留三呼次進二分留三呼徐徐取針至三分留一呼徐徐出即氣及而復活

人病心虛又遇君相二火司天失守感而三虛又或汗出於心即致神魂逆於上入泥丸火不及黑尸鬼犯之令人暴亡出一時可救之四肢冷氣雖閉絶不変色舌卵如不縮者可目中神彩不変者可刺之也

可刺手少陽之所過

手少陽之所過陽池穴也在手表腕上陷者中手少陽之原也用毫鍼人身温暖以手按穴呪曰太一帝君泥丸總神丹無黑氣來復其真誦之三遍想赤鳳於穴下刺入二分留七呼次進一分留三呼復退留一呼徐徐手捫其穴即令復活也

復刺心俞

在背第五椎下兩傍各一寸半用毫鍼着身温暖以手按穴呪曰丹房守靈五帝上青陽和布体來復黄庭誦之三遍刺可同身寸之七分留一分次進一分留一呼退至二分留一呼徐徐而出鍼以手捫其穴也

人脾病又遇太陰司天失守感而三虚

重虚而汗出於脾因而三虚智意二神遊於上位故曰失守

又遇上不及青尸鬼邪犯之於人令人暴亡
不出一時可救之也四肢冷而身溫温者可活之矣口中無
涎即名尸厥
可刺足陽明之所過
足陽明之所過衝陽穴也在足跗上骨間動脉去陷谷三寸定
陽明之 也用毫針着人身温暖以手按穴呪曰常在魂庭始
清大寧元和布氣太甲及直誦之三遍先想黄庭於穴下刺入
三分留三呼次進二分留一呼徐徐退而以手捫之者也
復刺脾之俞
在背第十一椎下兩傍各一寸半用毫針以手按之呪曰太始
乾位摠統坤元黄庭真氣來復遊全誦之三遍刺之三分留二
呼進至五分動氣至徐徐出針

人肺病遇陽明司天失守感而三虛

人虛天虛又汗出於肺因而三虛即魄遊於上故曰失守之也

又遇金不及有赤尸鬼干人令人暴亡

不出一時可救之雖無氣手足冷者心腹温鼻微温目中神彩不轉口中無涎舌卵不縮者皆可刺活也

可刺手陽明之所過

手陽明之所過合谷穴也在手大指次指間手陽明之原也用毫針着人体温煖先以手按穴呪曰青氣真全帝符日元七魄歸右今復本田誦之三遍想白氣於穴下刺入三分留三呼次進針至五分留三呼復退一分留一呼徐徐出針以手捫其穴復活也

復刺肺俞

肺俞在背第三椎下兩傍各一寸半用毫針着体温煖先以手按穴呪曰左元真人六合氣賓天符帝力來入其司誦之三遍針入一寸半留三呼次進二分留一呼徐徐出針以手捫其穴也

人腎病又遇太陽司天失守感而三虛

人虛天虛又感出汗於腎感而三虛即腎神退遊於黄庭雖不離体神光不聚故失守也

又遇水運不及之年有黄尸鬼干犯人正氣吸人神魂致暴亡氣絶四肢厥冷心腹微温眼色不易唇口及舌不變口中無涎即可救也

可刺足太陽之所過

足太陽之所過京國穴也在足外側大骨下赤白肉際陷者中是足太陽之原也用毫針着人身温煖以手按穴呪曰元陽育

嬰五老、及真冗丸玄華補精長存想黑氣於穴下刺入一分半留三呼徐進至三分留一呼徐徐出鍼以手捫其穴也

刺足少陽之俞

在脊第十椎下兩傍各一寸半用氣先以手按穴呪曰天玄日晶太和昆靈真元內守持入始清歸之三徧刺之三分留三呼次又進五分留三呼徐徐出鍼以手捫之

黄帝問曰十二藏之相使神失位使神彩之不圓恐邪干犯治之可刺願聞其要

五神失神以明刺法又言十二神之妙用也

岐伯稽首再拜曰悉乎哉問至理道真宗此非聖帝焉究斯源是謂氣神合道契符上天

人氣動合司天神氣相合由乎盛衰也

心者君主之官神明出焉

任治於物故為君主之官故心從形有神託心斯有是故心者神之舍也即其心失守盡而神不守位即妄遊諸室五神不安而乃令虚也

可刺手少陰之源

手少陰之源者即是兌骨穴也此是真心之源在掌後兌骨之端陷者中一名中都用長針口中温煖刺入三分留三呼進一分留一呼徐徐出針以手捫其穴復顧也

肺者相傅之官治節出焉

肺為君故官為相傅主行榮衛故治節由之常息而自然有節若失節即氣奪形寒悲慘是以肺神不守位即虚也

手太陰之源

肺之源出於大淵在掌後大筋一寸五分間陷者中手太陰脉所過用長針以口中温針以手按穴刺入同身寸之三分留三呼動氣至而徐徐出針以手捫穴

肝者將軍之官謀慮出焉

勇而能斷故曰將軍潛發未萌故曰謀慮出焉怒而氣上逆氣逆不前因而神失守神光不聚可用前法刺之全神守者也

可刺足厥陰之源

足厥陰之源大衝穴也在足大趾本節後二寸陷者中乃肝脉所過為源用長針便於口中先温針以手按穴刺可入三分留三呼進二分留二呼徐徐出針以手捫之也

膽者中正之官決斷出焉

剛正果決故官為中正直而不疑故決斷出焉交動而卒怒怒

而不息氣上而不守位使人中正不利欲成聰嗜神光不聚未有邪下先可以刺治之者也

可刺足少陽之源

足少陽之源丘墟穴也在足外踝下如前陷者中去臨泣穴五寸足少陽之所過也用長鍼於口内温鍼先以左手按穴刺可同身寸之三分留三呼進至五分留一吸徐徐出鍼以手捫之

膻中者臣使之官喜樂出焉

膻中者在胸兩乳間為氣海手厥陰包絡之所居此作相火位故言臣使主其喜樂中及發驚喜怒思恐即神失守位使人如失志慌慌然神光不聚邪犯干之可用刺法治之正神和也

刺心包絡所流

勞宮穴也在手掌中央動脉手心主之所流也用長鍼於口中

温先以左手按穴刺可同身寸之三分留二呼徐徐出針以手

捫其穴也

脾為諫議之官知周出焉

心有所億謂之意意中出焉謂之智智周萬事皆從意智也故

知周出焉意有所着欲念生他想勞意不已智有所存神將失

守則神元不聚可預治之者也

可刺脾之源

脾之源在足內側核骨下陷者中是足太陰之所過為源用長

針於口內温針先以左手按穴刺可入三分留五呼進至三分

留五呼即可徐徐而退針以手捫之

胃為倉廩之官五味出焉

包容五穀是謂倉廩之官營養四傍故云五味出焉飲食無

汗出食飽房室即氣畢滯注神游失守邪干未至可以預治鍼

可刺胃之源

胃之源衝陽穴也在足跗上如同身寸之五分骨間動脉上去陷谷穴五寸是足陽明之所過用長針於口中温針先以左手按穴刺可入三分留三呼進至三分徐徐出針以手捫其穴

大腸者傳道之官变化出焉

傳道爲傳不紊之道变化謂变化物之形故云傳道之官变化出焉男子有友之過故失守位邪非干之以刺法治之即令友却穌也

可刺大腸之源

大腸之源合谷穴也在手大指次指歧骨間手陽明之所過也用長針口中温針刺入三分留三呼進至三分留一呼徐徐出之也

小腸者受盛之官化物出焉

承奉胃司受盛糟粕受元復化傳入大腸故云受盛之官化物出焉受而有異非合不合神失守可刺全真者

可刺小腸之源

小腸之源腕骨穴也在手外側腕前起骨下陷者中手太陽之所過為原用長針於口中溫針先以左手按穴刺可入三分留三呼進二分留一呼徐徐出針次以手捫其穴也

腎者作強之官伎巧出焉

強於作用故曰作強造化形容故曰伎巧在女則當伎巧在男正曰作強人强作過失動合於三元八正之日故神失守位故須刺而可全真者也

刺其腎之源

腎之源出於太谿在足內踝下跟骨之前陷者中足少陰之所過為源用長針於口中溫針先以左手按穴刺入三分留一呼進一分留一呼徐徐出針以手捫其穴也

三焦者決瀆之官水道出焉

引道陰陽開通閉塞故官司決瀆水道出焉決瀆者如四瀆入大海不離其水百川入海只江河淮濟入海不改其道故曰四瀆也三焦決瀆即精與水道不相合也故曰三焦者上中下上焦者主內而不出或非內而即內故不守中焦者主腐熟水穀或情動於中人或非動而動是謂孤動者神失守位下焦者主出而不內或當出而不出者故曰神失守位也

刺三焦之源

三焦之源陽池穴也在手表腕上陷者中手少陽脈之所過也

用長鍼於口中溫鍼先以左手按穴刺可入三分留三呼進一分留一呼徐徐出鍼以手捫之也

膀胱者州都之官精液藏焉氣化則能出矣

位當孤府故曰都官居下内空故藏精液若得氣海之氣施化則溲便注泄氣海之不足則閟隱不通故曰氣化則能出矣人若滿使而合氣注膀胱故清泄氣動水道不宣漏故中失守位即可以刺法全直者方知此法大妙也

刺膀胱之源

膀胱之源京骨穴也在足外側大骨下赤白肉際陷者中足太陽之所過用長鍼於口中溫鍼先以左手按穴刺可入三分留三呼進二分留三呼徐徐而出鍼以手捫其穴也

凡此十二官者不得相失也

失則必害至故不得相失、、之則神光不聚故有邪干犯之即
害夭命只此刺以全真也
是故刺法有全神養真之旨亦法有修真之道非治疾也故要修
養和神也
神為主養之宗故作先也
道貴常存補神固根精氣不散神守不分
內三寶即神氣精一失其位三者皆傷三者同守故曰元和也
然即神守而雖不去亦全真
神如去即死矣然雖在其體身中而不去者亦非守位而全真也
人神不守非達至真
神不守即光明不足故要守真、而聚神光而可以修真、勿令
泄人為知道

玄真之要在乎天玄

人在母腹先通天玄之息是謂玄牝名曰谷神之門一名神頭一名上部之地户一名人中之岳一名胎息之門一名通天之要人能忘嗜慾定喜怒又所動隨天玄牝之息絕其想念如在母腹中之時命曰返天息而歸命迴入寂滅反太初還元胎息之道者也

神守天息復入本元命曰歸宗

人有諸疾守位之神可入玄中之息而歸命之真全神之道可久視也

●本病論篇第七十三

黄帝問曰天元九窒余已知之願聞氣交何名失守

六氣升降上下交位以五藏配天地之常

岐伯曰謂其上下升降遷正退位各有經論上下各有不前故名失守也

天元玉冊云六氣常有三氣在天三氣在地也即一氣升天作左間氣一氣入地作右間氣一氣遷正作司天一氣遷正作在泉一氣退位作天左間氣一氣退位作地右間氣氣交有合常得位所在應當時即天地交迺變而万泰也天地不交迺作病也

是故氣交失易位氣交迺變變易非常即四時失序萬化不安變民病也

於是六氣有升不得其升者欲降而不得其降者有欲遷正而不得遷正者自當其位而不得位故有如此之分則天地失其常政故萬民不安也

帝曰升降不前願聞其故氣交有變何以明知

再問能淚用也

岐伯曰昭乎問哉明乎道矣氣交有變是謂天地機

木欲升上見天柱窒二火欲升上見天蓬窒土欲升上見天衝

窒金欲升上見天英窒水欲升上見天内窒是故天窒所勝而

不前者

但欲降而不得降者地窒刑之

木欲降而地晶窒刑之火欲降而地玄窒刑之土欲降而地蒼

窒刑之金欲降而地彤窒刑之水欲降而地阜窒刑之地九窒

法天之象本勝之氣故不降也

又有五運太過而先天而至者即交不前

運逆陽年於有司之至也至後天勝而不過

但欲升而不得其升中運抑之

木欲升而中見金運勝之二火欲升而中見水運勝之土欲升而中見木運勝之金欲升而中見火運勝之水欲升而中見土運勝之者皆遇運太早過至于中而先於氣交而抑之不前者

但欲降而不得其降中運抑之

然五運逢太過而先至于中故降而不下中運刑之抑之不前於是有升之不前降之不下者有降之不下升而至天者有升降俱不前作如此之分別即氣交之變變之有異常各各不同災有微甚者也

是故上下天地之升降交氣有太窒地窒之勝遇中運抑伏淺深是故民病微甚異亦也

願聞氣交遇會勝抑之由變成民病輕重何如

明其變病本源之謂也

岐伯曰：勝相會抑伏使然。

六氣升降，乃經論之道也；氣交之常也，遇會之不常而相投之勝伏抑之成災者也。

是故辰戌之歲，木氣升之，主逢天柱，勝而不前。

辰戌之歲，太陽迁正作司天也，即厥陰作地而作右間，至此歲而升天作左間也。又遇司天深計竊弄位，至天柱窒也。木欲升天，柱金司天，土勝之不前也。

又遇庚戌，金運先天，中運勝之，忽然不前。

庚年金運先天，至次後十三日始交司天，欲升而金運抑之也。

木運升天，金西抑之。

或上見天柱窒，或中見金運也。

升而不前，即清生風少，肅殺於春，露霜復降，草木乃萎，民病[illegible]

早發咽嗌廼乾四肢滿肢節皆痛久而化鬱

至天得左間日廼發作也

即大風摧拉折隕鳴紊民病卒中偏痺手足不仁

青埃見時風疫乃作民反張肢体且強治之是三命也

是故巳亥之歲君火升天主窒天蓬勝之不前

君火以在地三年至巳亥之歲少陰升天作左間也此可定之

也天蓬水司天天元冊用除斗至坎宮除化欲符照天蓬作

主司故水窒勝也

又厥陰不遷正則少陰未得升天水運以至其中者君火欲升而

中水運抑之

即天蓬水司勝即或水運抑之

升之不前即清寒復作冷生旦暮民病伏陽而內生煩熱心神驚

暴熱間作日久成癘

二七日不降以為日久也

即暴熱廼至赤風瞳翳化疫温癘暖作

至天作左間日廼作也民病伏熱内煩痺而生厥甚則血溢也

赤氣彰而化火疫皆煩而躁渴渴甚治之以泄之可止是故子午

之歲太陰升天主室天沖勝之不前

太陰在地二年畢一年廼升天作少陰之左間也此即定矣其

天衝室至有法抑不可前則定之也如會天衝室便升之也故曰

升之不前也

又或遇壬子木運先天而至者中木遇抑之也

木升於天寒之日也木早至十三日上故升或遇

此二木抑之者二廷抑甚而更病深之也

升天不前即風埃四起時舉埃昏雨溫不化民病風厥涎潮偏痺

不隨脹滿久而伏鬱

即十日不升者至以為日久也

即黃埃化疫也

間氣七變一大疫也

民病夭亡臉肢府黃疸滿閉濕令弗布雨化迺微

黃埃起而侵脾風化疫者皆腹體痛而口苦者

是故丑未之年少陽升天主窒天蓬勝之不前

少陰在也二年卑至此歲升天作太陰左間也此可前是之宗

天蓬失其位取之法不定也或遇之者即水運之可升之於

故不可便升也

又或遇太陰未遷正者即少陰未升天也水運以至者

即升天不前者有此二抑之者也

升天不前即寒雰反布凜冽如冬水復涸冰再結暄暖乍作冷復布之寒暄不特民病伏陽在内煩熱生中心神驚駭寒熱間爭以久成鬱

二七不降以為日久也

即暴熱迺生赤風氣瞳翳

至天得位之日迺作

化成鬱癘迺化作伏熱内煩痺而生厥甚則血溢

赤氣生而化大疫皆煩而大熱涼不可制於火之鬱甚於君火故厥乃血溢也

是故寅申之年陽明升天主窒天英勝之不前

陽明在地三年畢至此年月天作少陽左間也即經論中乃定

矣九窒踰天數不足金遇火窒之可勝之不可升天

又或遇戊申戊寅火運先天而至

太過歲未交司運先至一十三日

金欲升天火運抑之

此者遇一即不可升也或二者同會且抑大也

升之不前即時雨不降西風數舉鹹鹵燥生

地鹹鹵生白見砂而燥生也

民病上熱喘嗽血溢久而化鬱

四九不升火為日久也

即白埃翳霧清生殺氣民病脇滿悲傷寒鼽嚏嗌乾手拆皮膚燥

白埃起時殺瘕火生民病皆燥而咽乾治可刺之也

是故卯酉之年太陽升天主窒天內勝之不前

太陽在地三年畢此年升天作陽明之左間也即經論定次全
天即天內從之數未推之也水遇土窒之司勝之不可我之抑
而復解
又遇陽明未遷正者即太陽未升天也土運以至
巳酉巳卯
水欲升天土運抑之
或見天內窒土刑勝之或見土運抑之有一不勝也
升之不前即溫而熱甚寒生兩間民病注不食不及化久而成欝
十二日不降為日久也
令來客熱水雹卒至民病厥逆而噦熱生於內氣痺於外足脛痠
疼反生心悸懊熱暴煩而復厥
黑挾起至寒政至昏煩而悸疾治之可溢也

黃帝曰升之不前余已盡知其旨願聞降之不下可得明乎
再欲細明其道也
岐伯曰悉乎哉問是之謂天地微旨可以盡陳斯道所謂升已必降也
一升至天作左間一年二年作正作司天三年退位作右間四
年後降也
至天三年次歲必降降而入地始為左間也
入地作左間一年次歲作正司地又次歲乃退作右間也
如此升降往來命之六紀者矣
三而在天三而在地一歲升從命乎欲善先明其升次審其降
是故丑未之歲厥陰降地主窒地晶勝而不前
又厥陰在天三年次年必降又遇地九窒中地晶西方多蟄[illegible]
司勝之不可使入其地也抑之不入乃化成民病也

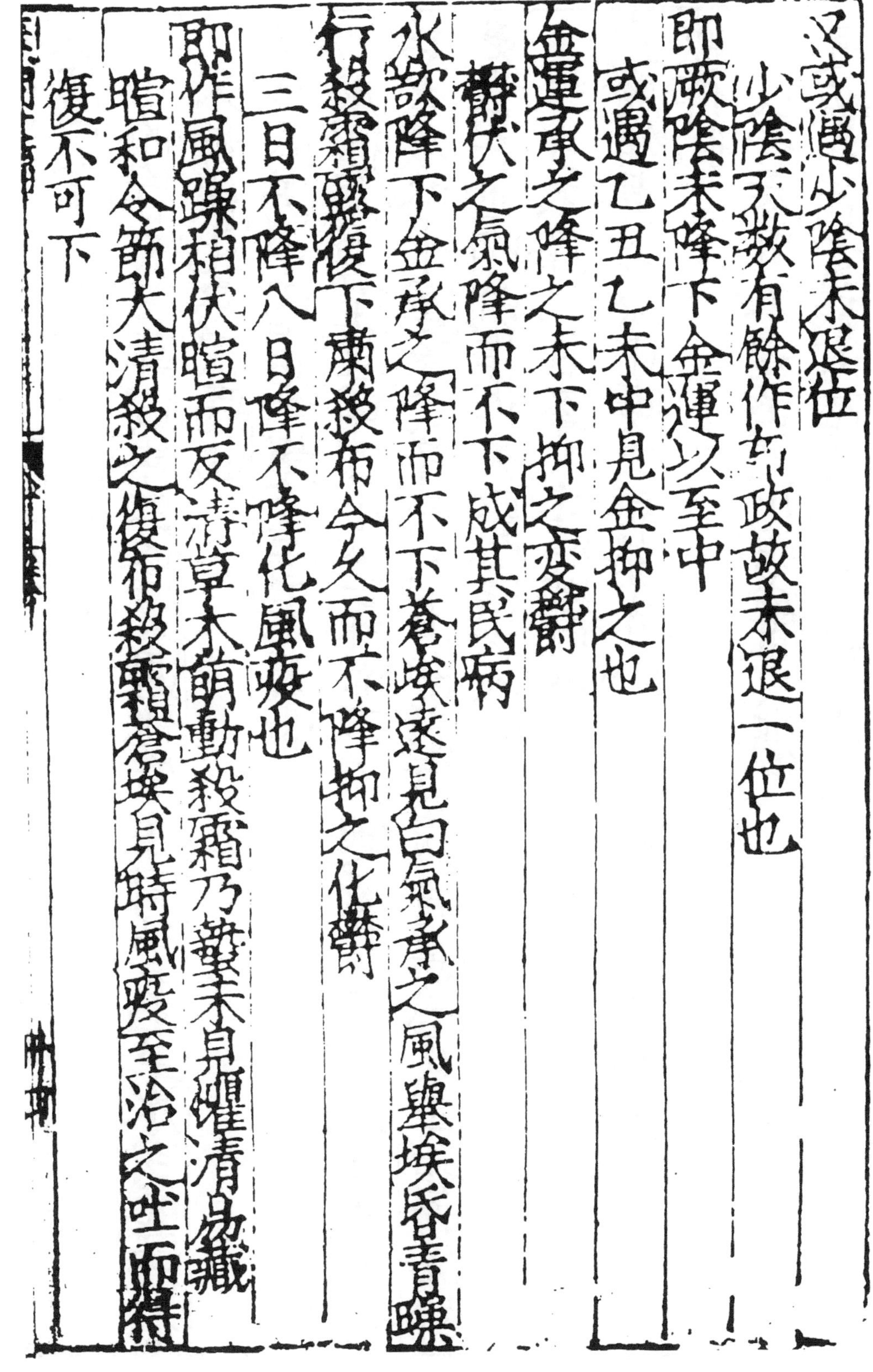

又或遇少陰未退位

少陰天數有餘作布政故未退一位也

即厥陰未降下金運以至中

或遇乙丑乙未中見金抑之也

金運承之降之未下抑之變鬱

鬱伏之氣降而不下成其民病

水欲降下金承之降而不下蒼埃遠見白氣承之風舉埃昏青曛

行殺霜露復下肅殺布令久而不降抑之化鬱

三日不降八日降不降化風疫也

即作風躁相伏暄而反清草木萌動殺霜乃下蟄未見懼清傷藏

暄和令節大清殺之復布殺霜蒼埃見時風變至治之吐而將

復不可下

是故寅申之歲少陰降地主窒地玄勝之不入

少陰在天三年四年即降又遇地窒主司地玄窒水司降而不入即伏化爲民病也

又或遇丙申丙寅水運太過先天而至

水運太過至丑卯即少陰降而不下便成其鬱迺民爲其災也

君火欲降水運承之降而不下即彤雲纔見黑氣反生暄暖如舒

寒常布雪凛冽復作天雲慘悽久而不降伏之化鬱

二日不降七日降不降即鬱發

寒勝復熱赤風化疫民病面赤心煩頭痛目眩也赤氣彰而温瘟欲作也

民皆夜卧不安黄風化疫解可泄也

是故卯酉之歲太陰降地主窒地蒼勝之不入

太陰在天三年至此年降入地作少陰左間也又遇壬運地太
窒木司勝之不入也
又或少陽未退位者即太陰未得降也或木運以至
丁酉丁卯
木運承之降而不下即黄雲見而青霞彰欝蒸作而大風霧翳埃
勝折損廼作久而不降也伏之化欝
十日不降為日久也
天埃黄氣地布濕蒸民病四肢不舉昏眩支節痛腹滿填臆
黄風三率民病温濕皆痃痛治可大下愈
是故辰戌之歲少陽降地主窒地玄勝之不入
少陽在天三年畢次年下降入地作太陰左間主地玄窒水司
勝不入而化民病也

又或遇水運大過先天而至也

丙辰丙戌水運者也

水運承之水降不下即形雲纔見黑氣反生暄暖欲生冷氣卒至甚即冰雹也久而不降伏之化鬱

二日不降七日降不下降即鬱發也

冷氣復熱赤風化疫民病面赤心煩頭痛目眩也赤氣彰而熱病欲作也

民病夜卧不安蓄鬱化疫解可泄之而愈也

是故巳亥之歲陽明降地主窒地形勝而不入

陽明在天二年次年下降入地作少陽左間也又遇主窒地形窒火司勝之不入即化成病也

又或遇太陰未退位即少陽未得降即火運以至之

癸巳　癸亥

火運承之不下即天清而肅赤氣迺彰暄熱反作民皆昏倦夜卧不安咽乾引飲懊熱內煩大清朝暮暄還復作久而不降伏之化鬱

四日不降九日降不降即鬱發也

大清寒慘生白氣民病掉眩手足直而不仁兩脇作痛滿目𥇒𥇒

白氣豐而殺疫至民皆燥而咽乾欬嗌切治可制之

是故子午之年太陽降地主窒地阜勝之降而不入

太陽在天三年次年復降入地作陽明左間又遇地阜土司勝之天不入者也

又或遇土運太過先天而至

甲子甲午

土運承之降而不入即天彰黑氣暝暗悽慘纔施黃埃而布濕寒

化令氣蒸濕復令久而不降伏之化鬱

十二日不降者即鬱終發也

民病大厥四肢重怠陰痿少力天布沉陰蒸濕間作

濕氣彰而寒復至民病皆厥而体重治可甚之也

帝曰升降不前晰知其宗願聞遷正可得明乎

晰明也

岐伯曰正司中位是謂遷正位司天不得其遷正者即前司天以過交司之

日以過天寒日別歲正之初氣未至也

即遇司天以過有餘日也即仍舊治天數新司天未得遷正也

年即以交即司天之氣未交司故也

厥陰不遷正即風暄不時花卉萎瘁民病淋溲目系轉、筋[illegible]

小便赤

太陽司天、、數有餘如退位之日厥陰得治遷正也

風欲令而寒由不去温暄不正春正失時

雖得初氣天令不傳木氣不伸民遍病肝

少陰不遷正即冬氣不退春冬後寒暄暖不時民病寒熱四肢煩

痛腰脊強直

厥陰司天、、數有餘厥陰雖有餘日別位司天皆天數終日始

遷正如少陰至二月春分得位正之時乃造化交使可遷正乃

一合司天也

木氣雖有餘位不過於君火也

木氣有餘數不盡有餘日復治天、治數未終過君火得時仕春

分日便可遷正木猶未退即可同治於天也其餘氣皆無此也

太陰不遷正即雲雨失令萬物枯焦當生不發民病手足肢節腫
滿大腹水腫填臆不食飧泄脇滿四肢不舉
少陰司天天數未終故曰太陰不得遷正少陰數終可得遷正
而化欲令熱猶治之温煦於氣亢而不澤
少陰有餘未盡天數故不退位即太陰未得遷正即土氣不申
而民病病於脾也
少陽不遷正即炎灼弗令苗秀不榮酷暑於秋肅殺晚至霜露不
時民病痎瘧骨熱心悸驚駭甚時血溢
雖有寅申之年土尚治之退位之日火行酷暑於後故非暑於
秋也
陽明不遷正則暑化於前肅殺於後草木反榮民病寒熱鼽嚏皮毛
折爪甲枯焦甚則喘嗽息高悲傷不樂

少陽司天天數有餘如退位日陽明不遷正也

熱化乃布燥化未令即清勁未行肺金復病

雖得卯酉之年猶火化熱之令也故肺重復受病

太陽不遷正即冬清反寒易令於春殺霜在前寒冰於後陽光復治凛冽不作雰雲待時民病溫疫至喉閉溢乾煩燥而渴喘息而有音也

陽明司天天數有餘退位日太陽遷正故多煩燥渴喘者也

寒化待燥猶治天氣過失序與民作災

雖得辰戌之年猶尚清化治天故失序也

帝曰遷正早晚以命其旨願聞退位可得明哉岐伯曰所謂不退者即天數未終

天數未終其氣仍治雖遇交司由未退位也

即天數有餘名曰復布政故名曰再治天也即天令如故而不退位也

此治天下溫而不退位猶在天

厥陰不退位即大風早舉時雨不降濕令不化民病溫疫疵廢風

生民病皆肢節痛頭目痛伏熱內煩咽喉乾引飲

厥陰天數有餘在本數之上司天氣高而不化善也令作布政

而復下究故及甚之者也

少陰不退位即溫生春冬蟄虫早至草木發生民病膈熱咽乾

血溢驚駭小便赤澀丹瘤瘮瘡瘍留毒

少陰天下有餘過歲而復作布政天令酷炎矣

太陰不退位而取寒暑不時埃昏布作濕令不去民病四肢

食飲不下泄注淋滿足脛寒陰痿閉塞失溺小便數

太陰天下有餘過歲而猶尚治天其氣復下矣病至腎也

少陰不退位即熱生於春暑乃後化冬溫不凍流水不冰蟄蟲出見民病少氣寒熱更作便血上熱小腹痛小便赤沃甚則血溢

少陰天數有餘至過歲猶治天甚則氣復便下其變至脾肺藏也

陽明不退位即春生清冷草木晚榮寒熱間作民病嘔吐暴注食飲不下大便乾燥四肢不舉目瞑掉眩

陽明天數太過至交歲而猶尚治天氣復降其變至甚於肝藏也

帝曰天歲早晚余以知之願聞地數可得聞乎岐伯曰地下遷正升及退位不前之法即地土產化萬物失時之化也

即應之生萬物之不時數無以孚天令安民作灾令乃於上下

二千失移之中者也

帝曰余聞天地二甲子十干十二支上下經緯天地數有迭移失守其位可得昭乎

同天地二甲子有上下不合德者為失守也

岐伯曰失之迭位者謂雖得歲正未得正位之司即四時不節即生大疫

天地不合德即名天地失節即上下二管音不相應即大不去

與天主失節上下失音萬物不安也

注玄珠密語云陽年三十年除六年天刑計有太過二十四年

除庚子與午君火刑金運庚寅與申相火刑金運戊戌戊辰太陽刑火運也此為與天地氣上臨中運不得太過者也

除此六年皆作太過之用令不然之旨

此即太過作陽年中運餘也忽有上下失支迭位故不為者也

今言迭支迭位皆可作其不及也

陽年者運太過也五音皆定年大六音也運自勝有餘而無和傷

奉天正化度也其剛干不相對柔干即上下不相招即陰陽

謂天地不合德中運雖陽多而作太過故有勝復乃至者也

假令甲子陽年土運太窒

土太過即運傷解虫勝及腎藏氣不及土勝於水也即黃鍾之

管音高故曰太窒也候甲子之氣應者上應鎮星大而明也

如癸亥天數有餘者年雖交得甲子

甲雖臨子未得遷正

厥陰猶尚治天

年雖甲子司天尚司化風令厥陰猶復布正於天也

地已遷正陽明在泉

或名司地即數高者

去歲少陽以作右間

癸亥司地少陽退位以作地下之右間氣者也

即厥陰之地陽明故不相和奉者也

故曰上下不相招陰陽有相錯即癸與巳相對故天地不合德

即以不合甲也

癸巳相會已運太過虚反受木勝故非太過也何以言土運太過

況黄鍾不應太窒木既勝而金還復金既復而少陰如至即木勝

如火而金復微

謂少陰見厥陰退位而少陰立至故金欲復而火至故氣化大

如此則甲巳失守後三年化成土疫晚至於卯

甲子至丁卯四年至

早至丙寅

甲子至丙寅三年至

土疫至也

至於四維時也

大小善惡推其天地詳乎太一又只如甲子年如甲至子而合應

交司而治天

少陰主甲子年司天遷正應時也

即下巳卯未遷正而戊寅少陽未退位者亦甲巳有合也

即甲與戊相對子遇寅配位也

即土運非太過而木乃乘虛而勝土也金次又行復勝之即反邪化也

即勝之小而或不復後三年化疠名曰土疠其狀如土疫者本

是自天來疠從地至故反化邪生也

陰陽天地殊異爾故其大小善惡如天地之法旨也假令丙寅

陽年太過如乙丑天數有餘者雖交得丙寅

雖丙得寅猶未遷正而作司天
太陰尚治天也地巳遷正厥陰司地
或作在泉
去歲太陽以作右間
乙丑司地庚辰以退位而作右間
即天太陰而地厥陰故地不奉天化也
即上下不相招陰陽有相錯即辛與乙不相合故不合其德也
乙辛相會水運太虛反受土勝故非太過即太簇之管太羽不應
土勝而雨化水復即風
即天地非其時而有其氣有化大疫即與不合陰陽復不同也
此者丙辛失守其會後三年化成水疫晚至巳巳
丙寅至巳巳四年

早至戊辰

丙寅至戊辰三年

甚即速微即徐

徐至巳巳

水疫至也大小善惡推其天地數乃太乙游宫又只如丙寅年丙

至寅且合應交司而治天

少陽至而作司天應時遷正

即辛巳未得遷正而庚辰太陽未退位者亦丙辛不合德也

即丙與庚相對辰與寅相配位也即水運非太過也

即水運亦小虛而小勝或有復

丙寅至也即無復也

後三年化癘名曰水疠其狀如水疫

一名寒疫

治法如前假令庚辰陽年太過如己卯天數有餘者雖交得庚辰年也

雖庚臨辰猶未遷正

陽明猶尚治天地以遷正太陰司地

即是在泉

去歲少陰以作右間

己卯年地甲子以退少陰作右間也

即天陽明而地太陰也故地下奉天也乙巳相會金運太虛反受

火勝故非太過也即姑洗之管太商不應火勝熱化水復寒刑

此天地非時行不節之令　即三年始成大疫行天下也

此乙庚失守其後三年化成金疫也速至壬午

庚辰至壬午三年是其速也

從至癸未金疫至也大小善惡推本年天數及太一也

疫至之年又遇失守其災大也不見五福及其太一且應德十

大半也如却會合德者災小尔如見五福與其太一者其災且

小善惡其半也

又只如庚辰如庚至辰且應交司而治天

太陽于庚辰年司天未應時遷正而治天也

即下乙未未得遷正者即地甲午少陰未退位者且乙庚不合德也

即甲庚相對辰午相配此名失守非配太過

即下乙未干失剛亦金運小虛也有小勝或無復

太陰至未即不復也

後三年化癘名曰金癘其狀如金疫也

金疫又名殺疫金癘又名殺癘

治法如前假令壬午陽年太過如辛巳天數有餘者雖交後壬午年也

雖壬臨午猶未遷正

厥陰猶尚治天地已遷正陽明在泉

丁酉治地

去歲丙申少陽以作右間

壬午年丁酉遷正辛巳年丙申退位也

即天厥陰而地陽明故地不奉天者也

即陽明將上奉少陰不與厥陰奉合也故丁酉與辛巳

德也

丁辛相合會木運太虛反受金勝故非太過也所雉實

小應金行燥勝火化熱復

此天地非時行不節之氣即三年始成大疫

甚即速微即徐

速即首尾三年徐即後三年作

疫至大小善惡推疫至之年天數及太一又只如壬至午且應交

司而治之

少陰至壬午年年司天應時而迁正得位者

即下丁酉未得迁正者即地下丙申少陽未得退位者見丁壬不

合德也

即壬丙相對午申相配此失守非合德見非太過也

即丁柔干失剛亦木運小虛也有小勝小復

陽明如至即不復也

後三年化癘名曰木疠其狀如風疫法治如前

可大吐而治之

假令戊申陽年太過，如丁未天數太過者，雖交得戊申年也，

雖戊臨申，猶未遷正也。

太陰猶尚治天，地已遷正，厥陰在泉，

癸亥治地。

去歲壬戌太陽以退位作右間，即天丁未，地癸亥，故地不奉天化也。

即厥陰上奉少陽，故不與太陰奉合，故丁未與癸亥不相合也。

丁癸相會，火運太過，反受火勝，故非太過也。即寅則之管上太徵不應。

非戊癸相合也，故火運不應其寅，則未應其徵也。下管癸亥少

徵應之，即下見癸亥之司地，故同聲之不相應，即上下天地不

相合德，故不相應也。

此戊癸失守，其會後三年化疫也，速至庚戌，

首尾三年。

天小畜推疫至之年天疫及太一又只如戊申如戊至申且[illegible]
交司而治天
少陽壬戌申年司天應時迁正而治天也
即下癸亥未得迁正者即地下壬戌太陽未退位者見戊癸未合德也
即壬戌相對中戌相配此失守非合德又非太過
即下癸亥下失剛見火運小虛也有小勝或無復也
勝復至即無復
後三年化癘名曰火疠也治法如前治之法可寒之泄之
已上五失守変五疫下五失守変五疠也即上剛柔二干失主
運有失支不守之者以此五法即諸陽年也
黄帝曰人氣不足天氣如虛人神失守神光不聚邪鬼于人致有
夭亡可得聞乎

人氣與天氣同失守即鬼邪干人致死也

岐伯曰人之五藏一藏不足又會天虛感邪之至也

其不足之藏與天氣同虛也

人憂愁思慮即傷心又或遇少陰司天天數不及太陰作接間至

即謂天虛也此即人氣天氣同虛也又遇驚而奪精汗出於心

大驚汗出於心即心中精脈減少故神失守心也

因而三虛神明失守

先有勞神之病又遇少陰天數不及也又更驚而奪精此三會

而神明失守也

心為君主之官神明出焉

心先有病又遇天虛而　天重居也心者任治於物故為君主

之官清靜栖靈故曰神明出焉

神失守位即神遊上丹田在帝太一帝君泥丸君下

太一帝君在頭曰泥丸君揔衆神也君主之官神明失守其位

遊於此處不守心位

神既失守神光不聚

神光即飛圓光也圓光不聚即圓光缺矣即鬼邪陰尸干人

却遇火不及之歲有黑尸鬼見之令人暴亡

其火運不及非只癸年戊年失守亦然火司天數不及亦然也

黑尸鬼形如黑犬頭似婦人鬢蓬不髻目大人見之吸人神魂

皆作犬声卒然而亡

人飲食勞倦即傷脾

卽飲食飽甚房事即氣滯於脾以勞役氣滯脾藏有病也

又或遇太陰司天天數不及即少陽作接間至即謂之虛也

人氣與天氣不及即感天人氣虛及又虛也

此即人氣虛而天氣虛也又遇飲食飽甚汗出於胃醉飽行房汗出於脾

脾胃汗出即精血藏少天虛而作三虛脾神失守其位

因而三虛脾神失守

先有病於脾次遇天虛脾藏重虛又遇汗出而藏其精血乃致

名三虛也

脾為諫議之官智周出焉

脾者心之子心有所憶謂之意〻中所出謂之智〻周萬物謂之神即脾胃神意智乃故失守其位者也

神既失守神光失位而不聚也

神光不聚鬼乃干之

却遇上不及之年或巳年或甲年失守或太陰天虛青尸鬼見之

令人卒亡人久坐濕地強力入水即傷腎

汗出於腎即精血藏不故作三虛即精亡心神失守其位也

腎為作強之官伎巧出焉因而三虛腎神失守神志失位神光不聚

神精志三神屍失位游於黃庭司命君之下乃即鬼形缺矣

却遇不不及之年或辛不會符或丙年失守或太陽司天虛有黃

尸鬼至見之令人暴亡

有此三虛又遇水不及即黃尸鬼干人牛頭身黃見之時殺人

神魂皆暴亡也

人或恚怒氣逆上而不下即傷肝也又遇厥陰司天、、數不及即

少陰作接間至是謂天虛也

肝先病又遇天虛而感重虛也

此謂天虛人虛也又遇驚走恐懼汗出於肝〻為將軍之官謀慮出焉神位失守神光不聚

神光不聚即圓光缺而不周尸鬼乃干人也

又遇木不及年或丁年不符或壬年失守或厥陰司天虛也有白尸鬼見之令人暴亡也

有此三虛者即神遊失守白尸鬼干人頭如雞身白有白毛見之咬人神魂皆卒然而亡也

巳上五失守者六虛而人虛也神遊失守其位即有五尸鬼干人令人暴亡也謂之曰尸厥

但卒然而亡口中無涎者舌卵〻縮者尸厥甚出涎而舌卵者盜厥也

人犯五神易位即神光不圓也非但尸鬼即一切邪犯者皆是

失守位故也

神失守位雖具體中而二氣失位也即神光不聚而邪犯之矣

妖魅來通往來皆是五神失守乃邪所至也

此謂得守者生失守者死

得守者本位而五神各得其君即神光乃圓明而聚矣故一切

邪不犯之乃生也

得神者昌失神者亡

老子云氣來入身謂之生神去於身謂之死故曰命由神生命

生神在若命生神去即命夭矣所謂神游失守即不離身故不

可使死也其主實在頭上三尊高位靈主言也即太乙帝君在

頭曰泥丸總神也無英君左制三魂也白元君右俱七魄也即

魂爲陽神也魄爲陰鬼也若無上三虛主之神而離位者死合五

神失守亦有主歸即神光不聚而光亦缺故邪干犯之若神失守其位即如人生得昌

本黄帝内經素問遺篇終

《黄帝内經》版本通鑒·第二輯

明詹林所本《靈樞》

解題　劉　陽

解　題

明代刻書業發達，尤其明代中後期，嘉靖、萬曆年祚綿長，政治環境較爲寬鬆，社會物質財富積纍漸豐，全國不少刻書中心進入高度繁榮的發展階段。醫學經典《黄帝内經》的翻刻與重刻也相應活躍起来。現存的多種重要版本，如田經、顧從德、吴悌、朱厚煜、潘之恒、周曰校等諸家所梓之本大多集中於這一時期。

從北宋時期開始，福建地區就已形成發達的刻書業，刻書中心主要分布於建陽、福州等地，所刻之書泛稱『閩本』。建陽是宋代全國三大刻書中心之一，所刻之書稱『建本』。至明代前期，以建陽爲主的閩地坊刻日益興盛，到嘉靖、萬曆時期達於鼎盛，天啓、崇禎時期逐漸走向衰敗。明末清初因兵燹焚餘，刻工外逃，刻書業從此一蹶不振。閩刻的《黄帝内經》現存至少有兩種完整的版本，其一是明成化十年（一四七四）建陽熊宗立所刻本（簡稱熊本），此本在《黄帝内經》版本史上占據着極重要的位置，它上承元古林書堂本，下啓明清多種傳本；其二是大致成於嘉靖之後的福州書坊詹林所刻本（簡稱詹本），此本即據熊本重刻者。

詹本《黄帝内經》共十五卷，包括《素問》十二卷（附遺篇一卷），《靈樞》二卷。同刻尚附有《素問入式運氣論奥》三卷、《素問運氣圖括定局立成》一卷、《黄帝内經素問靈樞運氣音釋補遺》一卷，此皆承熊宗立本而來。

詹本《靈樞》，共二卷，卷序接《素問遺篇》連排作卷十四、卷十五。卷十四含第一至第四十篇，卷十五含第四十一至第八十一篇。詹本《靈樞》删去了「史崧序」，目録題「黄帝素問靈樞集注」；卷十四首題「京本黄帝内經靈樞」，卷末題「京本黄帝素問靈樞經」；卷十五首末均題「京本黄帝素問靈樞經」。

詹本《靈樞》，與《素問》連屬一體，未再單獨列出著作者、校刻責任者銜名。版式亦與詹本《素問》相同，四周單邊，半葉十二行，行二十五字，校記（極少）雙行小字同，版心白口，上方刻「素問靈樞」四字。單黑魚尾，魚尾下列卷數，作「某卷」。版心下部列葉碼，每卷另起。

詹本《靈樞》，文字風格與《素問》一貫，字形略扁，筆畫欠工。俗字特衆，如「尔（爾）」「歸（歸）」「觧（解）」「嗽（嗽）」「衞（衛）」等，部分繼承於熊本，部分爲詹本自作。又凡前後字叠，後字多用重文符號簡省。此本校审欠精，凡熊本特徵性誤字，詹本皆無更正，如「寒熱病第二十一」「病甚而恇」，熊本將「恇」訛作「惟」，别本皆不誤而詹本獨襲其誤；又「刺節真邪第七十五」篇末音釋，多數版本有「窮詘」一條，熊本則無，而另出「竅（音救）」一條，惟詹本完整沿襲（趙府居敬堂本亦作「竅」，但未出音釋，體例不倫，可能是刻版時臨時發現錯誤而未竟其工）。此現象顯示出詹氏刻書時未用别本參校，還有一處更爲明確的證據：「終始第九」「穀氣來也徐而和」，熊本「穀」字印成墨丁「■」，詹本擅補入一「正」字，顯是手上並無别本可據而率意補錯。此外，詹本自出訛誤甚多，如「終始第九」「邪氣來也緊而疾」

中的『疾』誤作『洪』，『骨度第十四』『尺澤，肘中之動脉也』中的『肘』誤作『附』，此類訛誤不勝枚舉。

與同刻《素問》對『音釋』有少量增删、更改處理不同，詹本《靈樞》沿用熊本體例，完整保留了熊本『音釋』條目文字，將之列於每篇之末，未見主觀篡改現象。

從版式、字體、校審態度等角度綜合來看，明代福州書林詹林所刻二卷本《靈樞》，版本面貌符合明後期閩刻的一般特徵，製作較粗疏而不精善。大量合卷，隱視詹本《靈樞》爲《素問》附庸之舉，亦不謹審。詹本《靈樞》在《靈樞》的所有版本中，衹可列入中下等，若以之爲教本，恐誤學者。但由于刊刻年代較早，今存完帙，其在探索《黄帝内經》版本源流方面，尚有不小價值。

黃帝素問靈樞集註目録

○卷之十四

○卷之十五

黄帝素問靈樞集註目録終

京本黃帝內經靈樞卷第十四

●九鍼十二原第一 法天

黃帝問於岐伯曰余子萬民養百姓而收其租稅余哀其不給而屬有疾病余欲勿使被毒藥無用砭石欲以微鍼通其經脈調其血氣營其逆順出入之會令可傳於後世必明為之法令終而不滅久而不絕易用難忘為之經紀異其章別其表裏為之終始令各有形先立鍼經願聞其情岐伯答曰臣請推而次之令有綱紀始於一終於九焉請言其道小鍼之要易陳而難入粗守形上守神神乎神客在門未覩其疾惡知其原刺之微在速遲粗守關上守機機之動不離其空空中之機清靜而微其來不可逢其往不可追知機之道者不可掛以髮不知機道叩之不發知其往來要

與之期粗之闇乎妙哉工獨有之往者為逆來者為順明知逆順
正行無問迎而奪之惡得無虛追而濟之惡得無實迎之隨之以
意和之針道畢矣凡用針者虛則實之滿則泄之宛陳則除之邪
勝則虛之大要曰徐而疾則實疾而徐則虛言實與虛若有若無
察後與先若存若亡為虛與實若得若失虛實之要九針最妙補
瀉之時以針為之瀉曰必持內之放而出之排陽得針邪氣得泄
按而引針是謂內溫血不得散氣不得出也補曰隨之隨之意若
妄之若行若按如蚊虻止如留如還去如弦絕令左屬右其氣故
止外門已閉中氣乃實必無留血急取誅之持針之道堅者為寶
正指直刺無針左右神在秋毫屬意病者審視血脈者刺之無殆方
刺之時必在懸陽及與兩衛神屬勿去知病存亡血脈者在腧橫居
視之獨澄切之獨堅九針之名各不同形一曰鑱針長一寸六

分二曰員針長一寸六分三曰鍉針長三寸半四曰鋒針長一寸六分五曰鈹針長四寸廣二分半六曰員利針長一寸六分七曰毫針長三寸六分八曰長針長七寸九曰大針長四寸鑱針者頭大末銳去寫陽氣員針者針如卵形揩摩分間不得傷肌肉以寫分氣鍉針者鋒如黍粟之銳主按脈勿陷以致其氣鋒針者刃三隅以發痼疾鈹針者末如劍鋒以取大膿員利針者大如氂且員且銳中身微大以取暴氣毫針者尖如蚊虻喙靜以徐往微以久留之而養以取痛痺長針者鋒利身薄可以取遠痺大針者尖如挺其鋒微員以寫機關之水也九針畢矣夫氣之在脈也邪氣在上濁氣在中清氣在下故針陷脈則邪氣出針中脈則濁氣出針大深則邪氣反沉病益故曰皮肉筋脈各有所處病各有所宜各不同形各以任其所宜無實無虛損不足而益有餘是謂甚病

[illegible]取五脉者死取三脉者恇奪陰者死奪陽者狂鍼害畢矣刺
之而氣不至無問其數刺之而氣至乃去之勿復鍼鍼各有所宜
各不同形各任其所爲刺之要氣至而有効効之信若風之吹雲
明乎若見蒼天刺之道畢矣黄帝曰願聞五藏六府所出之處岐
伯曰五藏五腧五五二十五腧六府六腧六六三十六腧經脉十
二絡脉十五凡二十七氣以上下所出爲井所溜爲滎所注爲腧
所行爲經所入爲合二十七氣所行皆在五腧也節之交三百六
五會知其要者一言而終不知其要流散無窮所言節者神氣
所遊行出入也非皮肉筋骨也覩其色察其目知其散復一
形聽其動靜知其邪正右主推之左持而禦之氣至而去之
用鍼必先診脉視氣之劇易乃可以治也五藏之氣已絶於
内而用鍼者反實其外是謂重竭重竭必死其死也静治之者輒反

取腋與膺五藏之氣已絕於外而用鍼者反實其內是謂逆厥逆厥則必死其死也躁治之者反取四末刺之害中而不去則精泄害中而去則致氣精泄則病益甚而恇致氣則生為癰瘍五藏有六府六府有十二原十二原出於四關四關主治五藏五藏有疾當取之十二原十二原者五藏之所以稟三百六十五節氣味也五藏有疾也應出十二原十二原各有所出明知其原睹其應而知五藏之害矣陽中之少陰肺也其原出於太淵太淵二陽中之太陽心也其原出於大陵大陵二陰中之少陽肝也其原出於太衝太衝二陰中之至陰脾也其原出於太白太白二陰中之太陰腎也其原出於太谿太谿二膏之原出於鳩尾鳩尾一肓之原出於脖胦脖胦一凡此十二原者主治五藏六府之有疾者也脹取三陽飧泄取三陰今夫五藏之有疾也譬猶刺也猶污也猶結也猶閉

猶閉也刺雖久猶可拔也汚雖久猶可雪也結雖久猶可解也閉雖久猶可決也或言久疾之不可取者非其說也夫善用鍼者取其疾也猶拔刺也猶雪汚也猶解結也猶決閉也疾雖久猶可畢也言不可治者未得其術也刺諸熱者如以手探湯刺寒清者如人不欲行陰有陽疾者取之下陵三里正往無殆氣下乃止不下復始也疾高而内者取之陰之陵泉疾高而外者取之陽之陵泉也

窕陳上音撰又音蘊又於既切氂莫高切又音毫任腧春遇切鑱鋤銜切鍉音低鈹音皮

蚑蝝下橡切取三脈者恇曲用切恇謂不足也譖撥脖胦上蒲沒切下烏胡切又於桑切瀏謹撥

惟經營熒音營絲

忤流小水也

●本輸第二法地

黃帝問於岐伯曰凡刺之道必通十二經絡之所終始絡脈之所別處五腧之所留六府之所與合四時之所出入五藏之所溜處

濶數之度淺深之狀高下所至願聞其解岐伯曰請言其次也肺出於少商少商者手大指端內側也為井木溜于魚際魚際者手魚也為滎注于大淵大淵魚後一寸陷者中也為腧行于經渠經渠寸口中也動而不居為經入于尺澤尺澤肘中之動脉也為合手太陰經也心出於中衝中衝手中指之端也為井木溜於勞宮勞宮掌中中指本節之內間也為滎注于大陵大陵掌後兩骨之間方下者也為腧行於間使間使之道兩筋之間三寸之中也有過則至無過則止為經入于曲澤曲澤肘內廉下陷者之中也屈而得之為合手少陰也肝出于大敦大敦者足大指之端及三毛之中也為井木溜于行間行間足大指間也為滎注于大衝大衝行間上二寸陷者之中也為腧行于中封中封內踝之前一寸半陷者之中使逆則宛使和則通搖足而得之為經入于曲泉曲

輔骨之下大筋之上也屈膝而得之為合足厥陰也脾出于隱白
隱白者足大指之端內側也為井木溜于大都大都本節之後下
陷者之中也為滎注于太白太白腕骨之下也為腧行于商丘商
丘內踝之下陷者之中也為經入于陰之陵泉陰之陵泉輔骨之
下陷者之中也伸而得之為合足太陰也腎出于湧泉湧泉者足
心也為井木溜于然谷然谷然骨之下者也為滎注于大谿大谿
內踝之後跟骨之上陷中者也為腧行于復留復留上內踝二寸
動而不休為經入于陰谷陰谷輔骨之後大筋之下小筋之上也
按之應手屈膝而得之為合足少陰經也膀胱出于至陰至陰者
足小指之端也為井金溜于通谷通谷本節之前外側也為滎注
于束骨束骨本節之後陷者中也為腧過于京骨京骨足外側大
骨之下為原行于崑崙崑崙在外踝之後跟骨之上為經入于委

中委中膕中央為合委而取之足太陽也膽出于竅陰竅陰者小指次指之端也為井金溜于俠谿俠谿足小指次指之間也為滎注于臨泣臨泣上行一寸半陷者中也為腧過于丘墟丘墟外踝之前下陷者中也為原行于陽輔陽輔外踝之上輔骨之前及絕骨之端也為經入于陽之陵泉陽之陵泉在膝外陷者中也為合伸而得之足少陽也胃出于厲兌厲兌者足大指内次指之端也為井金溜于内庭内庭次指外間也為滎注于陷谷陷谷者上中指内間上行二寸陷者中也為腧過于衝陽衝陽足跗上五寸陷者中也為原搖足而得之行于解谿解谿上衝陽一寸半陷者中也為經入于下陵下陵膝下三寸胻骨外三里也為合復下三里三寸為巨虛上廉復下上廉一寸為巨虛下廉也大腸屬上小腸屬下足陽明胃脈也大腸小腸皆屬于胃是足陽明也三焦者

上合手少陽出于關衝關衝者手小指次指之端也為井金溜于液門液門小指次指之間也為滎注于中渚中渚本節之後陷中者也為腧過于陽池陽池在腕上陷者之中也為原行于支溝支溝上腕三寸兩骨之間陷者中也為經入于天井天井在肘外大骨之上陷者中也為合屈肘乃得之三焦下腧在于足大指之前少陽之後出于膕中外廉名曰委陽是太陽絡也手少陽經也三焦者足少陽太陰一本作陽之所將太陽之別也上踝五寸別入貫腨腸出于委陽並太陽之正入絡膀胱約下焦實則閉癃虛則遺溺遺溺則補之閉癃則瀉之手太陽小腸者上合於太陽出于少澤少澤小指之端也為井金溜于前谷前谷在手外廉本節前陷者中也為滎注于後谿後谿者在手外側本節之後也為腧過于腕骨腕骨在手外側腕骨之前為原行于陽谷陽谷在鋭骨之下陷

者中也為經入于小海小海在肘内大骨之外去端半寸陷者中也伸臂而得之為合手太陽經也大腸上合手陽明出于商陽商陽大指次指之端也為井金溜于本節之前二間為滎注于本節之後三間為腧過于合谷合谷在大指岐骨之間為原行為陽谿陽谿在兩筋間陷者中也為經入于曲池在肘外輔骨陷者中屈臂而得之為合手陽明也是謂五藏六府之腧五五二十五腧六六三十六腧也六府皆出足之三陽上合于手者也缺盆之中任脈也名曰天突一次任脈側之動脈足陽明也名曰人迎二次脈手陽明也名曰扶突三次脈手太陽也名曰天窓四次脈足少陽也名曰天容五次脈手少陽也名曰天牖六次脈足太陽也名曰天柱七次脈頸中央之脈督脈也名曰風府腋内動脈手太陰也名曰天府腋下三寸手心主也名曰天池刺上關者呿不能欠刺

下關者欠不能呿犢鼻者屈不能伸兩關者伸不能屈足陽明挾喉之動脈也其腧在膺中手陽明次在其腧外不至曲頰一寸手太陽當曲頰足少陽在耳下曲頰之後手少陽出耳後上加完骨之上足太陽挾項大筋之中髮際陰尺動脈在五里五腧之禁也肺合大腸大腸者傳道之府心合小腸小腸者受盛之府肝合膽膽者中精之府脾合胃胃者五穀之府腎合膀胱膀胱者津液之府也少陽屬腎腎上連肺故將兩藏三焦者中瀆之府也水道出焉屬膀胱是孤之府也是六府之所與合者春取絡脈諸滎大經分肉之間甚者深取之間者淺取之夏取諸腧孫絡肌肉皮膚之上秋取諸合餘如春法冬取諸井諸腧之分欲深而留之此四時之序氣之所處病之所舍藏之所宜轉筋者立而取之可令遂已痿厥者張而刺之可令立快也

閲數所施下色足尌夫下

[illegible]遷腨腨時跗危

小鍼解第三 法人

所謂易陳者易言也難入者難著于人也粗守形者守刺法也上守神者守人之血氣有餘不足可補寫也神客者正邪共會也神者正氣也客者邪氣也在門者邪循正氣之所出入也未覩其疾者先知邪正何經之疾也惡知其原者先知何經之病所取之處也刺之微者數遲者徐疾之意也粗守關者守四肢而不知血氣正邪之往來也上守機者知守氣也機之動不離其空中者知氣之虛實用鍼之徐疾也空中之機清靜以微者鍼以得氣密意守氣勿失也其來不可逢者氣盛不可補也其往不可追者氣虛不可寫也不可掛以髮者言氣易失也扣之不發者言不知補寫之意也血氣已盡而氣不下也知其往來者知氣之逆順盛虛也要

與之期者知氣之可取之時也粗之闇者冥冥不知氣之微密也
妙哉上獨有之者盡知鍼意也往者為逆者言氣之虛而小小者
逆也來者為順者言形氣之平平者順也明知逆順正行無問者
言知所取之處也迎而奪之者寫也追而濟之者補也所謂虛則
實之者氣口虛而當補之也滿則泄之者氣口盛而當寫之也宛
陳則除之者去血脈也邪勝則虛之者言諸經有盛者皆寫其邪
也徐而疾則實者言徐內而疾出也疾而徐則虛者言疾內而徐
出也言實與虛若有若無者言實者有氣虛者無氣也察後與先
若亡若存者言氣之虛實補寫之先後也察其氣之已下與常存
也為虛與實若得若失者言補者佖然若有得也寫則怳然若有
失也夫氣之在脈也邪氣在上者言邪氣之中人也高故邪氣在
上也濁氣在中者言水穀皆入于胃其精氣上注于肺濁溜于腸

覆杯緩甚為善嘔微緩為水瘕痺也大甚為內癰善嘔衄微大為肝痺陰縮欬引小腹小甚為多飲微小為消癉滑甚為㿗疝微滑為遺溺濇甚為溢飲微濇為瘈攣筋痺　脾脈急甚為瘈瘲微急為膈中食飲入而還出後沃沫緩甚為痿厥微緩為風痿四肢不用心慧然若無病大甚為擊仆微大為疝氣腹裏大膿血在腸胃之外小甚為寒熱微小為消癉滑甚為㿗癃微滑為蟲毒蛕蝎腹熱濇甚為腸㿗微濇為內㿗多下膿血　腎脈急甚為骨癲疾微急為沉厥奔豚足不收不得前後緩甚為折脊微緩為洞洞者食不化下嗌還出大甚為陰痿微大為石水起臍已下至小腹腄腄然上至胃脘死不治小甚為洞泄微小為消癉滑甚為癃㿗微滑為骨痿坐不能起起則目無所見濇甚為大癰微濇為不月沉痔

黃帝曰病之六變者刺之奈何岐伯荅曰諸急者多寒緩者多熱

大者多氣少血小者血氣皆少滑者陽氣盛微有熱濇者多血少
氣微有寒是故刺急者深內而久留之刺緩者淺內而疾發針以
去其熱刺大者微寫其氣無出其血刺滑者疾發針而淺內之以
寫其陽氣而去其熱刺濇者必中其脈隨其逆順而久留之必先
按而循之已發針疾按其痏無令其血出以和其脈諸小者陰陽
形氣俱不足勿取以針而調以甘藥也黃帝曰余聞五藏六府之
氣榮輸所入為合令何道從入入安連過願聞其故岐伯答曰此
陽脈之別入于內屬於府者也黃帝曰榮輸與合各有名乎岐伯
答曰榮輸治外經合治內府黃帝曰治內府奈何岐伯曰取之於
合黃帝曰合各有名乎岐伯答曰胃合於三里大腸合入于巨虛
上廉小腸合入于巨虛下廉三焦合入於委陽膀胱合入於委中
央膽合入于陽陵泉黃帝曰取之奈何岐伯答曰取之三里者低

則溜于經黃帝曰陰之與陽也異名同類上下相會經絡之相貫
如環無端邪之中人或中於陰或中於陽上下左右無有恒常其
故何也岐伯曰諸陽之會皆在于面中人也方乘虛時及新用力
若飲食汗出腠理開而中于邪中于面則下陽明中于項則下太
陽中于頰則下少陽其中于膺背兩脇亦中其經黃帝曰其中于
陰奈何岐伯答曰中于陰者常從臂胻始夫臂與胻其陰皮薄其
肉淖澤故俱受于風獨傷其陰黃帝曰此故傷其藏乎岐伯答曰
身之中于風也不必動藏故邪入于陰經則其藏氣實邪氣入而
不能客故還之于府故中陽則溜于經中陰則溜于府黃帝曰邪
之中人藏奈何岐伯曰愁憂恐懼則傷心形寒寒飲則傷肺以其
兩寒相感中外皆傷故氣逆而上行有所墮墜惡血留內若有所
大怒氣上而不下積于脇下則傷肝有所擊仆若醉入房汗出當

風則傷脾有所用力舉重若入房過度汗出浴水則傷腎黃帝曰
五藏之中風柰何岐伯曰陰陽俱感邪乃得往黃帝曰善哉黃帝
問於岐伯曰首面與身形也屬骨連筋同血合於氣耳天寒則裂
地凌冰其卒寒或手足懈惰然而其面不衣何也岐伯答曰十二
經脈三百六十五絡其血氣皆上于面而走空竅其精陽氣上走
於目而為睛其別氣走於耳而為聽其宗氣上出於鼻而為臭其
濁氣出於胃走唇舌而為味其氣之津液皆上熏于面而皮又厚
其肉堅故天熱甚寒不能勝之也黃帝曰邪之中人其病形何如
岐伯曰虛邪之中身也洒淅動形正邪之中人也微先見于色不
知于身若有若无若亡若存有形無形莫知其情黃帝曰善哉黃
帝問于岐伯曰余聞之見其色知其病命曰明按其脉知其病命
曰神問其病知其處命曰工余願聞見而知之按而得之問而極

寒溫不適飲食不節而病生于腸胃故命曰濁氣在中也清
氣在下者言清溫地氣之中人也必從足始故曰清氣在下也鍼
陷脈則邪氣出者取之上鍼中脈則邪氣出者取之陽明合也鍼
太深則邪氣反沉者言淺浮之病不欲深刺也深則邪氣從之入
故曰反沉也皮肉筋脈各有所處者言經絡各有所主也取五脈
者死言病在中氣不足但用鍼盡大寫其諸陰之脈也取三陽之
脈者唯言盡寫三陽之氣令病人恇然不復也奪陰者死言取尺
之五里五往者也奪陽者狂正言也覩其色察其目知其散復一
其形聽其動靜者言上工知相五色于目有知調尺寸小大緩急
滑濇以言所病也知其邪正者知論虛邪與正邪之風也右主推
之左持而御之者言持鍼而出入也氣至而去之者言補寫氣調
而去之也調氣在于終始一者持心也節之交三百六十五會者

絡脉之滲灌諸節者也所謂五藏之氣已絶于内者脉口氣内絶不至反取其外之病處與陽經之合有留針以致陽氣陽氣至則内重竭重竭則死矣其死也無氣以動故静所謂五藏之氣已絶于外者脉口氣外絶不至反取其四末之輸有留針以致其陰氣陰氣至則陽氣反入入則逆逆則死矣其死也陰氣有餘故躁所以察其目者五藏使五色循明循明則聲章聲章者則言聲與平生異也

憋然上皮筆切又音必蔽兒 悗然上呼佳切任兒 深内下音納

● 邪氣藏府病形第四 法時

黃帝問於岐伯曰邪氣之中人也奈何岐伯答曰邪氣之中人高也黃帝曰高下有度乎岐伯曰身半已上者邪中之也身半已下者濕中之也故曰邪之中人也無有常中於陰則溜於府中於陽

之爲之奈何岐伯答曰夫色脉與尺之相應也如桴鼓影響之相應也不得相失也此亦本末根葉之出候也故根死則葉枯矣色脉形肉不得相失也故知一則爲工知二則爲神知三則神且明矣黄帝曰願卒聞之岐伯答曰色青者其脉弦也赤者其脉鉤也黄者其脉代也白者其脉毛黑者其脉石見其色而不得其脉反得其相勝之脉則死矣得其相生之脉則病已矣黄帝問於岐伯曰五藏之所生變化之病形何如岐伯答曰先定其五色五脉之應其病乃可別也黄帝曰色脉已定別之奈何岐伯曰調其脉之緩急小大滑濇而病變定矣黄帝曰調之奈何岐伯答曰脉急者尺之皮膚亦急脉緩者尺之皮膚亦緩脉小者尺之皮膚亦減而少氣脉大者尺之皮膚亦賁而起脉滑者尺之皮膚亦滑脉濇者尺之皮膚亦濇凡此變者有微有甚故善調尺者不待於寸善調

脈者不待於色能參合而行之者可以為上工上工十全九行二
者為中工中工十全七行一者為下工下工十全六黃帝曰請問
脈之緩急小大滑濇之病形何如岐伯曰臣請言五藏之病變也
心脈急甚者為瘛瘲微急為心痛引背食不下緩甚為狂笑微緩
為伏梁在心下上下行時唾血大甚為喉吤微大為心痹引背善
淚出小甚為善噦微小為消癉滑甚為善渴微滑為心疝引臍小
腹鳴濇甚為瘖微濇為血溢維厥耳鳴顛疾　肺脈急甚為顛疾
微急為肺寒熱怠惰欬唾血引腰背胸若鼻息肉不通緩甚為多
汗微緩為痿瘻偏風頭以下汗出不可止大甚為脛腫微大為肺
痹引胸背起惡日光小甚為泄微小為消癉滑甚為息賁上氣微
滑為上下出血濇甚為嘔血微濇為鼠瘻在頸支腋之間下不勝
其上其應善痠矣　肝脈急甚者為惡言微急為肥氣在脇下若

覆杯緩甚為善嘔微緩為水瘕痺也大甚為內癰善嘔衄微大為肝痺陰縮欬引小腹小甚為多飲微小為消癉滑甚為㿉疝微滑為遺溺濇甚為溢飲微濇為瘛攣筋痺　脾脉急甚為瘛瘲微急為膈中食飲入而還出後沃沫緩甚為痿厥微緩為風痿四肢不用心慧然若無病大甚為擊仆微大為疝氣腹裏大膿血在腸胃之外小甚為寒熱微小為消癉滑甚為㿉癃微滑為蟲毒蛕蝎腹熱濇甚為腸㿉微濇為內㿉多下膿血　腎脉急甚為骨癲疾微急為沉厥奔豚足不收不得前後緩甚為折脊微緩為洞洞者食不化下嗌還出大甚為陰痿微大為石水起臍已下至小腹腄腄然上至胃脘死不治小甚為洞泄微小為消癉滑甚為癃㿉微滑為骨痿坐不能起起則目無所見濇甚為大癰微濇為不月沉痔

黃帝曰病之六變者刺之奈何岐伯答曰諸急者多寒緩者多熱

大者多氣少血小者血氣皆少滑者陽氣盛微有熱濇者多血少
氣微有寒是故刺急者深內而久留之刺緩者淺內而疾發鍼以
去其熱刺大者微寫其氣無出其血刺滑者疾發鍼而淺內之以
寫其陽氣而去其熱刺濇者必中其脈隨其逆順而久留之必先
按而循之已發鍼疾按其痏無令其血出以和其脈諸小者陰陽
形氣俱不足勿取以鍼而調以甘藥也黃帝曰余聞五藏六府之
氣滎輸所入爲合令何道從入入安連過願聞其故岐伯答曰此
陽脈之別入于內屬於府者也黃帝曰滎輸與合各有名乎岐伯
答曰滎輸治外經合治內府黃帝曰治內府奈何岐伯曰取之於
合黃帝曰合各有名乎岐伯答曰胃合於三里大腸合入于巨虛
上廉小腸合入于巨虛下廉三焦合入於委陽膀胱合入于委中
央膽合入于陽陵泉黃帝曰取之奈何岐伯答曰取之三里者低

取之巨虛者舉足取之委陽者屈伸而索之委中者屈而取
陽陵泉者正豎膝予之齊下至委陽之陽取之取諸外經者揄申
而從之黃帝曰願聞六府之病岐伯答曰面熱者足陽明病魚絡
血者手陽明病兩跗之上脈豎陷者足陽明病此胃脈也大腸病
者腸中切痛而鳴濯濯冬日重感于寒即泄當臍而痛不能久立
與胃同候取巨虛上廉胃病者腹䐜脹胃脘當心而痛上肢兩脇
膈咽不通食飲不下取之三里也　小腸病者小腹痛腰脊控睾
而痛時窘之後當耳前熱若寒甚若獨肩上熱甚及手小指次指
之間熱若脈陷者此其候也手太陽病也取之巨虛下廉　三焦
病者腹氣滿小腹尤堅不得小便窘急溢則水留即為脹候在足
太陽之外大絡大絡在太陽少陽之間亦見于脉取委陽　膀胱
病者小腹偏腫而痛以手按之即欲小便而不得肩上熱若脈陷

及足小指外廉及脛踝後皆熱若脈陷取委中央　膽病者善大息口苦嘔宿汁心下澹澹恐人將捕之嗌中吤吤然數唾在足少陽之本末亦視其脈之陷下者灸之其寒熱者取陽陵泉黃帝曰刺之有道乎岐伯答曰刺此者必中氣穴無中肉節中氣穴則鍼遊於巷中肉節即皮膚痛補寫反則病益篤中筋則筋緩邪氣不出與其真相搏亂而不去反還內著用鍼不審以順為逆也

中于[illegible]　[illegible]下其[illegible]胻[illegible]當　卓淖[illegible]上[illegible]下皆[illegible]

[illegible]入而不害一本作客[illegible]上[illegible]下[illegible]音[illegible]

[illegible]小[illegible]蛸蝸上[illegible]下[illegible]長[illegible]

[illegible]維厥[illegible]有維厥[illegible]

●根結第五

伯曰天地相感寒暖相移陰陽之道孰少孰多陰道偶陽

發于春夏陰氣少陽氣多陰陽不調何補何寫發于秋冬陽氣少陰氣多陰氣盛而陽氣衰故莖葉枯槁濕雨下歸陰陽[illegible]何補何寫奇邪離經不可勝數不知根結五藏六府折關敗樞開闔而走陰陽大失不可復取九鍼之玄要在終始故能知終始一言而畢不知終始鍼道咸絕太陽根于至陰結于命門命門者目也陽明根于厲兌結于顙大顙大者鉗耳也少陽根于竅陰結于窗籠窗籠者耳中也太陽爲開陽明爲闔少陽爲樞故開折則肉節瀆而暴病起矣故暴病者取之太陽視有餘不足瀆者皮肉宛膲而弱也闔折則氣無所止息而痿疾起矣故痿疾者取之陽明視有餘不足無所止息者真氣稽留邪氣居之也樞折即骨繇而不安於地故骨繇者取之少陽視有餘不足骨繇者節緩而不收也所謂骨繇者搖故也當窮其本也

太陰根于隱白結于太倉少陰根

于湧泉結于廉泉厥陰根于大敦結于玉英絡于膻中太陰為開
厥陰為闔少陰為樞故開折則倉廩無所輸膈洞膈洞者取之太
陰視有餘不足故開折者氣不足而生病也闔折即氣絕而喜悲
悲者取之厥陰視有餘不足樞折則脈有所結而不通不通者取之
少陰視有餘不足有結者皆取之不足足太陽根于至陰溜于京
骨注于崑崙入于天柱飛揚也足少陽根于竅陰溜于丘墟注于
陽輔入于天容光明也足陽明根于厲兌溜于衝陽注于下陵入
于人迎豐隆也手太陽根于少澤溜于陽谷注于少海入于天窓
支正也手少陽根于關衝溜于陽池注于支溝入于天牖外關也
手陽明根于商陽溜于合谷注于陽谿入于扶突偏歷也此所謂
十二經者盛絡皆當取之一日一夜五十營以營五藏之精不應
數者名曰狂生所謂五十營者五藏皆受氣持其脈口數其至也

五十動而不一代者五藏皆受氣四十動一代者一藏無氣三十動一代者二藏無氣二十動一代者三藏無氣十動一代者四藏無氣不滿十動一代者五藏無氣予之短期要在終始所謂五十動而不一代者以為常也以知五藏之期予之短期者乍數乍疏也黃帝曰逆順五體者言人骨節之小大肉之堅脆皮之厚薄血之清濁氣之滑澀脈之長短血之多少經絡之數余已知之矣此皆布衣匹夫之士也夫王公大人血食之君身體柔脆肌肉軟弱血氣慓悍滑利其刺之徐疾淺深多少可得同之乎岐伯荅曰膏粱菽藿之味何可同也氣滑即出疾其氣澀則出遲氣悍則針小而入淺氣澀則針大而入深深則欲留淺則欲疾以此觀之刺布衣者深以留之刺大人者微以徐之此皆因氣慓悍滑利也黃帝曰形氣之逆順奈何岐伯曰形氣不足病氣有餘是邪勝也急寫

之形氣有餘病氣不足急補之形氣不足病氣不足此陰陽氣俱
不足也不可刺之刺之則重不足重不足則陰陽俱竭血氣皆盡
五藏空虛筋骨髓枯老者絕滅壯者不復矣形氣有餘病氣有餘
此謂陰陽俱有餘也急寫其邪調其虛實故曰有餘者寫之不足
者補之此之謂也故曰刺不知逆順真邪相搏滿而補之則陰陽
四溢腸胃充郭肝肺內䐜陰陽相錯虛而寫之則經脈空虛血氣
竭枯腸胃㒤辟皮膚薄著毛腠夭膲予之死期故曰用鍼之要在
于知調陰與陽調陰與陽精氣乃光合形與氣使神內藏故曰上
工平氣中工亂脈下工絕氣危生故曰下工不可不慎也必審五
藏變化之病五脈之應經絡之實虛皮之柔麄而後取之也
骨繇音遙慓悍上匹妙切下侯旰切陽道音導 胡岸切勇猛兒也莫
壽夭剛柔第六 法律

黃帝問於少師曰余聞人之生也有剛有柔有弱有強有短有長有陰有陽願聞其方少師答曰陰中有陰陽中有陽審知陰陽刺之有方得病所始刺之有理謹度病端與時相應內合于五藏六府外合于筋骨皮膚是故內有陰陽外亦有陰陽在內者五藏為陰六府為陽在外者筋骨為陰皮膚為陽故曰病在陰之陰者刺陰之滎輸病在陽之陽者刺陽之合病在陽之陰者刺陰之經病在陰之陽者刺絡脉故曰病在陽者命曰風病在陰者命曰痹陰陽俱病命曰風痹病有形而不痛者陽之類也無形而痛者陰之類也無形而痛者其陽完而陰傷之也急治其陰無攻其陽有形而不痛者其陰完而陽傷之也急治其陽無攻其陰陰陽俱動乍有形乍無形加以煩心命曰陰勝其陽此謂不表不裏其形不久

黃帝問於伯高曰余聞形氣病之先後外內之應奈何伯高答曰

風寒傷形憂恐忿怒傷氣〻傷藏乃病藏寒傷形乃應形風傷筋
脈筋脈乃應此形氣外内之相應也黃帝曰刺之奈何伯高荅曰
病九日者三刺而已病一月者十刺而已多少遠近以此衰之久
痺不去身者視其血絡盡出其血黃帝曰外内之病難易之治奈
何伯高荅曰形先病而未入藏者刺之半其日藏先病而形乃應
者刺之倍其日此月内難易之應也黃帝問於伯高曰余聞形有
緩急氣有盛衰骨有大小肉有堅脆皮有厚薄其以立壽夭奈何
伯高荅曰形天氣相任則壽不相任則夭皮與肉相果則壽不相
果則夭血氣經絡勝形則壽不勝形則夭黃帝曰何謂形之緩急
伯高荅曰形充而皮膚緩者則壽形充而皮膚急者則夭形充而
脈堅大者順也形充而脈小以弱者氣衰衰則危矣若形充而顴
不起者骨小骨小而夭矣形充而大肉䐃堅而有分者肉堅肉堅

則壽矣形充而大肉無分理不堅者肉脆肉脆則夭矣此天之生命所以立形定氣而視壽夭者必明乎此立形定氣而後以臨病人決死生黃帝曰余聞壽夭無以度之伯高答曰墻基卑高不及其地者不滿三十而死其有因加疾者不及二十而死也黃帝曰形氣之相勝以立壽夭奈何伯高答曰平人而氣勝形者壽病而形肉脫氣勝形者死形勝氣者危矣黃帝曰余聞刺有三變何謂三變伯高答曰有刺營者有刺衛者有刺寒痹之留經者黃帝曰刺三變者奈何伯高答曰刺營者出血刺衛者出氣刺寒痹者內熱黃帝曰營衛寒痹之為病奈何伯高答曰營之生病也寒熱少氣血上下行衛之生病也氣痛時來時去怫愾賁響風寒客于腸胃之中寒痹之為病也留而不去時痛而皮不仁黃帝曰刺寒痹內熱奈何伯高答曰刺布衣者以火焠之刺大人者以藥熨之

黄帝曰藥熨奈何伯高答曰用淳酒二十升蜀椒一升乾姜一斤桂心一斤凡四種皆㕮咀漬酒中用綿絮一斤細白布四丈并內酒中置酒馬矢煴中蓋封塗勿使泄五日五夜出布綿絮曝乾之乾復漬以盡其汁每漬必晬其日乃出乾乾并用滓與綿絮複布爲複巾長六七尺爲六七巾則用之生桑炭炙巾以熨寒痹所刺之處令熱入至于病所寒復炙巾以熨之三十遍而止汗出以巾拭身亦三十遍而止起步內中無見風每刺必熨如此病已矣此所謂內熱也

顛音蘄 䐃堅上渠永切 䐃中䐃結 怫愾上扶勿切下許氣切 鬱也爲 㕮咀上音甫下才与切

煴於文切温氣也 晬其日上音醉同也

● 官針第七 法星

凡刺之要官針最妙九針之宜各有所爲長短大小各有所施也

不得其用病弗能移疾浅針深内傷良肉皮膚為癰病深針淺病
氣不寫支為大膿病小針大氣寫大甚疾必為害病大針小氣不
泄寫亦復為敗失針之宜大者寫小者不移已言其過請言其所
施病在皮膚無常處者取以鑱針于病所膚白勿取病在分肉間
取以員針于病所病在經絡痼痹者取以鋒針病在脉氣少當補
之者取之鍉針于井滎分輸病為大膿者取以鈹針病痹氣暴發
者取以員利針病痹氣痛而不去者取以毫針病在中者取以長
針病水腫不能通關節者取以大針病在五藏固居者取以鋒針
寫于井滎分輸取以四時凡刺有九日應九變一曰輸刺輸刺者
刺諸經滎輸藏腧也二曰遠道刺遠道刺者病在上取之下刺府
腧也三曰經刺經刺者刺大經之結絡經分也四曰絡刺絡刺者
刺小絡之血脉也五曰分刺分刺者刺分肉之間也六曰大寫刺

大寫刺者刺大膿以鈹針也七曰毛刺毛刺者刺浮痺皮膚也八曰巨刺巨刺者左取右右取左九曰焠刺焠刺者刺燔針則取痺也凡刺有十二節以應十二經一曰偶刺偶刺者以手直心若背直痛所一刺前一刺後以治心痺此者傍針之也二曰報刺報刺者刺痛無常處也上下行者直內無拔針以左手隨病所按之乃出針復刺之也三曰恢刺恢刺者直刺傍之舉之前後恢筋急以治筋痺也四曰齊刺齊刺者直入一傍入二以治寒氣小深者或曰三刺三刺者治痺氣小深者也五曰揚刺揚刺者正內一傍內四而浮之以治寒氣之博大者也六曰直針刺直針刺者引皮乃刺之以治寒氣之淺者也七曰輸刺輸刺者直入直出稀發針而深之以治氣盛而熱者也八曰短刺短刺者刺骨痺稍搖而深之致針骨所以上下摩骨也九曰浮刺浮刺者傍入而浮之以治肌急

[illegible]寒者也十曰陰刺陰刺者左右率刺之以治寒厥中寒厥足踝後少陰也十一曰傍針刺傍針刺者直刺傍刺各一以治留痹久居者也十二曰贊刺贊刺者直入直出數發針而淺之出血是謂治癰腫也脈之所居深不見者刺之微內針而久留之以致其空脈氣也脈淺者勿刺按絕其脈乃刺之無令精出獨出其邪氣耳所謂三刺則穀氣出者先淺刺絕皮以出陽邪再刺則陰邪出者少益深絕皮致肌肉未入分肉間也已入分肉之間則穀氣出故刺法曰始刺淺之以逐邪氣而來血氣後刺深之以致陰氣之邪最後刺極深之以下穀氣此之謂也故用針者不知年之所加氣之盛衰虛實之所起不可以為工也凡刺有五以應五藏一曰半刺半刺者淺內而疾發針無針傷肉如拔毛狀以取皮氣此肺之應也二曰豹文刺豹文刺者左右前後針之中脈為故以取經絡

之血者此心之應也三曰關刺關刺者直刺左右盡筋上以取筋痺慎無出血此肝之應也或曰淵刺一曰豈刺四曰合谷刺合谷刺者左右雞足鍼於分肉之間以取肌痺此脾之應也五曰輸刺輸刺者直入直出深內之至骨以取骨痺此腎之應也

鐇針上音 鉐須 恢刺 一本作恢字 去田切大也

●本神第八 法風

黃帝問於岐伯曰凡刺之法必先本乎神血脈營氣精神此五藏之所藏也至其淫泆離藏則精失魂魄飛揚志意恍亂智慮去身者何因而然乎天之罪與人之過乎何謂德氣生精神魂魄心意志思智慮請問其故岐伯曰天之在我者德也地之在我者氣也德流氣薄而生者也故生之來謂之精兩精相搏謂之神隨神往來者謂之魂並精而出入者謂之魄所以任物者謂之心心有

所憶謂之意意之所存謂之志因志而存變謂之思因思而遠慕謂之慮因慮而處物謂之智故智者之養生也必順四時而適寒暑和喜怒而安居處節陰陽而調剛柔如是則僻邪不至長生久視是故怵惕思慮者則傷神神傷則恐懼流淫而不止因悲哀動中者竭絕而失生喜樂者神憚散而不藏愁憂者氣閉塞而不行盛怒者迷惑而不治恐懼者神蕩憚而不收心怵惕思慮則傷神神傷則恐懼自失破䐃脫肉毛悴色夭死于冬脾愁憂而不解則傷意意傷則悗亂四肢不舉毛悴色夭死于春肝悲哀動中則傷魂魂傷則狂忘不精不精則不正當人陰縮而攣筋兩脅骨不舉毛悴色夭死于秋肺喜樂無極則傷魄魄傷則狂狂者意不存人皮革焦毛悴色夭死于夏腎盛怒而不止則傷志志傷則喜忘其前言腰脊不可以俛仰屈伸毛悴色夭死于季夏恐懼而不解則

傷精精傷則骨痠痿厥精時自下是故五藏主藏精者也不可傷傷則失守而陰虛陰虛則無氣無氣則死矣是故用鍼者察觀病人之態以知精神魂魄之存亡得失之意五者以傷鍼不可以治之也肝藏血血舍魂肝氣虛則恐實則怒脾藏營營舍意脾氣虛則四支不用五藏不安實則腹脹經溲不利心藏脉脉舍神心氣虛則悲實則笑不休肺藏氣氣舍魄肺氣虛則鼻塞不利少氣實則喘喝胸盈仰息腎藏精精舍志腎氣虛則厥實則脹五藏不安必審五藏之病形以知其氣之虛實謹而調之也

悗亂上音門 怵惕上丑律切下他的切怵惕懼也

●終始第九法野

凡刺之道畢於終始明知終始五藏為紀陰陽定矣陰者主藏陽者主府陽受氣於四末陰受氣於五藏故寫者迎之補者隨之知

迎知隨氣可令和和氣之方必通陰陽五藏為陰六府為陽傳之後世以血為盟敬之者昌慢之者亡無道行私必得夭殃謹奉天道請言終始終始者經脈為紀持其脈口人迎以知陰陽有餘不足平與不平天道畢矣所謂平人者不病不病者脈口人迎應四時也上下相應而俱往來也六經之脈不結動也本末之寒溫之相守司也形肉血氣必相稱也是謂平人少氣者脈口人迎俱少而不稱尺寸也如是者則陰陽俱不足補陽則陰竭寫陰則陽脫如是者可將以甘藥不可飲以至劑如此者弗灸不已者因而寫之則五藏氣壞矣人迎一盛病在足少陽一盛而躁病在手少陽人迎二盛病在足太陽二盛而躁病在手太陽人迎三盛病在足陽明三盛而躁病在手陽明人迎四盛且大且數名曰溢陽溢陽為外格脈口一盛病在足厥陰厥陰一盛而躁在手心主脈口二盛病在

足少陰二盛而躁在手少陰脈口三盛病在足太陰三盛而躁病
在手太陰脈口四盛且大且數者名曰溢陰溢陰為內關內關不
通死不治人迎與太陰脈口俱盛四倍以上命曰關格關格者與
之短期人迎一盛瀉足少陽而補足厥陰二瀉一補日一取之必
切而驗之踈取之上氣和乃止人迎二盛瀉足太陽補足少陰二
瀉一補二日一取之必切而驗之踈取之上氣和乃止人迎三盛
瀉足陽明而補足太陰二瀉一補日二取之必切而驗之踈取之
上氣和乃止脈口一盛瀉足厥陰而補足少陽二補一瀉日一取
之必切而驗之踈而取上氣和乃止脈口二盛瀉足少陰而補足
太陽二補一瀉二日一取之必切而驗之踈取之上氣和乃止脈
口三盛瀉足太陰而補足陽明二補一瀉日二取之必切而驗之
踈而取之上氣和乃止所以日二取之者太陽主胃大富於穀氣

故□曰二盛上人迎與脈口俱盛三倍以上命曰陰陽俱溢如是者不開則血脈閉塞氣無所行流淫于中五藏內傷如此者因而灸之則變易而為他病矣凡刺之道氣調而止補陰瀉陽音氣益彰耳目聰明反此者血氣不行所謂氣至而有效者瀉則益虛虛者脈大如其故而不堅也堅如其故者適雖言故病未去也補則益實實者脈大如其故而益堅也夫如其故而不堅者適雖言快病未去也故補則實瀉則虛痛雖不隨鍼病必衰去必先通十二經脈之所生病而後可得傳于終始矣故陰陽不相移虛實不相傾取之其經凡刺之屬三刺至穀氣邪僻妄合陰陽易居逆順相反沉浮異處四時不得稽留淫泆須鍼而去故一刺則陽邪出再刺則陰邪出三刺則穀氣至穀氣至而止所謂穀氣至者已補而實已瀉而虛故以知穀氣至也邪氣獨去者陰與陽未能調而

病知愈也故曰補則實寫則虛痛雖不隨針病必衰去矣陰盛而陽虛先補其陽後寫其陰而和之陰虛而陽盛先補其陰後寫其陽而和之三脈動于足大指之間必審其實虛虛而寫之是謂重虛重虛病益甚凡刺此者以指按之脈動而實且疾者疾寫之虛而徐者則補之反此者病益甚其動也陽明在上厥陰在中少陰在下膺腧中膺背腧中背肩膊虛者取之上重舌刺舌柱以鈹針也手屈而不伸者其病在筋伸而不屈者其病在骨在骨守骨在筋守筋補須一方實深取之稀按其痏以極出其邪氣一方虛淺刺之以養其脈疾按其痏無使邪氣得入邪氣來也緊而疾穀氣來也徐而和脈實者深刺之以泄其氣脈虛者淺刺之使精氣無得出以養其脈獨出其邪氣刺諸痛者其脈皆實故曰從腰以上者手太陰陽明皆主之從腰以下者足太陰陽明皆主之病在上

者下取之，病在下者高取之，病在頭者取之足，病在腰者取之膕。病生於頭者頭重，生於手者臂重，生於足者足重。治病者先刺其病所從生者也。春氣在毛，夏氣在皮膚，秋氣在分肉，冬氣在筋骨。刺此病者各以其時為齊。故刺肥人者以秋冬之齊，刺瘦人者以春夏之齊。病痛者陰也，痛而以手按之不得者陰也，深刺之。病在上者陽也，病在下者陰也。癢者陽也，淺刺之。病先起陰者，先治其陰而後治其陽；病先起陽者，先治其陽而後治其陰。刺熱厥者，留針反為寒；刺寒厥者，留針反為熱。刺熱厥者，二陰一陽；刺寒厥者，二陽一陰。所謂二陰者，二刺陰也；一陽者，一刺陽也。久病者邪氣入深，刺此病者，深內而久留之，間日而復刺之。必先調其左右，去其血脈，刺道畢矣。凡刺之法，必察其形氣。形肉未脫，少氣而脈又躁，躁厥者，必為繆刺之，散氣可收，聚氣可布。深居靜處，占神往來，閉戶

塞牖魂魄不散專意一神精氣之分毋聞人聲以收其精必一其
神令志在針淺而留之微而浮之以移其神氣至乃休男内女外
堅拒勿出謹守勿内是謂得氣

凡刺之禁

新内勿刺　新刺勿内　已醉勿刺　已刺勿醉
新怒勿刺　已刺勿怒　新勞勿刺　已刺勿勞
已飽勿刺　已刺勿飽　已飢勿刺　已刺勿飢
已渴勿刺　已刺勿渴　大驚大恐必定其氣乃刺之乘車來
者卧而休之如食頃乃刺之出行來者坐而休之如行十里頃乃
刺之凡此十二禁者其脉亂氣散逆其營衛經氣不次因而刺之
則陽病入於陰陰病出於陽則邪氣復生粗工勿察是謂伐身形
體淫泆乃消腦髓津液不化脱其五味是謂失氣也太陽之脉其

戴眼反折瘈瘲其色白絕皮乃絕汗絕汗則終矣少陽終者耳聾百節盡縱目系絕目系絕一日半則死矣其死也色青白乃死陽明終者口目動作喜驚妄言色黃其上下之經盛而不行則終矣少陰終者面黑齒長而垢腹脹閉塞上下不通而終矣厥陰終者中熱嗌乾喜溺心煩甚則舌卷卵上縮而終矣太陰終者腹脹閉不得息氣噫善嘔嘔則逆逆則面赤不逆則上下不通上下不通則面黑皮毛燋而終矣

繆刺上眉救切　男內女外舊經作男外女內　淫濼下盧各切　齒長平声

經脈第十

雷公問於黃帝曰禁脈之言凡刺之理經脈為始營其所行制其度量內次五藏外別六府願盡聞其道黃帝曰人始生先成精精成而腦髓生骨為幹脈為營筋為剛肉為墻皮膚堅而毛髮長穀

入于胃脉道以通血氣乃行雷公曰願卒聞經脉之始生黃帝曰經脉者所以能決死生處百病調虛實不可不通○肺手太陰之脉起于中焦下絡大腸還循胃口上膈屬肺從肺系橫出腋下下循臑內行少陰心主之前下肘中循臂內上骨下廉入寸口上魚循魚際出大指之端其支者從腕後直出次指內廉出其端是動則病肺脹滿膨膨而喘欬缺盆中痛甚則交兩手而瞀此為臂厥是主肺所生病者欬上氣喘渴煩心胸滿臑臂內前廉痛厥掌中熱氣盛有餘則肩背痛風寒汗出中風小便數而欠氣虛則肩背痛寒少氣不足以息溺色變為此諸病盛則寫之虛則補之熱則疾之寒則留之陷下則灸之不盛不虛以經取之盛者寸口大三倍于人迎虛者則寸口反小于人迎也　大腸手陽明之脉起于大指次指之端循指上廉出合谷兩骨之間上入兩筋之中循臂

上入肘外廉上臑外前廉上肩出髃骨之前廉上出于柱骨之會上下入缺盆絡肺下膈屬大腸其支者從缺盆上頸貫頰入下齒中還出挾口交人中左之右右之左上挾鼻孔是動則病齒痛頸腫是主津液所生病者目黃口乾鼽衄喉痺肩前臑痛大指次指痛不用氣有餘則當脈所過者熱腫虛則寒慄不復為此諸病盛則寫之虛則補之熱則疾之寒則留之陷下則灸之不盛不虛以經取之盛者人迎大三倍于寸口虛者人迎反小於寸口也○

胃足陽明之脈起於鼻之交頞中旁納（一本作約字）太陽之脈下循鼻外入上齒中還出挾口環唇下交承漿却循頤後下廉出大迎循頰車上耳前過客主人循髮際至額顱其支者從大迎前下人迎循喉嚨入缺盆下膈屬胃絡脾其直者從缺盆下乳內廉下挾臍入氣街中其支者起于胃口下循腹裏下至氣街中而合以下髀

間抵伏兔下膝臏中下循脛外廉下足跗入中指內間其支者下
廉三寸而別下入中指外間其支者別跗上入大指間出其端是
動則病洒洒振寒善呻數欠顏黑病至則惡人與火聞木聲則惕
然而驚心欲動獨閉戶塞牖而處甚則欲上高而歌棄衣而走賁
響腹脹是為骭厥是主血所生病者狂瘧溫淫汗出鼽衄口喎脣
胗頸腫喉痹大腹水腫膝臏腫痛循膺乳氣街股伏兔骭外廉足
跗上皆痛中指不用氣盛則身以前皆熱其有餘于胃則消穀善
飢溺色黃氣不足則身以前皆寒慄胃中寒則脹滿為此諸病盛
則寫之虛則補之熱則疾之寒則留之陷下則灸之不盛不虛以
經取之盛者人迎大三倍于寸口虛者人迎反小于寸口也○脾足
太陰之脈起于大指之端循指內側白肉際過核骨後上內踝前
廉上腨內循脛骨後交出厥陰之前上膝股內前廉入腹屬脾絡

胃上膈挾咽連舌本散舌下其支者復從胃別上膈注心中是動則病舌本強食則嘔胃脘痛腹脹善噫得後與氣則快然如衰身體皆重是主脾所生病者舌本痛體不能動搖食不下煩心心下急痛溏瘕泄水閉黃疸不能臥強立股膝內腫厥足大指不用為此諸病盛則寫之虛則補之熱則疾之寒則留之陷下則灸之不盛不虛以經取之盛者寸口大三倍于人迎虛者寸口反小于人迎○心手少陰之脈起于心中出屬心系下膈絡小腸其支者從心系上挾咽繫目系其直者復從心系却上肺下出腋下下循臑內後廉行太陰心主之後下肘內循臂內後廉抵掌後銳骨之端入掌內後廉循小指之內出其端是動則病嗌乾心痛渴而欲飲是為臂厥是主心所生病者目黃脇痛臑臂內後廉痛厥掌中熱痛為此諸病盛則寫之虛則補之熱則疾之寒則留之陷下則灸

之不盛不虛以經取之盛者寸口大再倍于人迎虛者寸口反小
于人迎也○小腸手太陽之脉起于小指之端循手外側上腕出
踝中直上循臂骨下廉出肘内側兩筋之間上循臑外後廉出肩
解繞肩胛交肩上入缺盆絡心循咽下膈抵胃屬小腸其支者從
缺盆循頸上頰至目銳眥卻入耳中其支者別頰上䪼抵鼻至目
内眥斜絡于顴是動則病嗌痛頷腫不可以顧肩似拔臑似折是
主液所生病者耳聾目黄頰腫頸頷肩臑肘臂外後廉痛為此諸
病盛則寫之虛則補之熱則疾之寒則留之陷下則灸之不盛不
虛以經取之盛者人迎大再倍于寸口虛者人迎反小于寸口也
○膀胱足太陽之脉起于目内眥上額交巔其支者從巔至耳上
角其直者從巔入絡腦還出別下項循肩髆内挾脊抵腰中入循
膂絡腎屬膀胱其支者從腰中下挾脊貫臀入膕中其支者從髆

內左右別下貫胛挾脊內過髀樞循髀外從後廉下合膕中以貫踹內出外踝之後循京骨至小指外側是動則病衝頭痛目似脫項如拔脊痛腰似折髀不可以曲膕如結踹如裂是為踝厥是主筋所生病者痔瘧狂顛疾頭顖項痛目黃淚出鼽衄項背腰尻膕踹腳皆痛小指不用為此諸病盛則寫之虛則補之熱則疾之寒則留之陷下則灸之不盛不虛以經取之盛者人迎大再倍于寸口虛者人迎反小于寸口也○腎足少陰之脈起于小指之下邪走足心出于然谷之下循內踝之後別入跟中以上踹內出膕內廉上股內後廉貫脊屬腎絡膀胱其直者從腎上貫肝膈入肺中循喉嚨挾舌本其支者從肺出絡心注胸中是動則病飢不欲食面如漆柴欬唾則有血喝喝而喘坐而欲起目䀮䀮如無所見心如懸若飢狀氣不足則善恐心惕惕如人將捕之是為骨厥是

主腎所生病者口熱舌乾咽腫上氣嗌乾及痛煩心心痛黃疸腸澼脊股内後廉痛痿厥嗜卧足下熱而痛為此諸病盛則寫之虛則補之熱則疾之寒則留之陷下則灸之不盛不虛以經取之灸則強食生肉緩帶被髮大杖重履而步盛者寸口大再倍于人迎虛者寸口反小于人迎也○心主手厥陰心包絡之脈起于胸中出屬心包絡下膈歷絡三焦其支者循胸出脇下腋三寸上抵腋下循臑内行太陰少陰之間入肘中下臂行兩筋之間入掌中循中指出其端其支者別掌中循小指次指出其端是動則病手心熱臂肘攣急腋腫甚則胸脇支滿心中憺憺大動面赤目黃喜笑不休是主脈所生病者煩心心痛掌中熱為此諸病盛則寫之虛則補之熱則疾之寒則留之陷下則灸之不盛不虛以經取之盛者寸口大一倍于人迎虛者寸口反小于人迎也○三焦手少陽

之脈起于小指次指之端上出兩指之間循手表腕出臂外兩骨之間上貫肘循臑外上肩而交出足少陽之後入缺盆布膻中散落心包下膈循屬三焦其支者從膻中上出缺盆上項繫耳後直上出耳上角以屈下頰至䪼其支者從耳後入耳中出走耳前過客主人前交頰至目銳眥是動則病耳聾渾渾焞焞嗌腫喉痹是主氣所生病者汗出目銳眥痛頰痛耳後肩臑肘臂外皆痛小指次指不用為此諸病盛則寫之虛則補之熱則疾之寒則留之陷下則灸之不盛不虛以經取之盛者人迎大一倍于寸口虛者人迎反小于寸口也○膽足少陽之脈起于目銳眥上抵頭角下耳後循頸行手少陽之前至肩上卻交出手少陽之後入缺盆其支者從耳後入耳中出走耳前至目銳眥後其支者別銳眥下大迎合于手少陽抵于䪼下加頰車下頸合缺盆以下胸中貫膈絡肝

屬膽循脇裏出氣街繞毛際橫入髀厭中其直者從缺盆下腋循
胸過季脇下合髀厭中以下循髀陽出膝外廉下外輔骨之前直
下抵絕骨之端下出外踝之前循足跗上入小指次指之間其支
者別跗上入大指之間循大指歧骨內出其端還貫爪甲出三毛
是動則病口苦善太息心脇痛不能轉側甚則面微有塵體無膏
澤足外反熱是為陽厥是主骨所生病者頭痛頷痛目銳眥痛缺
盆中腫痛腋下腫馬刀俠癭汗出振寒瘧胸脇肋髀膝外至胻絕
骨外踝前及諸節皆痛小指次指不用為此諸病盛則瀉之虛則
補之熱則疾之寒則留之陷下則灸之不盛不虛以經取之盛者
人迎大一倍於寸口虛者人迎反小於寸口也○肝足厥陰之脈
起于大指叢毛之際上循足跗上廉去內踝一寸上踝八寸交出
太陰之後上膕內廉循股陰入毛中過陰器抵小腹挾胃屬肝絡

膽上貫膈布脇肋循喉嚨之後上入頏顙連目系上出額與督脈會于巔其支者從目系下頰裏環唇內其支者復從肝別貫膈上注肺是動則病腰痛不可以俛仰丈夫㿗疝婦人少腹腫甚則嗌乾面塵脫色是肝所生病者胸滿嘔逆飧泄狐疝遺溺閉癃為此諸病盛則瀉之虛則補之熱則疾之寒則留之陷下則灸之不盛不虛以經取之盛者寸口大一倍于人迎虛者寸口反小于人迎也○手太陰氣絕則皮毛焦太陰者行氣溫于皮毛者也故氣不榮則皮毛焦皮毛焦則津液去皮節津液去皮節者則爪枯毛折毛折者則毛先死丙篤丁死火勝金也○手少陰氣絕則脈不通脈不通則血不流血不流則髦色不澤故其面黑如漆柴者血先死壬篤癸死水勝火也○足太陰氣絕者則脈不榮肌肉唇舌者肌肉之本也脈不榮則肌肉軟肌肉軟則舌萎人中滿人中滿則唇

反唇反者肉先死甲篤乙死木勝土也○足少陰氣絶則骨枯少陰者冬脈也伏行而濡骨髓者也故骨不濡則肉不能著也骨肉不相親則肉軟却肉軟却故齒長而垢髮無澤髮無澤者骨先死戊篤己死土勝水也足厥陰氣絶則筋絶厥陰者肝脈也肝者筋之合也筋者聚于陰器而脈絡於舌本也故脈弗榮則筋急筋急則引舌與卵故唇青舌卷卵縮則筋先死庚篤辛死金勝木也五陰氣俱絶則目系轉轉則目運目運者為志先死志先死則遠一日半死矣六陽氣絶則陰與陽相離離則腠理發泄絶汗乃出故旦占夕死夕占旦死經脈十二者伏行分肉之間深而不見其常見者足太陰過于外踝之上無所隱故也諸脈之浮而常見者皆絡脈也六經絡手陽明少陽之大絡起于五指間上合肘中飲酒者衛氣先行皮膚先充絡脈絡脈先盛故衛氣已平營氣乃滿而

經脈大盛脈之卒然動者皆邪氣居之留于本末不動則熱不堅
則陷且空不與衆同是以知其何脈之動也雷公曰何以知經脈
之與絡脈異也黃帝曰經脈者常不可見也其虛實也以氣口知之
脈之見者皆絡脈也雷公曰細子無以明其然也黃帝曰諸絡脈
皆不能經大節之間必行絶道而出入復合于皮中其會皆見于
外故諸刺絡脈者必刺其結上甚血者雖無結急取之以瀉其邪
而出其血留之發爲痺也凡診絡脈〻色青則寒且痛赤則有熱
胃中寒手魚之絡多青矣胃中有熱魚際絡赤其暴黑者留久痺
也其有赤有黑有青者寒熱氣也其青短者少氣也凡刺寒熱者
皆多血絡必間日而一取之血盡而止乃調其虛實其小而短者
少氣甚者寫之則悶〻甚則仆不得言悶則急坐之也○手太陰
之別名曰列缺起于腕上分間並太陰之經直入掌中散入于魚

際其病實則手銳掌熱虛則欠㰦小便遺數取之去腕半寸別走陽明也○手少陰之別名曰通里去腕一寸半別而上行循經入於心中繫舌本屬目系其實則支膈虛則不能言取之掌後一寸別走太陽也手心主之別名曰內關去腕二寸出於兩筋之間循經以上繫於心包絡心系實則心痛虛則為頭強取之兩筋間也○手太陽之別名曰支正上腕五寸內注少陰其別者上走肘絡肩髃實則節弛肘廢虛則生肬小者如指痂疥取之所別也○手陽明之別名曰偏歷去腕三寸別入太陰其別者上循臂乘肩髃上曲頰偏齒其別者入耳合於宗脈實則齲聾虛則齒寒痹隔取之所別也○手少陽之別名曰外關去腕二寸外遶臂注胸中合心主病實則肘攣虛則不收取之所別也○足太陽之別名曰飛陽去踝七寸別走少陰實則鼽窒頭背痛虛則鼽衄取之所別也

○足少陽之別名曰光明去踝五寸別走厥陰下絡足跗實則厥
虛則痿躄坐不能起取之所別也○足陽明之別名曰豐隆去踝
八寸別走太陰其別者循脛骨外廉上絡頭項合諸經之氣下絡
喉嗌其病氣逆則喉痹瘁瘖實則狂巔虛則足不收脛枯取之所
別也○足太陰之別名曰公孫去本節之後一寸別走陽明其別
者入絡腸胃厥氣上逆則霍亂實則腸中切痛虛則鼓脹取之所
別也○足少陰之別名曰大鍾當踝後繞跟別走太陽其別者并
經上走于心包下外貫腰脊其病氣逆則煩悶實則閉癃虛則腰
痛取之所別也○足厥陰之別名曰蠡溝去內踝五寸別走少陽
其別者徑脛上睾結于莖其病氣逆則睾腫卒疝實則挺長虛則
暴癢取之所別也○任脈之別名曰尾翳下鳩尾散于腹實則腹
皮痛虛則癢搔取之所別也○督脈之別名曰長強挾膂上項散

頭上下當肩胛左右別走太陽入貫膂當骨者強盛則頭重高搖之挾脊之有過者取之所別也○脾之大絡名曰大包出淵腋下三寸布胸脇實則身盡痛虛則百節盡皆縱此脈若羅絡之血者皆取之脾之大絡脈也凡此十五絡者實則必見虛則必下視之不見求之上下人經不同絡脈異所別也

膂音呂　頏胡坑切　髀音卑　骭音干　髁苦禾切　[illegible]

● 經別第十一

黃帝問于岐伯曰余聞人之合于天道也內有五藏以應五音五色五時五味五位也外有六府以應六律六律建陰陽諸經而合之十二月十二辰十二節十二經水十二時十二經脈者此五藏六府之所以應天道夫十二經脈者人之所以生病之所以成人之所以治病之所以起學之所始工之所止也粗之所易上之所

數也請問其離合出入奈何岐伯稽首再拜曰明乎哉問也此粗之所過上之所息也請卒言之足太陽之正別入于膕中其一道下尻五寸別入于肛屬于膀胱散之腎循膂當心入散直者從膂上出于項復屬于太陽此為一經也　足少陰之正至膕中別走太陽而合上至腎當十四顀出屬帶脉直者繫舌本復出于項合于太陽此為一合成以諸陰之別皆為正也　足少陽之正繞髀入毛際合于厥陰別者入季脇之間循胸裏屬膽散之上肝貫心以上挾咽出頤頷中散于面繫目系合少陽于外眥也　足厥陰之正別跗上上至毛際合于少陽與別俱行此為一合也　足陽明之正上至髀入于腹裏屬胃散之脾上通于心上循咽出于口上頞䪼還繫目系合于陽明也　足太陰之正上至髀合于陽明與別行上結于咽貫舌中此為三合也　手少陽之正指地別于肩

絡入腋走心繫小腸也　手少陰之正別入于淵腋兩筋之間屬于心上走喉嚨出于面合目内眥此爲四合也　手少陽之正指天別于巔入缺盆下走三焦散于胷中也　手心主之正別下淵腋三寸入胷中別屬三焦出循喉嚨出耳後合少陽完骨之下此爲五合也　手陽明之正從手循膺乳別于肩髃入柱骨下走大腸屬于肺上循喉嚨出缺盆合于陽明也　手太陰之正別入淵腋少陰之前入走肺散之太陽上出缺盆循喉嚨復合陽明此六合也

完樹毛切　肛胡公切　頄上以之切顉下内上切

●經水第十二

黄帝問於岐伯曰經脉十二者外合于十二經水而内屬于五藏六府夫十二經水者其有大小深淺廣狹遠近各不同五藏六府

府之高下小大受穀之多少亦不等相應奈何夫經水者受水而行之五藏者合神氣魂魄而藏之六府者受穀而行之受氣而揚之經脈者受血而營之合而以治奈何刺之深淺灸之壯數可得聞乎岐伯答曰善哉問也天至高不可度地至廣不可量此之謂也且夫人生于天地之間六合之內此天之高地之廣也非人力之所能度量而至也若夫八尺之士皮肉在此外可度量切循而得之其死可解剖而視之其藏之堅脆府之大小穀之多少脈之長短血之清濁氣之多少十二經之多血少氣與其少血多氣與其皆多血氣與其皆少血氣皆有大數其治以鍼艾各調其經氣固其常有合乎黃帝曰余聞之快于耳不解于心願卒聞之岐伯答曰此人之所以參天地而應陰陽也不可不察

足太陽外合于清水內屬于膀胱而通水道焉

足少陽外合于渭水內屬于膽

足陽明外合于海水內屬于胃

足太陰外合于湖水內屬于脾

足少陰外合于汝水內屬于腎

足厥陰外合于澠水內屬于肝

手太陽外合于淮水內屬于小腸而水道出焉

手少陽外合于漯水內屬于三焦

手陽明外合于江水內屬于大腸

手太陰外合于河水內屬于肺

手少陰外合于濟水內屬于心

手心主外合于漳水內屬于心包

凡此五藏六府十二經水者外有源泉而內有所禀此皆內外相

貫如環無端人經亦然故天為陽地為陰腰以上為天腰以下為地故海以北者為陰湖以北者為陰中之陰漳以南者為陽河以北至漳者為陽中之陰漯以南至江者為陽中之太陽此一隅之陰陽也所以人與天地相參也黃帝曰夫經水之應經脈也其遠近淺深水血之多少各不同合而以刺之奈何岐伯答曰足陽明五藏六府之海也其脈大血多氣盛熱壯刺此者不深弗散不留不寫也足陽明刺深六分留十呼足太陽深五分留七呼足少陽深四分留五呼足太陰深三分留四呼足少陰深二分留三呼足厥陰深一分留二呼手之陰陽其受氣之道近其氣之來疾其刺深者皆無過二分其留皆無過一呼其少長大小肥瘦以心撩之命曰法天之常灸之亦然灸而過此者得惡火則骨枯脈濇刺而過此者則脫氣黃帝曰夫經脈之小大血之多少膚之厚薄肉之

堅脆及膕之大小可爲量度乎岐伯答曰其可爲度量者取其中度也不甚脫肉而血氣不衰也若夫度之人痟瘦而形肉脫者惡可以度量刺乎審切循捫按視其寒溫盛衰而調之是謂因適而爲之真也

[illegible]

經筋第十三

足太陽之筋起于足小指上結于踝邪上結于膝其下循足外側結于踵上循跟結於膕其別者結于腨外上膕中内廉與膕中并上結于臀上挾脊上項其支者別入結於舌本其直者結于枕骨上頭下顏結于鼻其支者爲目上網下結于頄其支者從腋後外廉結于肩髃其支者入腋下上出缺盆上結于完骨其支者出缺盆邪上出于頄其病小指支跟腫痛膕攣脊反折項筋急肩不舉

腋支缺盆中紐痛不可左右治在燔針劫刺以知為數以痛為輸名曰仲春痹　足少陽之筋起于小指次指上結外踝上循脛外廉結于膝外廉其支者別起外輔骨上走髀前者結于伏兔之上後者結于尻其直者上[illegible]季脇上走腋前廉繫于膺乳結于缺盆直者上出腋貫缺盆出太陽之前循耳後上額角交巔上下走頷上結于頄支者結于目眥為外維其病小指次指支轉筋引膝外轉筋膝不可屈伸膕筋急前引髀後引尻即上乘䏚季脇痛上引缺盆膺乳頸維筋急從左之右右目不開上過右角並蹻脈而行左絡于右故傷左角右足不用命曰維筋相交治在燔針劫刺以知為數以痛為輸名曰孟春痹也　足陽明之筋起于中三指結于跗上邪外上加于輔骨上結于膝外廉直上結于髀樞上循脇屬脊其直者上循骭結于　其支者結于外輔骨合少陽其

直者上循伏兔上結于髀聚于陰器上腹而布至缺盆而結上頸上挾口合于頄下結于鼻上合于太陽太陽為目上網陽明為目下網其支者從頰結于耳前其病足中指支脛轉筋腳跳堅伏兔轉筋髀前腫㿗疝腹筋急引缺盆及頰卒口僻急者目不合熱則筋縱目不開頰筋有寒則急引頰移口有熱則筋弛縱緩不勝收故僻治之以馬膏膏其急者以白酒和桂以塗其緩者以桑鉤鉤之即以生桑炭置之坎中高下以坐等以膏熨急頰且飲美酒噉美炙肉不飲酒者自強也為之三拊而已治在燔針劫刺以知為數以痛為輸名曰季春痹也

足太陰之筋起于大指之端內側上結于內踝其直者絡于膝內輔骨上循陰股結于髀聚于陰器上腹結于臍循腹裏結于肋散于胸中其內者著于脊其病足大指支內踝痛轉筋痛膝內輔骨痛陰股引髀而痛陰器紐痛下引

臍兩脇痛引膺中脊內痛治在燔針劫刺以知為數以痛為輸命曰孟秋痺也　足少陰之筋起小指之下並足太陰之筋邪走內踝之下結于踵與太陽之筋合而上結于內輔之下並太陰之筋而上循陰股結于陰器循脊內挾膂上至項結于枕骨與足太陽之筋合其病足下轉筋及所過而結者皆痛及轉筋病在此者主癎瘛及痙在外者不能俛在內者不能仰故陽病者腰反折不能俛陰病者不能仰治在燔針劫刺以知為數以痛為輸在內者熨引飲藥此筋折紐紐發數甚者死不治名曰仲秋痺也　足厥陰之筋起于大指之上上結于內踝之前上循脛上結內輔之下上循陰股結于陰器絡諸筋其病足大指支內踝之前痛內輔痛陰股痛轉筋陰器不用傷於內則不起傷於寒則陰縮入傷於熱則縱挺不收治在行水清陰氣其病轉筋者治在燔針劫刺以知為

數以痛為輸命曰季秋痺也　手太陽之筋起于小指之上結于腕上循臂內廉結于肘內銳骨之後彈之應小指之上入結于腋下其支者後走腋後廉上繞肩胛循頸出走太陽之前結于耳後完骨其支者入耳中直者出耳上下結于頷上屬目外眥其病小指支肘內銳骨後廉痛循臂陰入腋下腋下痛腋後廉痛繞肩胛引頸而痛應耳中鳴痛引頷目瞑良久乃得視頸筋急則為筋瘻頸腫寒熱在頸者治在燔針劫刺之以知為數以痛為輸其為腫者復而銳之本支者上曲牙循耳前屬目外眥上頷結于角其痛當所過者支轉筋治在燔針劫刺以知為數以痛為輸名曰仲夏痺也　手少陽之筋起于小指次指之端結于腕上循臂結于肘上繞臑外廉上肩走頸合手太陽其支者當曲頰入繫舌本其支者上曲牙循耳前屬目外眥上乘頷結于角其病當所過者即支

轉筋者治在燔針劫刺以知為數以痛為輸名曰季夏痹也

手陽明之筋起于大指次指之端結于腕上循臂上結于肘外上臑結于髃其支者繞肩胛挾脊直者從肩髃上頸其支者上頰結于頄直者上出手太陽之前上左角絡頭下右頷其病當所過者支痛及轉筋肩不舉頸不可左右視治在燔針劫刺以知為數以痛為輸名曰孟夏痹也　手太陰之筋起于大指之上循指上行結于魚後行寸口外側上循臂結肘中上臑內廉入腋下出缺盆結肩前髃上結缺盆下結胸裏散貫賁合賁下抵季脇其病當所過者支轉筋痛甚成息賁脇急吐血治在燔針劫刺以知為數以痛為輸名曰仲冬痹也　手心主之筋起于中指與太陰之筋並行結于肘內廉上臂陰結腋下下散前後挾脇其支者入腋散胸中結于賁其病當所過者支轉筋前及胸痛息賁治在燔針劫刺以知

為數以痛為輸名曰孟冬痹也　手少陰之筋起于小指之内側結于銳骨上結肘内廉上入腋交太陰挾乳裏結于胸中循臂下繫于臍其病内急心承伏梁下為肘網其病當所過者支轉筋筋痛治在燔針劫刺以知為數以痛為輸其成伏梁唾血膿者死不治經筋之病寒則反折筋急熱則筋弛縱不收陰痿不用陽急則反折陰急則俛不伸焠刺者刺寒急也熱則筋縱不收無用燔針名曰季冬痹也　足之陽明手之太陽筋急則口目為噼眥急不能卒視治皆如右方也　頄音求

●骨度第十四

黃帝問于伯高曰脉度言經脉之長短何以立之伯高曰先度其骨節之大小廣狹長短而脉度定矣黃帝曰願聞衆人之度人長七尺五寸者其骨節之大小長短各幾何伯高曰頭之大骨圍二

尺六寸胸圍四尺五寸腰圍四尺二寸髮所覆者顱至項尺二寸
髮以下至頤長一尺君子終折結喉以下至缺盆中長四寸缺盆
以下至𩩲骭長九寸過則肺大不滿則肺小𩩲骭以下至天樞長
八寸過則胃大不及則胃小天樞以下至横骨長六寸半過則廻
腸廣長不滿則狹短横骨長六寸半横骨上亷以下至内輔之上
亷長一尺八寸内輔之上亷以下至下亷長三寸半内輔下亷下
至内踝長一尺三寸内踝以下至地長三寸膝膕以下至跗屬長
一尺六寸跗屬以下至地長三寸故骨圍大則太過小則不及角
以下至柱骨長一尺行腋中不見者長四寸腋以下至季脇長一
尺二寸季脇以下至髀樞長六寸髀樞以下至膝中長一尺九寸
膝以下至外踝長一尺六寸外踝以下至京骨長三寸京骨以下
至地長一寸耳後當完骨者廣九寸耳前當耳門者廣一尺三寸

兩髆之間相去七寸兩乳之間廣九寸半兩髀之間廣六寸半足長一尺二寸廣四寸半肩至肘長一尺七寸肘至腕長一尺二寸半腕至中指本節長四寸本節至其末長四寸半項髮以下至背骨長二寸半膂骨以下至尾骶二十一節長三尺上節長一寸四分分之一奇分在下故上七節至於膂骨九寸八分分之七此衆人骨之度也所以立經脉之長短也是故視其經脉之在於身也其見浮而堅其見明而大者多血細而沉者多氣也

髃骬上許顒切又許甲朱木切髃骨也切下云居切骬骹也

五十營第十五

黄帝曰余願聞五十營奈何岐伯答曰天周二十八宿宿三十六分人氣行一周千八分日行二十八宿人經脉上下左右前後二十八脉周身十六丈二尺以應二十八宿漏水下百刻以分晝夜故

人一呼脈再動氣行三寸一吸脈亦再動氣行三寸呼吸定息氣行六寸十息氣行六尺日行二分二百七十息氣行十六丈二尺氣行交通于中一周于身下水二刻日行二十五分五伯四十息氣行再周于身下水四刻日行四十分二千七百息氣行十周于身下水二十刻日行五宿二十分一萬三千五百息氣行五十營于身水下百刻日行二十八宿漏水皆盡脈終矣所謂交通者并行一數也故五十營備得盡天地之壽矣凡行八百一十丈也

●營氣第十六

黃帝曰營氣之道內穀為寶穀入于胃乃傳之肺流溢于中布散于外精專者行于經隧常營無已終而復始是謂天地之紀故氣從太陰出注手陽明上行注足陽明下行至跗上注大指間與太陰合上行抵髀從脾注心中循手少陰出腋下臂注小指合手太陽

上行乘腋出䪼內注目內眥上巔下項合足太陽循脊下尻下行注小指之端循足心注足少陰上行注腎從腎注心外散于胷中循心主脈出腋下臂出兩筋之間入掌中出中指之端還注小指次指之端合手少陽上行注膻中散于三焦從三焦注膽出脇注足少陽下行至跗上復從跗注大指間合足厥陰上行至肝從肝上注肺上循喉嚨入頏顙之竅究于畜門其支別者上額循巔下項中循脊入骶是督脈也絡陰器上過毛中入臍中上循腹裏入缺盆下注肺中復出太陰此營氣之所行也逆順之常也

濁者 滑利也 一本作淖 入骶 骶音氐

● 脉度第十七

黄帝曰願聞脉度岐伯荅曰手之六陽從手至頭長五尺五六三丈手之六陰從手至胸中三尺五寸三六一丈八尺五六三尺合

三丈一尺足之六陽從足上至頭八尺六八四丈八尺足之六陰從足至胸中六尺五寸六六三丈六尺五六三尺合三丈九尺蹻脈從足至目七尺五寸二七一丈四尺二五一尺合一丈五尺督脈任脈各四尺五寸二四八尺二五一尺合九尺凡都合一十六丈二尺此氣之大經隧也經脈為裏支而橫者為絡絡之別者為孫盛而血者疾誅之盛者寫之虛者飲藥以補之五藏常內閱于上七竅也故肺氣通于鼻肺和則鼻能知臭香矣心氣通于舌心和則舌能知五味矣肝氣通于目肝和則目能辨五色矣脾氣通于口脾和則口能知五穀矣腎氣通于耳腎和則耳能聞五音矣五藏不和則七竅不通六府不和則留為癰故邪在府則陽脈不和陽脈不和則氣留之氣留之則陽氣盛矣陽氣大盛則陰不利陰脈不利則血留之血留之則陰氣盛矣陰氣大盛則陽氣不能榮

也故曰關陽氣大盛則陰氣弗能榮也故曰格陰陽俱盛不得
榮故曰關格關格者不能盡期而死也黃帝曰蹻脈安起安止
氣榮水岐伯答曰蹻脈者少陰之別起于然骨之後上內踝之
直上循陰股入陰上循胸裏入缺盆上出人迎之前入頄屬目
眥合于太陽陽蹻而上行氣并相還則為濡目氣不榮則目不
黃帝曰氣獨行五藏不榮六府何也岐伯答曰氣之不得無行
水之流如日月之行不休故陰脈榮其藏陽脈榮其府如環之
端莫知其紀終而復始其流溢之氣內溉藏府外濡腠理黃帝
蹻脈有陰陽何脈當其數岐伯答曰男子數其陽女子數其陰
數者為經其不當數者為絡也

蹻脈 果畧與經優自矣 又音稀德

●營衛生會第十八

黃帝問于岐伯曰人焉受氣陰陽焉會何氣為營何氣為衛營安從生衛于焉會老壯不同氣陰陽異位願聞其會岐伯答曰人受氣于穀穀入于胃以傳與肺五藏六府皆以受氣其清者為營濁者為衛營在脈中衛在脈外營周不休五十而復大會陰陽相貫如環無端衛氣行于陰二十五度行于陽二十五度分為晝夜故氣至陽而起至陰而止故曰日中而陽隴為重陽夜半而陰隴為重陰故太陰主內太陽主外各行二十五度分為晝夜夜半為陰隴夜半後而為陰衰平旦陰盡而陽受氣矣日中而陽隴日西而陽衰日入陽盡而陰受氣矣夜半而大會萬民皆臥命曰合陰平旦陰盡而陽受氣如是無已與天地同紀黃帝曰老人之不夜瞑者何氣使然少壯之人不晝瞑者何氣使然岐伯答曰壯者之氣血盛其肌肉滑氣道通營衛之行不失其常故晝精而夜瞑老

者之氣血衰其肌肉枯氣道澁五藏之氣相搏其營氣衰少而衛
氣內伐故晝不精而夜不瞑黃帝曰願聞營衛之所行皆何道從
來岐伯答曰營出于中焦衛出于下焦黃帝曰願聞三焦之所出
岐伯答曰上焦出于胃上口並咽以上貫膈而布胸中走腋循太
陰之分而行還至陽明上至舌下足陽明常與營俱行于陽二十
五度行于陰亦二十五度一周也故五十度而復大會于手太陰
矣黃帝曰人有熱飲食下胃其氣未定汗則出或出于面或出于
背或出于身半其不循衛氣之道而出何也岐伯曰此外傷于風
內開腠理毛蒸理泄衛氣走之固不得循其道此氣慓悍滑疾見
開而出故不得從其道故命曰漏泄黃帝曰願聞中焦之所出岐伯
答曰中焦亦並胃中出上焦之後此所受氣者泌糟粕蒸津液化
其精微上注于肺脉乃化而為血以奉生身莫貴于此故獨得行

于其道命曰漏泄黃帝曰夫血之與氣異名同類何謂也岐伯答曰營衛者精氣也血者神氣也故血之與氣異名同類焉故奪血者無汗奪汗者無血故人生有兩死而無兩生黃帝曰願聞下焦之所出岐伯答曰下焦者別廻腸注于膀胱而滲入焉故水穀者常并居于胃中成糟粕而俱下于大腸而成下焦滲而俱下濟泌別汁循下焦而滲入膀胱焉黃帝曰人飲酒酒亦入胃穀未熟而小便獨先下何也岐伯答曰酒者熟穀之液也其氣悍以清故後穀而入先穀而液出焉黃帝曰善余聞上焦如霧中焦如漚下焦如瀆此之謂也

四時氣第十九

黃帝問于岐伯曰夫四時之氣各不同形百病之起皆有所生灸刺之道何者爲定一本作寶岐伯答曰四時之氣各有所在灸刺之道

得氣穴爲定故春取經血脈分肉之間甚者深刺之間者淺刺之夏取盛經孫絡取分間絶皮膚秋取經腧邪在府取之合冬取井榮必深以留之溫瘧汗不出爲五十九痏風水膚脹爲五十七痏取皮膚之血者盡取之飧泄補三陰之上補陰陵泉皆久留之熱行乃止轉筋于陽治其陽轉筋于陰治其陰皆卒刺之徒水先取環谷下三寸以鈹針針之已刺而筩之而內之入而復之以盡其水必堅束緩則煩悗束急則安靜間日一刺之水盡乃止飲閉藥方刺之時徒飲之方飲無食方食無飲無食他食百三十五日著痺不去久寒不已卒取其三里骨爲幹腸中不便取三里盛瀉之虛補之癘風者素刺其腫上已刺以銳針鍼其處按出其惡氣腫盡乃止常食方食無食他食腹中常鳴氣上衝胸喘不能久立邪在大腸刺肓之原巨虛上廉三里小腹控睾引腰脊上衝心邪在

小腸者連睾系屬于脊貫肝肺絡心系氣盛則厥逆上衝腸胃燻
肝散于肓結于臍故取之肓原以散之刺太陰以予之取厥陰以
下之取巨虛下廉以去之按其所過之經以調之善嘔嘔有苦長
太息心中憺憺恐人將捕之邪在膽逆在胃膽液泄則口苦胃氣
逆則嘔苦故曰嘔膽取三里以下胃氣逆則刺少陽血絡以閉膽
逆卻調其虛實以去其邪飲食不下膈塞不通邪在胃脘在上脘
則刺抑而下之在下脘則散而去之小腹痛腫不得小便邪在三
焦約取之太陽大絡視其絡脈與厥陰小絡結而血者腫上及胃
脘取三里覩其色察其以知其散復者視其目色以知病之存亡
也一其形聽其動靜者持氣口人迎以視其脈堅且盛且滑者病
日進脈軟者病將下諸經實者病三日已氣口候陰人迎候陽也

[illegible]

● 五邪第二十

邪在肺則病皮膚痛寒熱上氣喘汗出欬動肩背取之膺中外腧背三節五藏一本作五顀又五藏之傍以手疾按之快然乃刺之取之缺盆中以越之邪在肝則兩脇中痛寒中惡血在內行善掣節時腳腫取之行間以引脇下補三里以溫胃中取血脈以散惡血取耳間青脈以去其掣邪在脾胃則病肌肉痛陽氣有餘陰氣不足則熱中善飢陽氣不足陰氣有餘則寒中腸鳴腹痛陰陽俱有餘若俱不足則有寒有熱皆調於三里邪在腎則病骨痛陰痺陰痺者按之而不得腹脹腰痛大便難肩背頸項痛時眩取之涌泉崑崙視有血者盡取之邪在心則病心痛喜悲時眩仆視有餘不足而調之其輸也　顀音椎

● 寒熱病第二十一

皮寒熱者不可附席毛髮焦鼻槁腊不得汗取三陽之絡以補手太陰肌寒熱者肌痛毛髮焦而唇槁腊不得汗取三陽于下以去其血者補足太陰以出其汗骨寒熱者病無所安汗注不休齒未槁取其少陰于陰股之絡齒已槁死不治骨厥亦然骨痹舉節不用而痛汗注煩心取三陰一本作二陽之經補之身有所傷血出多及中風寒若有所墮墜四肢懈惰不收名曰體惰取其小腹臍下三結交三結交者陽明太陰也臍下三寸關元也厥痹者厥氣上及腹取陰陽之絡視主病也瀉陽補陰經也頸側之動脈人迎人迎足陽明也在嬰筋之前嬰筋之後手陽明也名曰扶突次脈足少陽脈也名曰天牖次脈足太陽也名曰天柱腋下動脈臂太陰也名曰天府陽迎頭痛胸滿不得息取之人迎暴瘖氣鞕取扶突與舌本出血暴聾氣蒙耳目不明取天牖暴攣癇眩足不任身取天

柱暴癉内逆肝肺相搏血溢鼻口取天府此為大牖五部臂陽明
有入頄徧齒者名曰大迎下齒齲取之臂惡寒補之不惡寒寫之
足太陽有入頄徧齒者名曰角孫上齒齲取之在鼻與頄前方病
之時其脉盛盛則寫之虚則補之一曰取之出鼻外足陽明有挾
鼻入于面者名曰懸顱屬口對入繫目本視有過者取之損有餘
益不足反者益其足太陽有通項入于腦者正屬目本名曰眼系
頭目苦痛取之在項下兩筋間入腦乃別陰蹻陽蹻陰陽相交陽
入陰陰出陽交于目銳眥陽氣盛則瞋目陰氣盛則瞑目熱厥取
足太陰少陽皆留之寒厥取足陽明少陰于足皆留之舌縱涎下
煩悗取足少陰振寒洒洒鼓頷不得汗出腹脹煩悗取手太陰刺
虚者刺其去也刺實者刺其來也春取絡脉夏取分腠秋取氣口
冬取經輸凡此四時各以時為齊絡脉治皮膚分腠治肌肉氣口治

脈經輸治骨髓五藏身有五部伏兔一腓二腓者腨也背三五藏之腧四項五此五部有癰疽者死病始手臂者先取手陽明太陰而汗出病始頭首者先取項太陽而汗出病始足脛者先取足陽明而汗出臂太陰可汗出足陽明可汗出故取陰而汗出甚者止之于陽取陽而汗出甚者止之於陰凡刺之害中而不去則精泄不中而去則致氣精泄則病甚而恇致氣則生為癰疽也

槁腊上苦老切下思積切 齲丘禹切 頄音逵 恇音匡 腓音肥

●癲狂第二十二

目眥外決為面者為銳眥在內近鼻者為內眥上為外眥下為內眥癲疾始生先不樂頭重痛視舉目赤甚作極已而煩心候之于顏取手太陽陽明太陰血變而止癲疾始作而引口啼呼喘悸者候之手陽明太陽左強者攻其右右強者攻其左血變而止癲疾

作先反僵因而脊痛候之足太陽陽明太陰手太陽血變而止治癲疾者常與之居察其所當取之處病至視之有過者寫之置其血于瓠壺之中至其發時血獨動矣不動灸窮骨二十壯窮骨者骶骨也骨癲疾者顑齒諸腧分肉皆滿而骨居汗出煩悗嘔多沃沫氣下泄不治筋癲疾者身倦攣急大刺項大經之大杼脈嘔多沃沫氣下泄不治脈癲疾者暴仆四肢之脈皆脹而縱脈滿盡刺之出血不滿灸之挾項太陽灸帶脈于腰相去三寸諸分肉本輸嘔多沃沫氣下泄不治癲疾者疾發如狂者死不治狂始生先自悲也喜忘苦怒善恐者得之憂飢治之取手太陰陽明血變而止及取足太陰陽明狂始發少臥不飢自高賢也自辯智也自尊貴也善罵詈日夜不休治之取手陽明太陽太陰舌下少陰視之盛者皆取之不盛釋之也狂言驚善笑好歌樂妄行不休者得之

大恐治之取手陽明太陽太陰狂目妄見耳妄聞善呼者少氣之
所生也治之取手太陽太陰陽明足太陰頭兩顑狂者多食善見
鬼神善笑而不發于外者得之有所大喜治之取足太陰太陽陽
明後取手太陰太陽陽明狂而新發未應如此者先取曲泉左右
動脉及盛者見血有頃已不已以法取之灸骨骶二十壯風逆暴
四肢腫身漯〻唏然時寒饑則煩飽則善變取手太陰表裏足少
陰陽明之經肉清取滎骨清取井經也厥逆為病也足暴清胸若
將裂腸若將以刀切之煩而不能食脉大小皆濇煖取足少陰清
取足陽明清則補之溫則寫之厥逆腹脹滿腸鳴胸滿不得息取
之下胸二脇欬而動手者與背腧以手按之立快者是也內閉不
得溲刺足少陰太陽與骶上以長針氣逆則取其太陰陽明厥陰
甚取少陰陽明動者之經也少氣身漯〻也言吸〻也骨痠體重

髓脩不能動補足少陰短氣息短不屬動作氣索補足少陰去血絡也　脩䫉上音頹口感切凱許几切　䫉[illegible]行欷也

● 熱病第二十三

偏枯身偏不用而痛言不變志不亂病在分腠之間巨鍼取之益其不足損其有餘乃可復也痱之為病也身無痛者四肢不收智亂不甚其言微知可治甚則不能言不可治也病先起于陽而後入于陰者先取其陽後取其陰浮而取之熱病三日而氣口靜人迎躁者取之諸陽五十九刺以寫其熱而出其汗實其陰以補其不足者身熱甚陰陽皆靜者勿刺也其可刺者急取之不汗出則泄所謂勿刺者有死徵也熱病七日八日脈口動喘而短一本作弦者急刺之汗且自出淺刺手大指間熱病七日八日脈微小病者溲血口中乾一日半而死脈代者一日死熱病已得汗出而脈尚躁

喘且復熱勿刺膚喘甚者死熱病七日八日脈不躁躁不散數
三日中有汗三日不汗四日死未曾汗者勿腠刺之熱病先膚痛
窒鼻充面取之皮以第一針五十九苛軫鼻索皮于肺不得索之火
火者心也熱病先身澀倚而熱煩悗乾唇口嗌取之皮以第一
針五十九膚脹口乾寒汗出索脈于心不得索之水水者腎也熱
病嗌乾多飲善驚臥不能起取之膚肉以第六針五十九目眥青
索肉于脾不得索之木木者肝也熱病面青腦痛手足躁取之筋
間以第四針于四逆筋躄目浸索筋于肝不得索之金金者肺也
熱病數驚瘛瘲而狂取之脈以第四針急寫有餘者癲疾毛髮去
索血于心不得索之水水者腎也熱病身重骨痛耳聾而好瞑取
之骨以第四針五十九刺骨病不食齧齒耳青索骨于腎不得索
之土土者脾也熱病不知所痛耳聾不能自收口乾陽熱甚陰頗

有寒者熱在髓死不可治熱病頭痛顳顬目瘈脈痛善衄厥熱病也取之以第三針視有餘不足寒熱痔熱病體重腸中熱取之以第四針於其腧及下諸指間索氣於胃胳得氣也熱病挾臍急痛胸脇滿取之湧泉與陰陵泉取以第四針鍼嗌裏熱病而汗且出及脈順可汗者取之魚際太淵大都太白瀉之則熱去補之則汗出汗出大甚取內踝上橫脈以止之熱病已得汗而脈尚躁盛此陰脈之極也死其得汗而脈靜者生熱病者脈尚躁盛而不得汗者此陽脈之極也死脈盛躁得汗靜者生熱病不可刺者有九一曰汗不出大顴發赤噦者死二曰泄而腹滿甚者死三曰目不明熱不已者死四曰老人嬰兒熱而腹滿者死五曰汗不出嘔下血者死六曰舌本爛熱不已者死七曰欬而衄汗不出出不至足者死八曰髓熱者死九曰熱而痙者死腰折瘈瘲齒噤齘也凡此九者

不可刺也所謂五十九刺者兩手外內側各三凡十二痏五指間各一凡八痏足亦如是頭入髮一寸傍三分各三凡六痏更入髮三寸邊五凡十痏耳前後口下者各一項中一凡六痏巔上一顖會一髮際一廉泉一風池二天柱二氣滿胸中喘息取足太陰大指之端去爪甲如韭葉寒則留之熱則疾之氣下乃止心疝暴痛取足太陰厥陰盡刺去其血絡喉痹舌卷口中乾煩心心痛臂內廉痛不可及頭取手小指次指爪甲下去端如韭葉目中赤痛從內眥始取之陰蹻風痙身反折先取足太陽及膕中及血絡出血中有寒取三里癃取之陰蹻及三毛上及血絡出血男子如蠱女子如怚身體腰脊如解不欲飲食先取涌泉見血視跗上盛者盡見血也

痏音洧 痙巨井切 噤巨禁切 齘音介

●厥病第二十四

厥頭痛面若腫起而煩心取之足陽明太陰厥頭痛頭脈痛心悲善泣視頭動脈反盛者刺盡去血後調足厥陰厥頭痛貞貞頭重而痛寫頭上五行行五先取手少陰後取足少陰厥頭痛意善忘按之不得取頭面左右動脈後取足太陰厥頭痛項先痛腰脊為應先取天柱後取足太陽厥頭痛頭痛甚耳前後脈涌有熱一本云有動脈寫出其血後取足少陽真頭痛頭痛甚腦盡痛手足寒至節死不治頭痛不可取於腧者有所擊墮惡血在於內若肉傷痛未已可則刺不可遠取也頭痛不可刺者大痺為惡日作者可令少愈不可已頭半寒痛先取手少陽陽明後取足少陽陽明厥心痛與背相控善瘛如從後觸其心傴僂者腎心痛也先取京骨昆侖發鍼不已取然谷厥心痛腹脹胸滿心尤痛甚胃心痛也取之大都太白厥心痛痛如以錐鍼刺其心心痛甚者脾心痛也取之然谷大

厥心痛色蒼蒼如死狀終日不得太息肝心痛也取之行間太
衝厥心痛臥若徒居心痛間動作痛益甚色不變肺心痛也取之
魚際太淵真心痛手足清至節心痛甚旦發夕死夕發旦死心痛
不可刺者中有盛聚不可取於腧腸中有蟲瘕及蛟蛕皆不可取
以小針心腸痛憹作痛腫聚往來上下行痛有休止腹熱喜渴涎
出者是蛟蛕也以手聚按而堅持之無令得移以大針刺之久持
之蟲不動乃出針也𢇼腹憹痛形中上者耳聾無聞取耳中耳鳴
取耳前動脈耳痛不可刺者耳中有膿若有乾耵聹耳無聞也耳
聾取手小指次指爪甲上與肉交者先取手後取足耳鳴取手中
指爪甲上左取右右取左先取手後取足足髀不可舉側而取之
在樞合中以員利針大針不可刺病注下血取曲泉風痹淫濼病
不可已者足如履冰時如入湯中股脛淫濼煩心頭痛時嘔時悗

眩已汗出久則目眩悲以喜恐短氣不樂不出三年死也

眞貞切 脾中 懷乃切老 恭音恭 肝脾六部頭切 耳中 胻下乃頂切

●病本第二十五

先病而後逆者治其本先逆而後病者治其本先寒而後生病者治其本先病而後生寒者治其本先熱而後生病者治其本先泄而後生他病者治其本必且調之乃治其他病先病而後中滿者治其標先病後泄者治其本先中滿而後煩心者治其本有客氣有同氣大小不利治其標大小便利治其本病發而有餘本而標之先治其本後治其標病發而不足標而本之先治其標後治其本謹詳察閒甚以意調之閒者并行甚為獨行先小大便不利而後生他病者治其本也

●雜病第二十六

厥挾脊而痛者至頂頭沉沉然目䀮䀮然腰脊強取足太陽膕中血絡厥胸滿面腫脣漯漯然暴言難甚則不能言取足陽明厥氣走喉而不能言手足清大便不利取足少陰厥而腹嚮嚮然多寒氣腹中穀穀便溲難取足太陰嗌乾口中熱如膠取足少陰膝中痛取犢鼻以員利針發而間之針大如氂刺膝無疑喉痹不能言取足陽明能言取手陽明瘧不渴間日而作取足陽明渴而日作取手陽明齒痛不惡清飲取足陽明惡清飲取手陽明聾而不痛者取足少陽聾而痛者取手陽明衄而不止衃血流取足太陽衃血取手太陽不已刺宛骨下不已刺膕中出血腰痛痛上寒取足太陽陽明痛上熱取足厥陰不可以俛仰取足少陽中熱而喘取足少陰膕中血絡喜怒而不欲食言益小刺足太陰怒而多言刺足少陽頗痛刺手陽明與頗之盛脈出血項痛不可俛仰刺足太

陽不可以顧刺手太陽也小腹滿大上走胃至心淅淅身時寒熱小便不利取足厥陰腹滿大便不利腹大亦上走胸嗌喘息喝喝然取足少陰腹滿食不化腹響響然不能大便取足太陰心痛引腰脊欲嘔取足少陰心痛腹脹嗇嗇然大便不利取足太陰心痛引背不得息刺足少陰不已取手少陽心痛引小腹滿上下無常處便溲難刺足厥陰心痛但短氣不足以息刺手太陰心痛當九節刺之按已刺按之立已不已上下求之得之立已顑痛刺足陽明曲周動脈見血立已不已按人迎於經立已氣逆上刺膺中陷者與下胸動脈腹痛刺臍左右動脈已刺按之立已不已刺氣街已刺按之立已痿厥為四末束悗乃疾解之日二不仁者十日而知無休病已止噦以草刺鼻嚏嚏而已無息而疾迎引之立已大驚之亦可已

[illegible][illegible]校解

周痹第二十七

黄帝問于岐伯曰周痹之在身也上下移徙隨脉其上下左右相應間不容空願聞此痛在血脉之中邪將在分肉之間乎何以致是其痛之移也間不及下針其慉痛之時不及定治而痛已止矣何道使然願聞其故岐伯答曰此衆痹也非周痹也黄帝曰願聞衆痹岐伯對曰此各在其處更發更止更居更起以右應左以左應右非能周也更發更休也黄帝曰善刺之奈何岐伯對曰刺此者痛雖已止必刺其處勿令復起帝曰善願聞周痹何如岐伯對曰周痹者在于血脉之中隨脉以上隨脉以下不能左右各當其所黄帝曰刺之奈何岐伯對曰痛從上下者先刺其下以過一作遏下同之後刺其上以脱之痛從下上者先刺其上以過之後刺其下以脱之黄帝曰善此痛安生何因而有名岐伯對曰風寒濕氣客

于外分肉之間迫切而爲沫沫得寒則聚聚則排分肉而分裂也分裂則痛痛則神歸之神歸之則熱熱則痛解痛解則厥厥則他痺發發則如是帝曰善余已得其意矣此內不在藏而外未發於皮獨居分肉之間真氣不能周故命曰周痺故刺痺者必先切循其下之六經視其虛實及大絡之血結而不通及虛而脉陷空者而調之熨而通之其瘛堅轉引而行之黃帝曰善余已得其意矣亦得其事也九者經巽之理十二經脉陰陽之病也　惰　蟜　六

●口問第二十八

黃帝閒居辟左右而問于岐伯曰余已聞九鍼之經論陰陽逆順六經已畢願得口問岐伯避席再拜曰善乎哉問也此先師之所口傳也黃帝曰願聞口傳岐伯答曰夫百病之始生也皆生于風雨寒暑陰陽喜怒飲食居處大驚卒恐則血氣分離陰陽破散經

絡厥絕脈道不通陰陽相逆衛氣稽留經脈虛空血氣不次乃失其常論不在經者請道其方黃帝曰人之欠者何氣使然岐伯答曰衛氣晝日行于陽夜半則行于陰陰者主夜夜者卧陽者主上陰者主下故陰氣積于下陽氣未盡陽引而上陰引而下陰陽相引故數欠陽氣盡陰氣盛則目瞑陰氣盡而陽氣盛則寤矣寫足少陰補足太陽黃帝曰人之噦者何氣使然岐伯曰穀入于胃胃氣上注于肺今有故寒氣與新穀氣俱還入于胃新故相亂真邪相攻氣并相逆復出于胃故為噦補手太陰寫足少陰黃帝曰人之唏者何氣使然岐伯曰此陰氣盛而陽氣虛陰氣疾而陽氣徐陰氣盛而陽氣絕故為唏補足太陽寫足少陰黃帝曰人之振寒者何氣使然岐伯曰寒氣客于皮膚陰氣盛陽氣虛故為振寒寒慄補諸陽黃帝曰人之噫者何氣使然岐伯曰寒氣客于胃厥逆

從下上散復出于胃故為噫補足太陰陽明一曰補眉本也黃帝
曰人之嚏者何氣使然岐伯曰陽氣和利滿于心出于鼻故為嚏
補足太陽榮眉本一曰眉上也黃帝曰人之嚲者何氣使然岐伯
曰胃不實則諸脈虛諸脈虛則筋脈懈惰筋脈懈惰則行陰用力
氣不能復故為嚲因其所在補分肉間黃帝曰人之哀而泣涕出
者何氣使然岐伯曰心者五藏六府之主也目者宗脈之所聚也
上液之道也口鼻者氣之門戶也故悲哀愁憂則心動心動則五
藏六府皆搖搖則宗脈感宗脈感則液道開液道開故泣涕出焉
液者所以灌精濡空竅者也故上液之道開則泣泣不止則液竭
液竭則精不灌精不灌則目無所見矣故命曰奪精補天柱經挾
頸黃帝曰人之太息者何氣使然岐伯曰憂思則心系急心系急
則氣道約約則不利故太息以伸出之補手少陰心主足少陽留

之也黃帝曰人之涎下者何氣使然岐伯曰飲食者皆入于胃胃中有熱則蟲動蟲動則胃緩胃緩則廉泉開故涎下補足少陰黃帝曰人之耳中鳴者何氣使然岐伯曰耳者宗脈之所聚也故胃中空則宗脈虛虛則下溜脈有所竭者故耳鳴補客主人手大指爪甲上與肉交者也黃帝曰人之自嚙舌者何氣使然此厥逆走上脈氣輩至也少陰氣至則嚙舌少陽氣至則嚙頰陽明氣至則嚙唇矣視主病者則補之凡此十二邪者皆奇邪之走空竅者也故邪之所在皆為不足故上氣不足腦為之不滿耳為之苦鳴頭為之苦傾目為之眩中氣不足溲便為之變腸為之苦鳴下氣不足則乃為痿厥心悗補足外踝下留之黃帝曰治之奈何岐伯曰腎主為欠取足少陰肺主為噦取手太陰足少陰唏者陰與陽絕故補足太陽瀉足少陰振寒者補諸陽噫者補足太陰陽明嚏者

補足太陽眥本輔因其所在補分肉間並出補天柱經俠頸俠頸者頭中分也大息補手少陰　足少陽留之涎下補足少陰耳鳴補客主人手大指爪甲上與肉交者自齧舌視主病者則補之目眩頭傾補足外踝下留之痿厥心悗刺足大指間上二寸留之一曰足外踝下留之

● 師傳第二十九

黃帝曰余聞先師有所心藏弗著于方余願聞而藏之則而行之上以治民下以治身使百姓無病上下和親德澤下流子孫無憂傳于後世無有終時可得聞乎岐伯曰遠乎哉問也夫治民與自治治彼與治此治小與治大治國與治家未有逆而能治之也夫惟順而已矣順者非獨陰陽脈論氣之逆順也百姓人民皆欲順其志也黃帝曰順之柰何岐伯曰入國問俗入家問諱上堂問禮

禮臨病人問所便黃帝曰便病人柰何岐伯曰夫中熱消癉則便寒寒中之屬則便熱胃中熱則消穀令人縣心善飢臍以上皮熱腸中熱則出黃如糜臍以下皮寒胃中寒則腹脹腸中寒則腸鳴飧泄胃中寒腸中熱則脹而且泄胃中熱腸中寒則疾飢小腹痛脹黃帝曰胃欲寒飲腸欲熱飲兩者相逆便之柰何且夫王公大人血食之君驕恣從欲輕人而無能禁之禁之則逆其志順之則加其病便之柰何治之何先岐伯曰人之情莫不惡死而樂生告之以其敗語之以其善導之以其所便開之以其所苦雖有無道之人惡有不聽者乎黃帝曰治之柰何岐伯曰春夏先治其標後治其本秋冬先治其本後治其標黃帝曰便其相逆者柰何岐伯曰便此者食飲衣服亦欲適寒溫寒無凄愴暑無出汗食飲者熱無灼灼寒無滄滄寒溫中適故氣將持乃不致邪僻也黃帝曰本藏

以身形支節䐃肉候五藏六府之小大焉今夫王公大人臨朝即位之君而問焉誰可捫循之而後答乎岐伯曰身形支節者藏府之蓋也非面部之閱也黃帝曰五藏之氣閱于面者余已知之矣以肢節知而閱之奈何岐伯曰五藏六府者肺為之蓋巨肩陷咽候見其外黃帝曰善岐伯曰五藏六府心為之主缺盆為之道骺骨有餘以候髑骭黃帝曰善岐伯曰肝者主為將使之候外欲知堅固視目小大黃帝曰善岐伯曰脾者主為衛使之迎糧視唇舌好惡以知吉凶黃帝曰善岐伯曰腎者主為外使之遠聽視耳好惡以知其性黃帝曰善願聞六府之候岐伯曰六府者胃為之海廣骸大頸張胸五穀乃容鼻隧以長以候大腸唇厚人中長以候小腸目下果大其膽乃橫鼻孔在外膀胱漏泄鼻柱中央起三焦乃約此所以候六府者也上下三等藏安且良矣

便 平声

黃帝曰余聞人有精氣津液血脈余意以為一氣耳今乃辨為六名余不知其所以然岐伯曰兩神相搏合而成形常先身生是精何謂氣岐伯曰上焦開發宣五穀味熏膚充身澤毛若霧露之溉是謂氣何謂津岐伯曰腠理發泄汗出溱溱是謂津何謂液岐伯曰穀入氣滿淖澤注于骨骨屬屈伸洩澤補益腦髓皮膚潤澤是謂液何謂血岐伯曰中焦受氣取汁變化而赤是謂血何謂脈岐伯曰壅遏營氣令無所避是謂脈黃帝曰六氣者有餘不足氣之多少腦髓之虛實血脈之清濁何以知之岐伯曰精脫者耳聾氣脫者目不明津脫者腠理開汗大泄液脫者骨屬屈伸不利色夭腦髓消脛痠耳數鳴血脫者色白夭然不澤其脈空虛此其候也黃帝曰六氣者貴賤何如岐伯曰六氣者各有部主也其貴賤

善惡可為常主然五穀與胃為大海也　溱音榛

●腸胃第三十一

黃帝問于伯高曰余願聞六府傳穀者腸胃之小大長短受穀之多少奈何伯高曰請盡言之穀所從出入淺深遠近長短之度脣至齒長九分口廣二寸半齒以後至會厭深三寸半大容五合舌重十兩長七寸廣二寸半咽門重十兩廣一寸半至胃長一尺六寸胃紆曲屈伸之長二尺六寸大一尺五寸徑五寸大容三斗五升小腸後附脊左環迴周疊積其注于迴腸者外附于臍上迴運環十六曲大二寸半徑八分分之少半長三丈三尺迴腸當臍左環迴周葉積而下迴運環反十六曲大四寸徑一寸寸之少半長二丈一尺廣腸傅脊以受迴腸左環葉脊上下辟大八寸徑二寸寸之大半長二尺八寸腸胃所入至所出長六丈四寸四分迴曲

環反三十二曲也

●平人絕穀第三十二

黃帝曰願聞人之不食七日而死何也伯高曰臣請言其故胃大一尺五寸徑五寸長二尺六寸橫屈受水穀三斗五升其中之穀常留二斗水一斗五升而滿上焦泄氣出其精微慓悍滑疾下焦下溉諸腸小腸大二寸半徑八分分之少半長三丈二尺受穀二斗四升水六升三合合之大半迴腸大四寸徑一寸寸之少半長二丈一尺受穀一斗水七升半廣腸大八寸徑二寸寸之大半長二尺八寸受穀九升三合八分合之一腸胃之長凡五丈八尺四寸受水穀九斗二升一合合之大半此腸胃所受水穀之數也平人則不然胃滿則腸虛腸滿則胃虛更虛更滿故氣得上下五藏安定血脈和利精神乃居故神者水穀之精氣也故腸胃之中當

五五

留穀二斗水一斗五升故平人日再後後二升半一日中五升七日五七三十五斗五升而留水穀盡矣故平人不食飲七日而死者水穀精氣津液皆盡故也

●海論第三十三

黃帝問于岐伯曰余聞刺法于夫子夫子之所言不離于營衛血氣夫十二經脉者內屬于府藏外絡于肢節夫子乃合之于四海乎岐伯答曰人亦有四海十二經水經水者皆注于海海有東西南北命曰四海黃帝曰以人應之柰何岐伯曰人有髓海有血海有氣海有水穀之海凡此四者以應四海也黃帝曰遠乎哉夫子之合人天地四海也願聞應之柰何岐伯答曰必先明知陰陽表裏榮輸所在四海定矣黃帝曰定之柰何岐伯曰胃者水穀之海其輸上在氣街下至三里衝脉者為十二經之海其輸上在于大

杼下出于巨虛之上下廉膻中者為氣之海其輸上在于柱骨之上下前在于人迎腦為髓之海其輸上在于其蓋下在風府黃帝曰凡此四海者何利何害何生何敗岐伯曰得順者生得逆者敗知調者利不知調者害黃帝曰四海之逆順奈何岐伯曰氣海有餘者氣滿胸中悗息面赤氣海不足則氣少不足以言血海有餘則常想其身大怫然不知其所病血海不足亦常想其身小狹然不知其所病水穀之海有餘則腹滿水穀之海不足則飢不受穀食髓海有餘則輕勁多力自過其度髓海不足則腦轉耳鳴脛痠眩冒目無所見懈怠安臥黃帝曰余已聞逆順調之奈何岐伯曰審守其輸而調其虛實無犯其害順者得復逆者必敗黃帝曰善

●五亂第三十四

黃帝曰經脈十二者別為五行分為四時何失而亂何得而治岐

伯曰五行有序四時有分相順則治相逆則亂黃帝曰何謂相順
岐伯曰經脈十二者以應十二月十二月者分爲四時四時者春
秋冬夏其氣各異營衛相隨陰陽已和清濁不相干如是則順之
而治黃帝曰何謂逆而亂岐伯曰清氣在陰濁氣在陽營氣順脈
衛氣逆行清濁相干亂于胸中是謂大悗故氣亂于心則煩心密
嘿俛首靜伏亂于肺則俛仰喘喝接手以呼亂于腸胃則爲霍亂
亂于臂脛則爲四厥亂于頭則爲厥逆頭重眩仆黃帝曰五亂者
刺之有道乎岐伯曰有道以來有道以去審知其道是謂身寶黃
帝曰善願聞其道岐伯曰氣在于心者取之手少陰心主之輸氣
在于肺者取之手太陰滎足少陰輸氣在于腸胃者取之足太陰
陽明不下者取之三里氣在于頭者取之天柱大杼不知取足太
陽滎輸氣在于臂足取之先去血脈後取其陽明少陽之滎輸

導氣奈何岐伯曰徐入徐出謂之導氣補寫無形謂之同精是非有餘不足也亂氣之相逆也黃帝曰允乎哉道明乎哉論請著之玉版命曰治亂也

脹論第三十五

黃帝曰脉之應於寸口如何而脹岐伯曰其脉大堅以濇者脹也黃帝曰何以知藏府之脹也岐伯曰陰爲藏陽爲府黃帝曰夫氣之令人脹也在于血脉之中耶藏府之内乎岐伯曰三一云二字者皆存焉然非脹之舍也黃帝曰願聞脹之舍岐伯曰夫脹者皆在于藏府之外排藏府而郭胸脇脹皮膚故命曰脹黃帝曰藏府之在胸脇腹裏之内也若匣匱之藏禁器也各有次舍異名而同處一域之中其氣各異願聞其故黃帝曰未解其意再岐伯曰夫胸腹藏府之郭也膻中者心主之宫城也胃者大倉也咽喉小腸者傳

廓也胃之五竅者閭里門户也廉泉玉英者津液之道也故五藏六府者各有畔界其病各有形狀營氣循脉衛氣逆為脉脹衛氣並脉循分為膚脹三里而寫近者一下遠者三下無問虚實工在疾寫黄帝曰願聞脹形岐伯曰夫心脹者煩心短氣卧不安肺脹者虚滿而喘欬肝脹者脇下滿而痛引小腹脾脹者善噦四肢煩悗體重不能勝衣卧不安腎脹者腹滿引背央央然腰髀痛六府脹胃脹者腹滿胃脘痛鼻聞焦臭妨于食大便難大腸脹者腸鳴而痛濯濯冬日重感于寒則飧泄不化小腸脹者少腹䐜脹引腰而痛膀胱脹者少腹滿而氣癃三焦脹者氣滿于皮膚中輕輕然而不堅膽脹者脇下痛脹口中苦善太息凡此諸脹者其道在一明知逆順針數不失寫虚補實神去其室致邪失正真不可定粗之所敗謂之夭命補虚寫實神歸其室久塞其空謂之良工黄帝

曰脹者焉生何因而有岐伯曰衛氣之在身也常然並脈循分肉
行有逆順陰陽相隨乃得天和五藏更始四時有序五穀乃化然
後厥氣在下營衛留止寒氣逆上真邪相攻兩氣相搏乃合爲脹
也黃帝曰善何以解惑岐伯曰合之于真三合而得帝曰善黃帝
問于岐伯曰脹論言無問虛實工在疾瀉近者一下遠者三下今有
其三而不下者其過焉在岐伯對曰此言陷于肉肓而中氣穴者
也不中氣穴則氣內閉針不陷肓則氣不行上越中肉則衛氣相
亂陰陽相逐其于脹也當瀉不瀉氣故不下三而不下必更其道
氣下乃止不下復始可以萬全烏有殆者乎其于脹也必審其脈
當瀉則瀉當補則補如鼓應桴惡有不下者乎

●五癃津液別第三十六

黃帝問于岐伯曰水穀入于口輸于腸胃其液別爲五天寒衣薄

則為溺與氣天熱衣厚則為汗悲哀氣并則為泣中熱胃緩則為唾邪氣內逆則氣為之閉塞而不行不行則為水脹余知其然也不知其何由生願聞其道岐伯曰水穀皆入于口其味有五各注其海津液各走其道故三焦出氣以溫肌肉充皮膚為其津其流而不行者為液天暑衣厚則腠理開故汗出寒留于分肉之間聚沫則為痛天寒則腠理閉氣濕不行水下留于膀胱則為溺與氣五藏六府心為之主耳為之聽目為之候肺為之相肝為之將脾為之衛腎為之主外故五藏六府之津液盡上滲于目心悲氣并則心系急心系急則肺舉肺舉則液上溢夫心系與肺不能常舉乍上乍下故欬而泣出矣中熱則胃中消穀消穀則蟲上下作腸胃充郭故胃緩胃緩則氣逆故唾出五谷之津液和合而為膏者內滲入于骨空補益腦髓而下流于陰股陰陽不和則使液溢而

下流于陰髓液皆減而下下過度則虛虛故腰背痛而脛痠陰陽氣道不通四海閉塞三焦不寫津液不化水穀并行腸胃之中別于迴腸留于下焦不得滲膀胱則下焦脹水溢則為水脹此津液五別之逆順也

●五閱五使第三十七

黃帝問于岐伯曰余聞刺有五官五閱以觀五氣五氣者五藏之使也五時之副也願聞其五使當安出岐伯曰五官者五藏之閱也黃帝曰願聞其所出令可為常岐伯曰脉出于氣口色見于明堂五色更出以應五時各如其常經氣入藏必當治裏帝曰善五色獨決于明堂乎岐伯曰五官已辨闕庭必張乃立明堂明堂廣大蕃蔽見外方壁高基引垂居外五色乃治平博廣大壽中百歲見此者刺之必已如是之人者血氣有餘肌肉堅緻故可苦已鍼

黃帝曰願聞五官岐伯曰鼻者肺之官也目者肝之官也口脣者脾之官也舌者心之官也耳者腎之官也黃帝曰以官何候岐伯曰以候五藏故肺病者喘息鼻張肝病者眥青脾病者脣黃心病者舌卷短顴赤腎病者顴與顏黑黃帝曰五脉安出五色安見其常色殆者如何岐伯曰五官不辨闕庭不張小其明堂蕃蔽不見又埤其墻墻下無基垂角去外如是者雖平常殆況加疾哉黃帝曰五色之見于明堂以觀五藏之氣左右高下各有形乎岐伯曰府藏之在中也各以次舍左右上下各如其度也

緻也利切蕃也

●逆順肥瘦第三十八

黃帝問于岐伯曰余聞鍼道于夫子衆多畢悉矣夫子之道應若失而據未有堅然者也夫子之問學熟乎將審察于物而心生之

乎岐伯曰聖人之為道者上合于天下合于地中合于人事必有明法以起度數法式檢押乃後可傳焉故匠人不能釋尺寸而意短長廢繩墨而起平水也工人不能置規而為員去矩而為方知用此者固自然之物易用之教逆順之常也黃帝曰願聞自然奈何岐伯曰臨深決水不用功力而水可竭也循掘決衝而經可通也此言氣之滑濇血之清濁行之逆順也黃帝曰願聞人之白黑肥瘦小長各有數乎岐伯曰年質壯大血氣充盈膚革堅固因加以邪刺此者深而留之此肥人也廣肩腋項肉薄厚皮而黑色唇臨臨然其血黑以濁其氣濇以遲其為人也貪于取與刺此者深而留之多益其數也黃帝曰刺瘦人奈何岐伯曰瘦人者皮薄色少肉廉廉然薄唇輕言其血清氣滑易脫于氣易損于血刺此者淺而疾之黃帝曰刺常人奈何岐伯曰視其白黑各為調之其端

正敢飽者其血氣和調刺此者無失常數也黃帝曰刺壯士真骨
者奈何岐伯曰刺壯士真骨堅肉緩節監監然此人重則氣澀血
濁刺此者深而留之多益其數勁則氣滑血清刺此者淺而疾之
黃帝曰刺嬰兒奈何岐伯曰嬰兒者其肉脆血少氣弱刺此者以
豪刺淺刺而疾發鍼日再可也黃帝曰臨深決水奈何岐伯曰血
清氣濁疾寫之則氣竭焉黃帝曰循掘決衝奈何岐伯曰血濁氣
澀疾寫之則經可通也黃帝曰脈行之逆順奈何岐伯曰手之三
陰從藏走手手之三陽從手走頭足之三陽從頭走足足之三陰
從足走腹黃帝曰少陰之脈獨下行何也岐伯曰不然夫衝脈者
五藏六府之海也五藏六府皆稟焉其上者出於頏顙滲諸陽灌
諸精其下者注少陰之大絡出於氣街循陰股內廉入膕中伏行
骭骨內下至內踝之後屬而別其下者並於少陰之經滲三陰其

前伏行出跗屬下循跗入大指間滲諸絡而溫肌肉故別絡結則跗上不動不動則厥厥則寒矣黃帝曰何以明之岐伯曰以言導之切而驗之其非必動然後乃可明逆順之行也黃帝曰窘乎哉聖人之為道也明于日月微于毫釐其非夫子孰能道之也

●血絡論第三十九

黃帝曰願聞其奇邪而不在經者岐伯曰血絡是也黃帝曰刺血絡而仆者何也血出而射者何也血少黑而濁者何也血出清而半為汁者何也發針而腫者何也血出若多若少而面色蒼蒼者何也發針而面色不變而煩悗者何也多出血而不動搖者何也願聞其故岐伯曰脈氣盛而血虛者刺之則脫氣脫氣則仆血氣俱盛而陰氣多者其血滑刺之則射陽氣畜積久留而不寫者其血黑以濁故不能射新飲而液滲于絡而未合和于血也故血出

而汁別焉其不新飲者身中有水久則為腫陰氣積于陽其氣因于絡故刺之血未出而氣先行故腫陰陽之氣其新相得而未和合因而寫之則陰陽俱脫表裏相離故脫色而蒼蒼然刺之血出多色不變而煩悗者刺絡而虛經虛經之屬于陰者陰脫故煩悗陰陽相得而合為痺者此為內溢于經外注于絡如是者陰陽俱有餘雖多出血而弗能虛也黃帝曰相之奈何岐伯曰血脈者盛堅橫以赤上下無常處小者如針大者如筯則而寫之萬全也故無失數矣失數而反各如其度黃帝曰針入而肉著者何也岐伯曰熱氣因于針則針熱熱則肉著于針故堅焉

●陰陽清濁第四十

黃帝曰余聞十二經脈以應十二經水者其五色各異清濁不同人之血氣若一應之奈何岐伯曰人之血氣苟能若一則天下為

一矣惡有亂者乎黃帝曰余聞一人非問天下之衆岐伯曰夫一人者亦有亂氣天下之衆亦有亂人其合為一耳黃帝曰願聞人氣之清濁岐伯曰受穀者濁受氣者清清者注陰濁者注陽濁而清者上出于咽清而濁者則下行清濁相干命曰亂氣黃帝曰夫陰清而陽濁濁者有清清者有濁清濁別之奈何岐伯曰氣之大別清者上注于肺濁者下走于胃胃之清氣上出于口肺之濁氣下注于經內積于海黃帝曰諸陽皆濁何陽濁甚乎岐伯曰手太陽獨受陽之濁手太陰獨受陰之清其清者上走空竅其濁者下行諸經諸陰皆清足太陰獨受其濁黃帝曰治之奈何岐伯曰清者其氣滑濁者其氣濇此氣之常也故刺陰者深而留之刺陽者淺而疾之清濁相干者以數調之也

[illegible]空孔

新刊黄帝素問靈樞經卷之十四

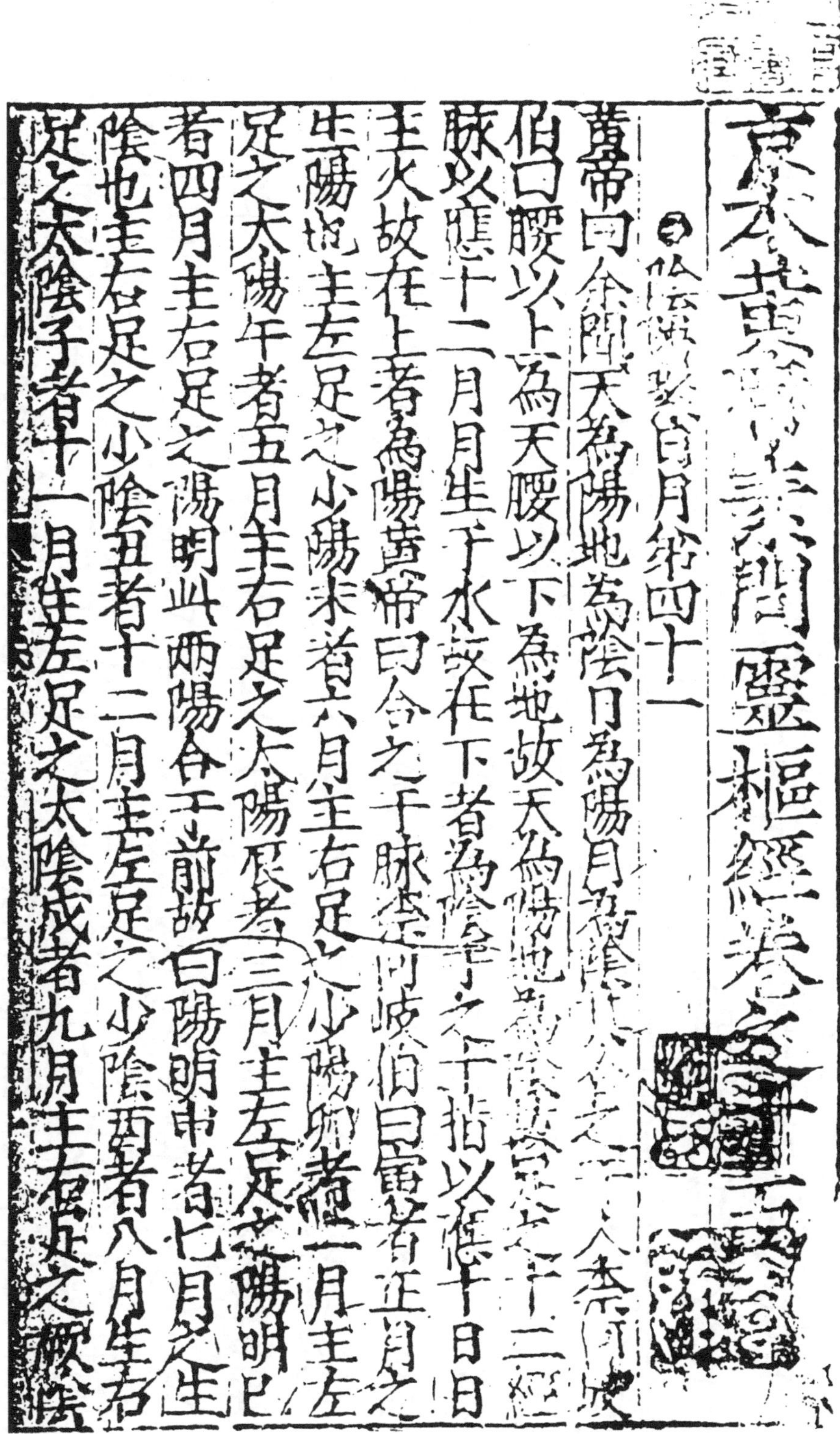

京本黃帝[illegible]素問靈樞經卷之[illegible]

陰陽繫日月第四十一

黃帝曰余聞天為陽地為陰日為陽月為陰其合之於人奈何岐伯曰腰以上為天腰以下為地故天為陽地為陰故足之十二經脈以應十二月月生于水故在下者為陰手之十指以應十日日主火故在上者為陽黃帝曰合之于脈奈何岐伯曰寅者正月之生陽也主左足之少陽未者六月主右足之少陽卯者二月主左足之太陽午者五月主右足之太陽辰者三月主左足之陽明巳者四月主右足之陽明此兩陽合于前故曰陽明申者七月之生陰也主右足之少陰丑者十二月主左足之少陰酉者八月主右足之太陰子者十一月主左足之太陰戌者九月主右足之厥陰

亥者十月主左足之厥陰此兩陰交盡故曰厥陰甲主左手之少陽己主右手之少陽乙主左手之太陽戊主右手之太陽丙主左手之陽明丁主右手之陽明此兩火并合故為陽明庚主右手之少陰癸主左手之少陰辛主右手之太陰壬主左手之太陰故足之陽者陰中之少陽也足之陰者陰中之太陰也手之陽者陽中之太陽也手之陰者陽中之少陰也腰以上者為陽腰以下者為陰其於五藏也心為陽中之太陽肺為陰中之少陰肝為陰中之少陽脾為陰中之至陰腎為陰中之太陰黃帝曰以治之奈何岐伯曰正月二月三月人氣在左無刺左足之陽四月五月六月人氣在右無刺右足之陽七月八月九月人氣在右無刺右足之陰十月十一月十二月人氣在左無刺左足之陰黃帝曰五行以東方甲乙木主春春者蒼色主肝肝者足厥陰也今乃以甲為左手

之少陽不合于數何也岐伯曰此天地之陰陽也非四時五行之以次行也且夫陰陽者有名而無形故數之可十離之可百散之可千推之可萬此之謂也

●病傳第四十二

黃帝曰余受九鍼于夫子而私覽于諸方或有導引行氣喬摩灸熨刺焫飲藥之一者可獨守耶將盡行之乎岐伯曰諸方者衆人之方也非一人之所盡行也黃帝曰此乃所謂守一勿失萬物畢者也今余已聞陰陽之要虛實之理傾移之過可治之屬願聞病之變化淫傳絕敗而不可治者可得聞乎岐伯曰要乎哉問道昭乎其如日醒窘乎其如夜瞑能被而服之神與俱成畢將服之神自得之生神之理可著于竹帛不可傳于子孫黃帝曰何謂日醒岐伯曰明于陰陽如惑之解如醉之醒黃帝曰何謂夜瞑岐伯曰

瘖乎其無聲漠乎其無形折毛發理正氣橫傾淫邪泮衍血脈傳
溜大氣入藏腹痛下淫可以致死不可以致生黃帝曰大氣入藏
奈何岐伯曰病先發于心一日而之肺三日而之肝五日而之脾
三日不已死冬夜半夏日中病先發于肺三日而之肝一日而之
脾五日而之胃十日不已死冬日入夏日出病先發于肝三日而
之脾五日而之胃三日而之腎三日不已死冬日入夏蚤食病先
發于脾一日而之胃二日而之腎三日而之膂膀胱十日不已死
冬人定夏晏食病先發于胃五日而之腎三日而之膂膀胱五日
而上之心二日不已死冬夜半夏日昳病先發于腎三日而之膂
膀胱三日而上之心三日而之小腸三日不已死冬大晨夏早晡
病先發于膀胱五日而之膂一日而之小腸一日而之心二日不
已死冬雞鳴夏下晡諸病以次相傳如是者皆有死期不可刺也

閒一藏及二三四藏者乃可刺也　昳徒結切

淫邪發夢第四十三

黄帝曰願聞淫邪泮衍奈何岐伯曰正邪從外襲内而未有定舍反淫于藏不得定處與營衛俱行而與魂魄飛揚使人卧不得安而喜夢氣淫于府則有餘于外不足于内氣淫于藏則有餘于内不足于外黄帝曰有餘不足有形乎岐伯曰陰氣盛則夢涉大水而恐懼陽氣盛則夢大火而燔焫陰陽俱盛則夢相殺上盛則夢飛下盛則夢墮甚飢則夢取甚飽則夢予肝氣盛則夢怒肺氣盛則夢恐懼哭泣飛揚心氣盛則夢善笑恐畏脾氣盛則夢歌樂身體重不舉腎氣盛則夢腰脊兩解不屬凡此十二盛者至而寫之立已厥氣客于心則夢見丘山煙火客于肺則夢飛揚見金鐵之奇物客于肝則夢山林樹木客于脾則夢見丘陵大澤壞屋風雨

客于腎則夢臨淵沒居水中客于膀胱則夢遊行客于胃則夢飲食客于大腸則夢田野客于小腸則夢聚邑衝衢客于膽則夢鬭訟自刳客于陰器則夢接內客于項則夢斬首客于脛則夢行走而不能前及居深地窌苑中客于股肱則夢禮節拜起客于胞脯則夢溲便凡此十五不足者至而補之立已也　窌力交切

●順氣一日分為四時第四十四

黄帝曰夫百病之所始生者必起于燥濕寒暑風雨陰陽喜怒飲食居處氣合而有形得藏而有名余知其然也夫百病者多以旦慧晝安夕加夜甚何也岐伯曰四時之氣使然黄帝曰願聞四時之氣岐伯曰春生夏長秋收冬藏是氣之常也人亦應之以一日分為四時朝則為春日中為夏日入為秋夜半為冬朝則人氣始生病氣衰故旦慧日中人氣長長則勝邪故安夕則人氣始衰邪

始生故加夜半人氣入藏邪氣獨居于身故甚也黃帝曰其時有反者何也岐伯曰是不應四時之氣藏獨主其病者是必以藏氣之所不勝時者甚以其所勝時者起也黃帝曰治之奈何岐伯曰順天之時而病可與期順者為工逆者為粗黃帝曰善余聞刺有五變以主五輸願聞其數岐伯曰人有五藏五藏有五變五變有五輸故五五二十五輸以應五時黃帝曰願聞五變岐伯曰肝為牡藏其色青其時春其音角其味酸其日甲乙心為牡藏其色赤其時夏其日丙丁其音徵其味苦脾為牝藏其色黃其時長夏其日戊己其音宮其味甘肺為牝藏其色白其音商其時秋其日庚辛其味辛腎為牝藏其色黑其時冬其日壬癸其音羽其味鹹是為五變黃帝曰以主五輸奈何岐伯曰藏主冬冬刺井色主春春刺滎時主夏夏刺輸音主長夏長夏刺經味主秋秋刺合是謂

五变以主五輸黄帝曰諸原安合以致六輸岐伯曰原獨不應五時以經合之以應其數故六六三十六輸黄帝曰何謂藏主冬時主夏音主長夏味主秋色主春願聞其故岐伯曰病在藏者取之井病变于色者取之滎病時間時甚者取之輸病变于音者取之經經滿而血者病在胃及以飲食不節得病者取之於合故命曰味主合是謂五變也

●外揣第四十五

黄帝曰余聞九針九篇余親授其調頗得其意夫九針者始於一而終于九然未得其要道也夫九針者小之則無内大之則無外深不可爲下高不可爲蓋恍惚無窮流溢無極余知其合于天道人事四時之变也然余願雜之毫毛渾束爲一可乎岐伯曰明乎哉問也非獨針道焉夫治國亦然黄帝曰余願聞針道非國事也

岐伯曰夫治國者夫惟道焉非道何可小大深淺雜合而爲一乎黄帝曰願卒聞之岐伯曰日與月焉水與鏡焉鼓與響焉夫日月之明不失其影水鏡之察不失其形鼓響之應不後其聲動搖則應和盡得其情黄帝曰窘乎哉昭昭之明不可蔽其不可蔽不失陰陽也合而察之切而驗之見而得之若清水明鏡之不失其形也五音不彰五色不明五藏波蕩若是則外内相襲若鼓之應桴響之應聲影之似形故遠者司外揣内近者司内揣外是謂陰陽之極天地之蓋請藏之靈蘭之室弗敢使泄也

五變第四十六

黄帝問于少俞曰余聞百疾之始期也必生于風雨寒暑循毫毛而入腠理或復還或留止或爲風腫汗出或爲消癉或爲寒熱或爲留痹或爲積聚奇邪淫溢不可勝數願聞其故夫同時得病或

病此或病彼意者天之為人生風乎何其異也少俞曰夫天之生
風者非以私百姓也其行公平正直犯者得之避者得無殆非求
人而人自犯之黃帝曰一時遇風同時得病其病各異願聞其故
少俞曰善乎哉問請論以比匠人匠人磨斧斤礪刀削斲材木木
之陰陽尚有堅脆堅者不入脆者皮弛至其交節而缺斤斧焉夫
一木之中堅脆不同堅者則剛脆者易傷況其材木之不同皮之
厚薄汁之多少而各異耶夫木之蚤花先生葉者遇春霜烈風則
花落而葉萎久曝大旱則脆木薄皮者枝條汁少而葉萎久陰淫
雨則薄皮多汁者皮潰而漉卒風暴起則剛脆之木枝折杌傷秋
霜疾風則剛脆之木根搖而葉落凡此五者各有所傷況於人乎
黃帝曰以人應木奈何少俞答曰木之所傷也皆傷其枝枝之剛
脆而堅未成傷也人之有常病也亦因其骨節皮膚腠理之不堅

固者邪之所舍也故常爲病也黄帝曰人之善病風厥漉汗者何
以候之少俞答曰肉不堅腠理疏則善病風黄帝曰何以候肉之
不堅也少俞答曰䐃肉不堅而無分理理者粗理粗理而皮不緻
者腠理疏此言其渾然者黄帝曰人之善病消癉者何以候之少
俞答曰五藏皆柔弱者善病消癉黄帝曰何以知五藏之柔弱也
少俞答曰夫柔弱者必有剛強剛強多怒柔者易傷也黄帝曰何
以候柔弱之與剛強少俞答曰此人薄皮膚而目堅固以深者長
衝直揚其心剛剛則多怒怒則氣上逆胸中畜積血氣逆留髖皮
充肌血脉不行轉而爲熱熱則消肌膚故爲消癉此言其人暴剛
而肌肉弱者也黄帝曰人之善病寒熱者何以候之少俞答曰小
骨弱肉者善病寒熱黄帝曰何以候骨之小大肉之堅脆色之不
一也少俞答曰顴骨者骨之本也顴大則骨大顴小則骨小皮膚

薄而其肉無䐃其臂懦懦然其地色殆然不與其天同色汙然獨異此其候也然後臂薄者其髓不滿故善病寒熱也黃帝曰何以候人之善病痹者少俞答曰粗理而肉不堅者善病痹黃帝曰痹之高下有處乎少俞答曰欲知其高下者各視其部黃帝曰人之善病腸中積聚者何以候之少俞答曰皮膚薄而不澤肉不堅而淖澤如此則腸胃惡惡則邪氣留止積聚乃傷脾胃之間寒溫不次邪氣稍至穡積留止大聚乃起黃帝曰余聞病形已知之矣願聞其時少俞答曰先立其年以知其時時高則起時下則殆雖不陷下當年有衝通其病必起是謂因形而生病五變之紀也

䐃窘 杌兀 痺卑 懦儒

●本藏第四十七

黃帝問于岐伯曰人之血氣精神者所以奉生而周于性命者也

經脉者所以行血氣而營陰陽濡筋骨利關節者也衛氣者所以溫分肉充皮膚肥腠理司關闔者也志意者所以御精神收魂魄適寒溫和喜怒者也是故血和則經脉流行營覆陰陽筋骨勁強關節清利矣衛氣和則分肉解利皮膚調柔腠理緻密矣志意和則精神專直魂魄不散悔怒不起五藏不受邪矣寒溫和則六府化穀風痺不作經脉通利肢節得安矣此人之常平也五藏者所以藏精神血氣魂魄者也六府者所以化水穀而行津液者也此人之所以具受于天也無愚智賢不肖無以相倚也然有其獨盡天壽而無邪僻之病百年不衰雖犯風雨卒寒大暑猶有弗能害也有其不離屏蔽室內無怵惕之恐然猶不免於病何也願聞其故岐伯對曰窘乎哉問也五藏者所以參天地副陰陽而連四時化五節者也五藏者固有小大高下堅脆端正偏傾者六府亦有

小大長短厚薄結直緩急凡此二十五者各不同或善或惡或吉或凶請言其方心小則安邪弗能傷易傷以憂心大則憂不能傷易傷于邪心高則滿于肺中悗而善忘難開以言心下則藏外易傷于寒易恐以言心堅則藏安守固心脆則善病消癉熱中心端正則和利難傷心偏傾則操持不一無守司也肺小則少飲不病喘喝肺大則多飲善病胸痺喉痺逆氣肺高則上氣肩息欬肺下則居賁迫肺善脅下痛肺堅則不病欬上氣肺脆則苦病消癉易傷肺端正則和利難傷肺偏傾則胸偏痛也肝小則藏安無脅下之病肝大則逼胃迫咽迫咽則苦膈中且脅下痛肝高則上支賁切脅悗為息賁肝下則逼胃脅下空脅下空則易受邪肝堅則藏安難傷肝脆則善病消癉易傷肝端正則和利難傷肝偏傾則脅下痛也脾小則藏安難傷于邪也脾大則苦湊䏚而痛不能疾行

脾高則䏚引季脇而痛脾下則下加于大腸下加于大腸則藏苦受邪脾堅則藏安難傷脾脆則善病消癉易傷脾端正則和利難傷脾偏傾則善滿善脹也腎小則藏安難傷腎大則善病腰痛不可以俛仰易傷以邪腎高則苦背膂痛不可以俛仰腎下則腰尻痛不可以俛仰為狐疝腎堅則不病腰背痛腎脆則苦病消癉易傷腎端正則和利難傷腎偏傾則苦腰尻痛也凡此二十五變者人之所苦常病黃帝曰何以知其然也岐伯曰赤色小理者心小粗理者心大無𩩲骬者心高𩩲骬小短舉者心下𩩲骬長者心下堅𩩲骬弱小以薄者心脆𩩲骬直下不舉者心端正𩩲骬倚一方者心偏傾也白色小理者肺小粗理者肺大巨肩反膺陷喉者肺高合腋張脇者肺下好肩背厚者肺堅肩背薄者肺脆背膺厚者肺端正脇偏疎者肺偏傾也青色小理者肝小粗理者肝大廣胸

反骹者肝高合脇兔骹者肝下胸脇好者肝堅脇骨弱者肝脆膺腹好相得者肝端正脇骨偏舉者肝偏傾也黄色小理者脾小粗理者脾大揭唇者脾高唇下縱者脾下唇堅者脾堅唇大而不堅者脾脆唇上下好者脾端正唇偏舉者脾偏傾也黒色小理者腎小粗理者腎大高耳者腎高耳後陷者腎下耳堅者腎堅耳薄不堅者腎脆耳好前居牙車者腎端正耳偏高者腎偏傾也凡此諸變者持則安減則病也帝曰善然非余之所問也願聞人之有不可病者至盡天壽雖有深憂大恐怵惕之志猶不能減也甚寒大熱不能傷也其有不離屏蔽室内又無怵惕之恐然不免于病者何也願聞其故岐伯曰五藏六府邪之舍也請言其故五藏皆小者少病苦燋心大愁憂五藏皆大者緩於事難使以憂五藏皆高者好高舉措五藏皆下者好出人下五藏皆堅者無病五藏皆脆

者不離于病五藏皆端正者和利得人心五藏皆偏傾者邪心而善
盜不可以爲人平反覆言語也黃帝曰願聞六府之應岐伯荅
曰肺合大腸大腸者皮其應心合小腸小腸者脉其應肝合膽匕
者筋其應脾合胃匕者肉其應腎合三焦膀胱三焦膀胱者腠理
毫毛其應黃帝曰應之奈何岐伯曰肺應皮皮厚者大腸厚皮薄
者大腸薄皮緩腹裹大者大腸大而長皮急者大腸急而短皮滑
者大腸直皮肉不相離者大腸結心應脉皮厚者脉厚脉厚者小
腸厚皮薄者脉薄脉薄者小腸薄皮緩者脉緩脉緩者小腸大而
長皮薄而脉冲小者小腸小而短諸陽經脉皆多紆屈者小腸結
脾應肉匕䐃堅大者胃厚肉䐃么者胃薄肉䐃小而么者胃不堅
肉䐃不稱身者胃下胃下者下管約不利肉䐃不堅者胃緩肉䐃
無小裹累者胃急肉䐃多少裹累者胃結胃結者上管約不利也

肝應爪爪厚色黃者膽厚爪薄色紅者膽薄爪堅色青者膽急爪濡色赤者膽緩爪直色白無約者膽直爪惡色黑多紋者膽結也腎應骨密理厚皮者三焦膀胱厚粗理薄皮者三焦膀胱薄疏腠理者三焦膀胱緩皮急而無毫毛者三焦膀胱急毫毛美而粗者三焦膀胱直稀毫毛者三焦膀胱結也黃帝曰厚薄美惡皆有形願聞其所病岐伯答曰視其外應以知其內藏則知所病矣

尻苦刀切　骹音敲　骭音幹　髃音于

禁服第四十八

雷公問于黃帝曰細子得受業通于九針六十篇旦暮勤服之近者編絕久者簡垢然尚諷誦弗置未盡解於意矣外揣言渾束為一未知所謂也夫大則無外小則無內大小無極高下無度束之柰何士之才力或有厚薄智慮褊淺不能博大深奧自強於學若

細子細子恐其散于後世絶于子孫敢問約之奈何黄帝曰善乎哉問也此先師之所禁坐私傳之也割臂歃血之盟也子若欲得之何不齋乎雷公再拜而起曰請聞命于是也乃齋宿三日而請曰敢問今日正陽細子願以受盟黄帝乃與俱入齋宿割臂歃血黄帝親祝曰今日正陽歃血傳方有敢背此言者反受其殃雷公再拜曰細子受之黄帝乃左握其手右授之書曰慎之慎之吾爲子言之凡刺之理經脉爲始營其所行知其度量内刺五藏外刺六府審察衛氣爲百病母調其虚實虚實乃止寫其血絡血盡不殆矣雷公曰此皆細子之所以遍未知其所約也黄帝曰夫約方者猶約囊也囊滿而弗約則輸泄方成弗約則神與弗俱雷公曰願爲下材者勿滿而約之黄帝曰未滿而知約之以爲工不可以爲天下師雷公曰願聞爲工黄帝曰寸口主中人迎主外兩者相

應俱往俱來若引繩大小齊等春夏人迎微大秋冬寸口微大如是者名曰平人人迎大一倍于寸口病在足少陽一倍而躁在手少陽人迎二倍病在足太陽二倍而躁病在手太陽人迎三倍病在足陽明三倍而躁病在手陽明盛則為熱虛則為寒緊則為痛痺代則乍甚乍間盛則寫之虛則補之緊痛則取之分肉代則取血絡且飲藥陷下則灸之不盛不虛以經取之名曰經刺人迎四倍者且大且數名曰溢陽溢陽為外格死不治必審按其本末察其寒熱以驗其藏府之病寸口大于人迎一倍病在足厥陰一倍而躁在手心主寸口二倍病在足少陰二倍而躁在手少陰寸口三倍病在足太陰三倍而躁在手太陰盛則脹滿寒中食不化虛則熱中出糜少氣溺色變緊則痛痺代則乍痛乍止盛則寫之虛則補之緊則先刺而後灸之代則取血絡而後調之陷下則徒灸

之陷下者脉血結于中中有著血血寒故宜灸之不盛不虛以經取之寸口四倍者名曰內關內關者且大且數死不治必審察其本末之寒溫以驗其藏府之病通其營輸乃可傳于大數大數曰盛則徒寫之虛則徒補之緊則灸刺且飲藥陷下則徒灸之不盛不虛以經取之所謂經治者飲藥亦曰灸刺脉急則引脉大以弱則欲安靜用力無勞也歃徒治飾

● 五色第四十九

雷公問于黃帝曰五色獨決于明堂乎小子未知其所謂也黃帝曰明堂者鼻也闕者眉間也庭者顏也蕃者頰側也蔽者耳門也其間欲方大去之十步皆見于外如是者壽必中百歲雷公曰五官之辨柰何黃帝曰明堂骨高以起平以直五藏次于中央六府挾其兩側首面上于闕庭王宮在于下極五藏安于胷中真色以致

病色不見明堂潤澤以清五官惡得無辨乎雷公曰其不辨者可得聞乎黃帝曰五色之見也各出其色部部骨陷者必不免于病矣其色部乘襲者雖病甚不死矣雷公曰官五色奈何黃帝曰青黑為痛黃赤為熱白為寒是謂五官雷公曰病之益甚與其方衰如何黃帝曰外內皆在焉切其脈口滑小緊以沉者病益甚在中人迎氣大緊以浮者其病益甚在外其脈口浮滑者病日進人迎沉而滑者病日損其脈口滑以沉者病日進在內其人迎脈滑盛以浮者其病日進在外脈之浮沉及人迎與寸口氣小大等者病難已病之在藏沉而大者易已小為逆病在府浮而大者其病易已人迎盛堅者傷於寒氣口盛堅者傷於食雷公曰以色言病之間甚奈何黃帝曰其色粗以明沉夭者為甚其色上行者病益甚其色下行如雲徹散者病方已五色各有病部有外部有內部也

色從外部走內部者其病從外走內走外者其從內走外者其病內走外病生於內者先治其陰後治其陽反者益甚其病生於陽者先治其外後治其內反者益甚其脈滑大以代而長者病從外來目有所見志有所惡此陽氣之并也可變而已雷公曰小子聞風者百病之始也厥逆者寒濕之起也別之奈何黃帝曰常候闕中薄澤為風沖濁為痹在地為厥此其常也各以其色言其病雷公曰人不病卒死何以知之黃帝曰大氣入于藏府者不病而卒死矣雷公曰病小愈而卒死者何以知之黃帝曰赤色出兩顴大如母指者病雖小愈必卒死黑色出於庭大如母指必不病而卒死雷公再拜曰善哉其死有期乎黃帝曰察色以言其時雷公曰善乎願卒聞之黃帝曰庭者首面也闕上者咽喉也闕中者肺也下極者心也直下者肝也肝左者膽也下者脾也方上者胃也中

央者大腸也挾大腸者腎也當腎者臍也面王以上者小腸也面王以下者膀胱子處也顴者肩也顴後者臂也臂下者手也目內眥上者膺乳也挾繩而上者背也循牙車以下者股也中央者膝也膝以下者脛也當脛以下者足也巨分者股裏也巨屈者膝臏也此五藏六府肢節之部也各有部分有部分用陰和陽用陽和陰當明部分萬舉萬當能別左右是謂大道男女異位故曰陰陽審察澤夭謂之良工沉濁為內浮澤為外黃赤為風青黑為痛白為寒黃而膏潤為膿赤甚者為血痛甚為攣寒甚為皮不仁五色各見其部察其浮沉以知淺深察其澤夭以觀成敗察其散摶以知遠近視色上下以知病處積神於心以知往今故相氣不微不知是非屬意勿去乃知新故色明不粗沉夭為甚不明不澤其病不甚其色散駒駒然未有聚其病散而氣痛聚未成也腎乘心心

先病[illegible]後[illegible]者如是男子色在于面王為小腹痛下為卵痛其圜直為莖痛高為本下為首狐疝㿉陰之屬也女子在于面王為膀胱子處之病散為痛摶為聚方員左右各如其色形其隨而下至胝為淫有潤如膏狀為暴食不潔左為左右為右其色有邪聚散而不端面色所指者也色者青黑赤白黃皆端滿有別鄉別鄉赤者其色亦大如榆莢在面王為不日其色上鋭首空上向下鋭下向在左右如法以五色命藏青為肝赤為心白為肺黃為脾黑為腎肝合筋心合脈肺合皮脾合肉腎合骨也

●論勇第五十

黃帝問于少俞曰有人于此並行並立其年之長少等也衣之厚薄均也卒然遇烈風暴雨或病或不病或皆病或皆不病其故何也少俞曰帝問何急黃帝曰願盡聞之少俞曰春青風夏陽風秋

涼風冬有寒風凡此四時之風者其所病各不同形黃帝曰四時之風病人如何少俞曰黃色薄皮弱肉者不勝春之虛風白色薄皮弱肉者不勝夏之虛風青色薄皮弱肉不勝秋之虛風赤色薄皮弱肉不勝冬之虛風也黃帝曰黑色不病乎少俞曰黑色而皮厚肉堅固不傷于四時之風其皮薄而肉不堅色不一者長夏至而有虛風者病矣其皮厚而肌肉堅者長夏至而有虛風不病矣其皮厚而肌肉堅者必重感于寒外內皆然乃病黃帝曰善黃帝曰夫人之忍痛與不忍痛者非勇怯之分也夫勇士之不忍痛者見難則前見痛則止夫怯士之忍痛者聞難則恐遇痛不動夫勇士之忍痛者見難不恐遇痛不動夫怯士之不忍痛者見難與痛目轉面盻恐不能言失氣驚顏色變化乍死乍生余見其然也不知其何由願聞其故少俞曰夫忍痛與不忍痛者皮膚之薄厚肌肉

之堅脆緩急之分也非勇怯之謂也黃帝曰願聞勇怯之所由然少俞曰勇士者目深以固長衡直揚三焦理橫其心端直其肝大以堅其膽滿以傍怒則氣盛而胸張肝舉而膽橫眥裂而目揚毛起而面蒼此勇士之由然者也黃帝曰願聞怯士之所由然少俞曰怯士者目大而不減陰陽相失其焦理縱䯏骬短而小肝系緩其膽不滿而縱腸胃挺脅下空雖方大怒氣不能滿其胸肝肺雖舉氣衰復下故不能久怒此怯士之所由然者也黃帝曰怯士之得酒怒不避勇士者何藏使然少俞曰酒者水穀之精熟穀之液也其氣慓悍其入于胃中則胃脹氣上逆滿于胸中肝浮膽橫當是之時固比于勇士氣衰則悔與勇士同類不知避之名曰酒悖也

胃挺下古便切

●背腧第五十一

黄帝問于岐伯曰願聞五藏之腧出于背者岐伯曰胷中大腧在杼骨之端肺腧在三焦之間心腧在五焦之間膈腧在七焦之間肝腧在九焦之間脾腧在十一焦之間腎腧在十四焦之間皆挾脊相去三寸所則欲得而驗之按其處應在中而痛解乃其腧也灸之則可刺之則不可氣盛則寫之虛則補之以火補者毋吹其火須自滅也以火寫者疾吹其火傳其艾須其火滅也

衛氣第五十二

黄帝曰五藏者所以藏精神魂魄者也六府者所以受水穀而行化物者也其氣内干五藏而外絡肢節其浮氣之不循經者爲衛氣其精氣之行于經者爲營氣陰陽相隨外内相貫如環之無端亭亭淳淳乎孰能窮之然其分别陰陽皆有標本虛實所離之處能别陰陽十二經者知病之所生候虛實之所在者能得病之高

下知六府之氣街者能知解結契紹于門户能知虛石之堅軟者
知補瀉之所在能知六經標本者可以無惑于天下岐伯曰博
哉聖帝之論臣請盡意悉言之足太陽之本在跟以上五寸中標在
兩絡命門命門者目也足少陽之本在竅陰之間標在窗籠之前
窗籠者耳也足少陰之本在内踝下上三寸中標在背腧與舌下
兩脉也足厥陰之本在行間上五寸所標在背腧也足陽明之本
在厲兊標在人迎頰挾頏顙也足太陰之本在中封前上四寸之
中標在背腧與舌本也手太陽之本在外踝之後標在命門之上
一寸也手少陽之本在小指次指之間上二寸標在耳後上角下
外眥也手陽明之本在肘骨中上至別陽標在顏下合鉗上也手
太陰之本在寸口之中標在腋内動也手少陰之本在鋭骨之端
標在背腧也手心主之本在掌後兩筋之間二寸中標在腋下下

三寸也凡候此者下虛則厥下盛則熱上虛則眩上盛則熱痛故下者絕而止之虛者引而起之請言氣街胸氣有街腹氣有街頭氣有街脛氣有街故氣在頭者止之於腦氣在胸者止之膺與背腧氣在腹者止之背腧與衝脉於臍左右之動脉者氣在脛者止之於氣街與承山踝上以下取此者用毫針必先按而在久應於手乃刺而予之所治者頭痛眩仆腹痛中滿暴脹及有新積痛可移者易已也積不痛難已也

鍼音針

論痛第五十三

黃帝問於少俞曰筋骨之強弱肌肉之堅脆皮膚之厚薄腠理之疏密各不同其於針石火焫之痛何如腸胃之厚薄堅脆亦不等其於毒藥何如願盡聞之少俞曰人之骨強筋弱肉緩皮膚厚者耐痛其於針石之痛火焫亦然黃帝曰其耐火焫者何以知之少

俞曰加以黑色而美骨者耐火焫黃帝曰其不耐鍼石之痛者
何以知之少俞曰堅肉薄皮者不耐鍼石之痛于火焫亦然黃帝
曰人之病或同時而傷或易已或難已其故何如少俞曰同時而
傷其身多熱者易已多寒者難已黃帝曰人之勝毒何以知之少
俞曰胃厚色黑大骨及肥者皆勝毒故其瘦而薄胃者皆不勝毒也

●天年第五十四

黃帝問于岐伯曰願聞人之始生何氣築為基何立而為楯何失
而死何得而生岐伯曰以母為基以父為楯失神者死得神者生
也黃帝曰何者為神岐伯曰血氣已和榮衛已通五藏已成神氣
舍心魂魄畢具乃成為人黃帝曰人之壽夭各不同或夭壽或卒
死或病久願聞其道岐伯曰五藏堅固血脉和調肌肉解利皮膚
緻密營衛之行不失其常呼吸微徐氣以度行六府化穀津液布

揚各如其常故能長久黃帝曰人之壽百歲而死何以致之岐伯曰使道隧以長基牆高以方通調營衛三部三里起骨高肉滿百歲乃得終黃帝曰其氣之盛衰以至其死可得聞乎岐伯曰人生十歲五藏始定血氣已通其氣在下故好走二十歲血氣始盛肌肉方長故好趨三十歲五藏大定肌肉堅固血脉盛滿故好步四十歲五藏六府十二經脉皆大盛以平定腠理始疏榮華頹落髮頗斑白平盛不搖故好坐五十歲肝氣始衰肝葉始薄膽汁始減目始不明六十歲心氣始衰苦憂悲血氣懈惰故好卧七十歲脾氣虛皮膚枯八十歲肺氣衰魄離故言善誤九十歲腎氣焦四藏經脉空虛百歲五藏皆虛神氣皆去形骸獨居而終矣黃帝曰其不能終壽而死者何如岐伯曰其五藏皆不堅使道不長空外以張喘息暴疾又卑基牆薄脉少血其肉不石數中風寒血氣虛脉

不通真邪相攻亂而相引故中壽而盡也

●逆順第五十五

黃帝問于伯高曰余聞氣有逆順脉有盛衰刺有大約可得聞乎伯高曰氣之逆順者所以應天地陰陽四時五行也脉之盛衰者所以候血氣之虛實有餘不足刺之大約者必明知病之可刺與其未可刺與其已不可刺也黃帝曰候之柰何伯高曰兵法曰無迎逢逢之氣無擊堂堂之陣刺法曰無刺熇熇之熱無刺漉漉之汗無刺渾渾之脉無刺病與脉相逆者黃帝曰候其可刺柰何伯高曰上工刺其未生者也其次刺其未盛者也其次刺其已衰者也下工刺其方襲者也與其形之盛者也與其病之與脉相逆者也故曰方其盛也勿敢毀傷刺其已衰事必大昌故曰上工治未病不治已病此之謂也　逢蒲紅切熇呵木

●五味第五十六

黃帝曰願聞穀氣有五味其入五藏分別奈何伯高曰胃者五藏六府之海也水穀皆入于胃五藏六府皆稟氣于胃五味各走其所喜穀味酸先走肝穀味苦先走心穀味甘先走脾穀味辛先走肺穀味鹹先走腎穀氣津液已行營衛大通乃化糟粕以次傳下

黃帝曰營衛之行奈何伯高曰穀始入于胃其精微者先出于胃之兩焦以溉五藏別出兩行營衛之道其大氣之摶而不行者積于胸中命曰氣海出于肺循喉咽故呼則出吸則入天地之精氣其大數常出三入一故穀不入半日則氣衰一日則氣少矣

曰穀之五味可得聞乎伯高曰請盡言之五穀秔米甘麻酸大豆鹹麥苦黃黍辛五果棗甘李酸栗鹹杏苦桃辛五畜牛甘犬酸猪鹹羊苦雞辛五菜葵甘韭酸藿鹹薤苦葱辛五色黃色宜甘青色

宜酸黑色宜鹹赤色宜苦白色宜辛凡此五者各有所宜五宜所
言五色者脾病者宜食秔米飯牛肉棗葵心病者宜食麥羊肉杏
薤腎病者宜食大豆黄卷猪肉栗藿肝病者宜食麻犬肉李韭肺
病者宜食黄黍雞肉桃葱五禁肝病禁辛心病禁鹹脾病禁酸腎
病禁甘肺病禁苦肝色青宜食甘秔米飯牛肉棗葵皆甘心色赤
宜食酸犬肉麻李韭皆酸脾色黄宜食鹹大豆豕肉栗藿皆鹹肺
色白宜食苦麥羊肉杏薤皆苦腎色黑宜食辛黄黍雞肉桃葱皆辛

●水脹第五十七

黄帝問于岐伯曰水與膚脹鼓脹腸覃石瘕石水何以別之岐伯
荅曰水始起也目窠上微腫如新卧起之狀其頸脉動時欬陰股
間寒足脛瘇腹乃大其水已成矣以手按其腹隨手而起如裹水
之狀此其候也黄帝曰膚脹何以候之岐伯曰膚脹者寒氣客于

皮膚之間鼛鼛然不堅腹大身盡腫皮厚按其腹窅而不起腹色不變此其候也鼓脹何如岐伯曰腹脹身皆大大與膚脹等也色蒼黃腹筋起此其候也腸覃何如岐伯曰寒氣客于腸外與衛氣相搏氣不得榮因有所繫癖而内著惡氣乃起瘜肉乃生其始生也大如雞卵稍以益大至其成如懷子之狀久者離歲按之則堅推之則移月事以時下此其候也石瘕何如岐伯曰石瘕生于胞中寒氣客于子門子門閉塞氣不得通惡血當瀉不瀉衃以留止日以益大狀如懷子月事不以時下皆生于女子可導而下帝曰膚脹鼓脹可刺邪岐伯曰先瀉其脹之血絡後調其經刺去其血絡也

⊙賊風第五十八

黃帝曰夫子言賊風邪氣之傷人也令人病焉今有其不離屏蔽

不出空穴之中卒然病者非不離賊風邪氣其故何也岐伯曰此皆嘗有所傷於濕氣藏於血脉之中分肉之間久留而不去若有所墮墜惡血在内而不去卒然喜怒不節飲食不適寒温不時腠理閉而不通其開而遇風寒則血氣凝結與故邪相襲則爲寒痺其有熱則汗出汗出則受風雖不遇賊風邪氣必有因加而發焉黄帝曰今夫子之所言者皆病人之所自知也其毋所遇邪氣又毋怵惕之所志卒然而病者其故何也唯有因鬼神之事乎岐伯曰此亦有故邪留而未發因而志有所惡及有所慕血氣内亂兩氣相搏其所從來者微視之不見聽而不聞故似鬼神黄帝曰其祝而已者其故何也岐伯曰先巫者因知百病之勝先知其病之所從生者可祝而已也

●衛氣失常第五十九

黃帝曰衛氣之留于腹中稸積不行苑蘊不得常所使人肢脇胃
中滿喘呼逆息者何以去之伯高曰其氣積于胷中者上取之積
于腹中者下取之上下皆滿者傍取之黃帝曰取之奈何伯高對
曰積于上寫人迎天突喉中積于下者寫三里與氣街上下皆滿
者上下取之與季脇之下一寸一本云季脇之下深一寸重者雞足取之診視
其脉大而弦急及絕不至者及腹皮急甚者不可刺也黃帝曰善
黃帝問于伯高曰何以知皮肉氣血筋骨之病也伯高曰色起兩
眉薄澤者病在皮脣色青黃赤白黑者病在肌肉營氣濡然者病
在血氣目色青黃赤白黑者病在筋耳焦枯受塵垢病在骨黃帝
曰病形何如取之奈何伯高曰夫百病變化不可勝數然皮有部
肉有柱血氣有輸骨有屬黃帝曰願聞其故伯高曰皮之部輸于
四末肉之柱在臂脛諸陽分肉之間與足少陰分間血氣之輸輸匕

于諸絡氣血留居則盛而起筋部無陰無陽無左無右候病所在
骨之屬者骨空之所以受益而益腦髓者也黃帝曰取之奈何伯
高曰夫病變化浮沉深淺不可勝窮各在其處病間者淺之甚者
深之間者小之甚者衆之隨變而調氣故曰上工黃帝問于伯高
曰人之肥瘦大小寒温有老壯少小別之奈何伯高對曰人年五
十已上為老二十已上為壯十八以上為少六歲以上為小黃帝
曰何以度知其肥瘦伯高曰人有肥有膏有肉黃帝曰別此奈何
伯高曰膕肉堅（一本云膕脉内）皮滿者肥膕肉不堅皮緩者膏皮肉不相
離者肉黃帝曰身之寒温何如伯高曰膏者其肉淖而粗理者身
寒細理者身熱脂者其肉堅細理者熱粗理者寒黃帝曰其肥瘦
大小奈何伯高曰膏者多氣而皮縱緩故能縱腹垂腴肉者身體
容大脂者其身收小黃帝曰三者之氣血多少何如伯高曰膏者

多氣多氣者熱熱者耐寒肉者多血則充形充形則平脂者其血清氣滑少故不能大此別于衆人者也黃帝曰衆人奈何伯高曰衆人皮肉脂膏不能相加也血與氣不能相多故其形不小不大各自稱其身命曰衆人黃帝曰善治之奈何伯高曰必先別其三形血之多少氣之清濁而後調之治無失常經是故膏人縱腹垂腴肉人者上下容大脂人者雖脂不能大者

●玉版第六十

黃帝曰余以小針爲細物也夫子乃言上合之于天下合之于地中合之于人余以爲過針之意矣願聞其故岐伯曰何物大于天乎夫大于針者惟五兵者焉五兵者死之備也非生之具且夫人者天地之鎮也其不可不參乎夫治民者亦唯針焉夫針之與五兵其孰小乎黃帝曰病之生時有喜怒不測飲食不節陰陽不足

陽氣有餘營氣不行發為癰疽陰陽不通兩熱相搏乃化為膿小針能取之乎岐伯曰聖人不能使化者為之邪不可留也故兩軍相當旗幟相望白刃陳于中野者此非一日之謀也能使其民令行禁止士卒無白刃之難者非一日之教也須臾之得也夫至使身被癰疽之病膿血之聚者不亦離道遠乎夫癰疽之生膿血之成也不從天下不從地出積微之所生也故聖人自治于未有形也愚者遭其已成也黃帝曰其已形不予遭膿已成不予見為之奈何岐伯曰膿已成十死一生故聖人弗使已成而明為良方著之竹帛使能者踵而傳之後世無有終時者為其不予遭也黃帝曰其已有膿血而後遭乎不導之以小針治乎岐伯曰以小治小者其功小以大治大者多害故其已成膿血者其唯砭石鈹鋒之所取也黃帝曰多害者其不可全乎岐伯曰其在逆順焉黃帝曰

可聞逆順岐伯曰以為傷者其白眼青黑眼小是一逆也内藥而嘔者是二逆也腹痛渴甚是三逆也肩項中不便是四逆也音嘶色脫是五逆也除此五者為順矣黃帝曰諸病皆有逆順可得聞乎岐伯曰腹脹身熱脈大是一逆也腹鳴而滿四肢清泄其脈大是二逆也衄而不止脈大是三逆也咳且溲血脫形其脈小勁是四逆也咳脫形身熱脈小以疾是謂五逆也如是者不過十五日而死矣其腹大脹四末清脫形泄甚是一逆也腹脹便血其脈大時絕是二逆也咳溲血形肉脫脈搏是三逆也嘔血胸滿引背脈小而疾是四逆也咳嘔腹脹且飧泄其脈絕是五逆也如是者不及一時而死矣工不察此者而刺之是謂逆治黃帝曰夫子之言針甚駿以配天地上數天文下度地紀内別五藏外次六府經脈二十八會盡有周紀能殺生人不能起死者子能反之乎岐伯曰

能殺生人不能起死者也黄帝曰余聞之則為不仁然願聞其道弗行於人岐伯曰是明道也其必然也其如刀劒之可以殺人如飲酒使人醉也雖勿診猶可知矣黄帝曰願卒聞之岐伯曰人之所受氣者穀也穀之所注者胃也胃者水穀氣血之海也海之所行雲氣者天下也胃之所出氣血者經隧也經隧者五藏六府之大絡也迎而奪之而已矣黄帝曰上下有數乎岐伯曰迎之五里中道而止五至而已五往而藏之氣盡矣故五五二十五而竭其輸矣此所謂奪其天氣者也非能絶其命而傾其壽者也黄帝曰願卒聞之岐伯曰闚門而刺之者死于家中入門而刺之者死于堂上黄帝曰善乎方明哉道請著之玉版以為重寶傳之後世以為刺禁令民勿敢犯也

五禁第六十一

黃帝問于岐伯曰余聞刺有五禁何謂五禁岐伯曰禁其不可刺也黃帝曰余聞刺有五奪岐伯曰无瀉其不可奪者也黃帝曰余聞刺有五過岐伯曰補瀉無過其度黃帝曰余聞刺有五逆岐伯曰病與脉相逆命曰五逆黃帝曰余聞刺有九宜岐伯曰明知九針之論是謂九宜黃帝曰何謂五禁願聞其不可刺之時岐伯曰甲乙日自乘无刺頭無發矇于耳内丙丁日自乘無振埃于肩喉廉泉戊己日自乘四季无刺腹去爪寫水庚辛日自乘無刺關節于股膝壬癸日自乘無刺足脛是謂五禁黃帝曰何謂五奪岐伯曰形肉已奪是一奪也大奪血之後是二奪也大汗出之後是三奪也大泄之後是四奪也新產及大血之後是五奪也此皆不可寫黃帝曰何謂五逆岐伯曰熱病脉靜汗已出脉盛躁是一逆也病泄脉洪大是二逆也著痺不移䐃肉破身熱脉偏絶是三逆也

淫而奪形身熱色夭然白及後下血衃血衃篤重是謂四逆也
寒熱奪形脉堅搏是謂五逆也

動輸第六十二

黄帝曰經脉十二而手太陰足少陰陽明獨動不休何也岐伯曰是明胃脉也胃為五藏六府之海其清氣上注于肺肺氣從太陰而行之其行也以息往來故人一呼脉再動一吸脉亦再動呼吸不已故動而不止黄帝曰氣之過于寸口也上十焉息下八焉伏何道從還不知其極岐伯曰氣之離藏也卒然如弓弩之發如水之下岸上于魚以反衰其餘氣衰散以逆上故其行微黄帝曰足之陽明何因而動岐伯曰胃氣上注于肺其悍氣上衝頭者循咽上走空竅循眼系入絡腦出顑下客主人循牙車合陽明并下人迎此胃氣别走于陽明者也故陰陽上下其動也若一故陽病而

陽脉小者爲逆陰病而陰脉大者爲逆故陰陽俱靜俱動若引繩相傾者病黄帝曰足少陰何因而動岐伯曰衝脉者十二經之海也與少陰之大絡起于腎下出于氣街循陰股内廉邪入膕中循脛骨内廉並少陰之經下入内踝之後入足下其别者邪入踝出屬跗上入大指之間注諸絡以温足脛此脉之常動者也黄帝曰營衛之行也上下相貫如環之無端今有其卒然遇邪氣及逢大寒手足懈惰其脉陰陽之道相輸之會行相失也氣何由還岐伯曰夫四末陰陽之會者此氣之大絡也四街者氣之徑路也故絡絶則徑通四末解則氣從合相輸如環黄帝曰善此所謂如環無端莫知其紀終而復始此之謂也

●五味論第六十三

黄帝問于少俞曰五味之入于口也各有所走各有所病酸走筋

多食之令人癃鹹走血多食之令人渴辛走氣多食之令人洞
苦走骨多食之令人變嘔甘走肉多食之令人悗心余知其然也
不知其何由願聞其故少俞答曰酸入于胃其氣澁以收上之兩
焦弗能出入也不出即留于胃中胃中和溫則下注膀胱膀胱之
胞薄以懦得酸則縮綣約而不通水道不行故癃陰者積筋之所
終也故酸入而走筋矣黃帝曰鹹走血多食之令人渴何也少俞
曰鹹入于胃其氣上走中焦注于脈則血氣走之血與鹹相得則
凝凝則胃中汁注之注之則胃中竭竭則咽路焦故舌本乾而善
渴血脈者中焦之道也故鹹入而走血矣黃帝曰辛走氣多食之
令人洞心何也少俞曰辛入于胃其氣走于上焦上焦者受氣而
營諸陽者也姜韭之氣熏之營衛之氣不時受之久留心下故洞
心辛與氣俱行故辛入而與汗俱出黃帝曰苦走骨多食之令人

變嘔何也少俞曰苦入于胃五穀之氣皆不能勝苦苦入下脘三焦之道皆閉而不通故變嘔齒者骨之所終也故苦入而走骨故入而復出知其走骨也黄帝曰甘走肉多食之令人悗心何也少俞曰甘入于胃其氣弱小不能上至于上焦而與穀留于胃中者令人柔潤者也胃柔則緩緩則蟲動蟲動則令人悗心其氣外通於肉故甘走肉

●陰陽二十五人第六十四

黄帝曰余聞陰陽之人何如伯高曰天地之間六合之内不離于五人亦應之故五五二十五人之政而陰陽之人不與焉其態又不合于衆者五余已知之矣願聞二十五人之形血氣之所生别而以候從外知内何如岐伯曰悉乎哉問也此先師之秘也雖伯高猶不能明之也黄帝避席遵循而却曰余聞之得其人弗教是

謂重失得而泄之天將厭之余願得而明之金櫃藏之不敢揚之
岐伯曰先立五形金木水火土別其五色異其五形之人而二十
五人具矣黃帝曰願卒聞之岐伯曰慎之慎之臣請言之　木形
之人比於上角似於蒼帝其為人蒼色小頭長面大肩背直身小
手足好有才勞心少力多憂勞於事能春夏不能秋冬感而病生
足厥陰佗佗然　大角之人比於左足少陽少陽之上遺遺然
左角之人比於右足少陽少陽之下隨隨然一曰少角　釱角之人比於
右足少陽少陽之上推推然一曰右角　判角之人比於左足少陽少
陽之下栝栝然　火形之人比於上徵似於赤帝其為人赤色廣
䏖脫面小頭好肩背髀腹小手足行安地疾心行搖肩背肉滿有
氣輕財少信多慮見事明好顏急心不壽暴死能春夏不能秋冬
秋冬感而病生手少陰核核然　質徵之人比於左手太陽太陽

之上肌肌然一曰質之人一曰大徵　少徵之人比於右手太陽太陽之下慆慆然　右徵之人比於右手太陽太陽之上鮫鮫然一曰態熊熊然　質判之人比於左手太陽太陽之下支支頤頤然一曰質徵　土形之人比於上宮似於上古黃帝其爲人黃色圓面大頭美肩背大腹美股脛小手足多肉上下相稱行安地舉足浮安心好利人不喜權勢善附人也能秋冬不能春夏春夏感而病生足太陰敦敦然

太宮之人比於左足陽明陽明之上婉婉然　加宮之人比於左足陽明陽明之下坎坎然一曰衆之人　少宮之人比於右足陽明陽明之上樞樞然　左宮之人比於右足陽明陽明之下兀兀然一曰衆之人一曰陽明之上　金形之人比於上商似於白帝其爲人方面白色小頭小肩背小腹小手足如骨發踵外骨輕身清廉急心靜悍善爲吏能秋冬不能春夏春夏感而病生手太陰敦敦然　鈦商

之人比於左手陽明陽明之上廉々然　右商之人比於左手陽明陽明之下脫々然　右商之人比於右手陽明陽明之上監々然　小商之人比於右手陽明陽明之下嚴々然　水形之人比於上羽似於黑帝其為人黑色面不平大頭廉頤小肩大腹動手足發行搖身下尻長背延々然不敬畏善欺紿人戮死能秋冬不能春夏春夏感而病生足少陰汙々然　大羽之人比於右足太陽太陽之上頰々然　小羽之人比於左足太陽太陽之下紆々然　衆之為人比於右足太陽太陽之下潔々然一曰加之人　桎之為人比於左足太陽太陽之上安々然　是故五形之人二十五變者衆之所以相欺者是也黃帝曰得其形不得其色何如岐伯曰形勝色色勝形者至其勝時年加感則病行失則憂矣形色相得者富貴大樂黃帝曰其形色相勝之時年加可知乎岐伯曰凡

年忌下上之人大忌常加七歲十六歲二十五歲三十四歲四十三歲五十二歲六十一歲皆人之大忌不可不自安也感則病行失則憂矣當此之時無為姦事是謂年忌黃帝曰夫子之言脈之上下血氣之候以知形氣奈何岐伯曰足陽明之上血氣盛則髯美長血少氣多則髯短故氣少血多則髯少血氣皆少則無髯兩吻多畫足陽明之下血氣盛則下毛美長至胸血多氣少則下毛美短至臍行則善高舉足足指少肉足善寒血少氣多則肉而善瘃血氣皆少則無毛有則稀枯悴善痿厥足痹足少陽之上氣血則通髯美長血多氣少則通髯美短血少氣多則少髯血氣皆少則無鬚感於寒濕則善痹骨痛爪枯也足少陽之下血氣盛則脛毛美長外踝肥血多氣少則脛毛美短外踝皮堅而厚血少氣多則胻毛少外踝皮薄而軟血氣皆少則無毛外踝瘦無肉足太

陽之上血氣盛則美眉眉有毫毛血多氣少則惡眉面多少理血
少氣多則面多肉血氣和則美色足太陰之下血氣盛則跟肉
踵堅氣少血多則瘦跟空血氣皆少則喜轉筋踵下痛手陽明之
上血氣盛則髭美血少氣多則髭惡血氣皆少則無髭手陽明之
下血氣盛則腋下毛美手魚肉以溫氣血皆少則手瘦以寒手少
陽之上血氣盛則眉美以長耳色美血氣皆少則耳焦惡色手少
陽之下血氣盛則手卷多肉以溫血氣皆少則寒以瘦氣少血多
則瘦以多脈手太陽之上血氣盛則有多鬚面多肉以平血氣皆
少則面瘦惡色手太陽之下血氣盛則掌肉充滿血氣皆少則掌
瘦以寒黃帝曰二十五人者刺之有約乎岐伯曰美眉者足太陽
之脈氣血多惡眉者血氣少其肥而澤者血氣有餘肥而不澤者
氣有餘血不足瘦而無澤者氣血俱不足審察其形氣有餘不足

而調之可以知逆順矣黄帝曰刺其諸陰陽奈何岐伯曰按其寸口人迎以調陰陽切循其經絡之凝濇結而不通者此於身皆爲痛痺甚則不行故凝濇凝濇者致氣以温之血和乃止其結絡者脈結血不和決之乃行故曰氣有餘於上者導而下之氣不足於上者推而休之其稽留不至者因而迎之必明於經隧乃能持之寒與熱爭者導而行之其宛陳血不結者則而予之必先明知二十五人則血氣之所在左右上下刺約畢也

鈌大稍切也 刀 駭支昕切 家只王

● 五音五味第六十五

右徵與少徵調右手太陽上　左商與左徵調左手陽明上

少徵與大宮調左手陽明上　右角與大角調右足少陽下

六徵與少徵調左手太陽上　衆羽與少羽調右足太陽下

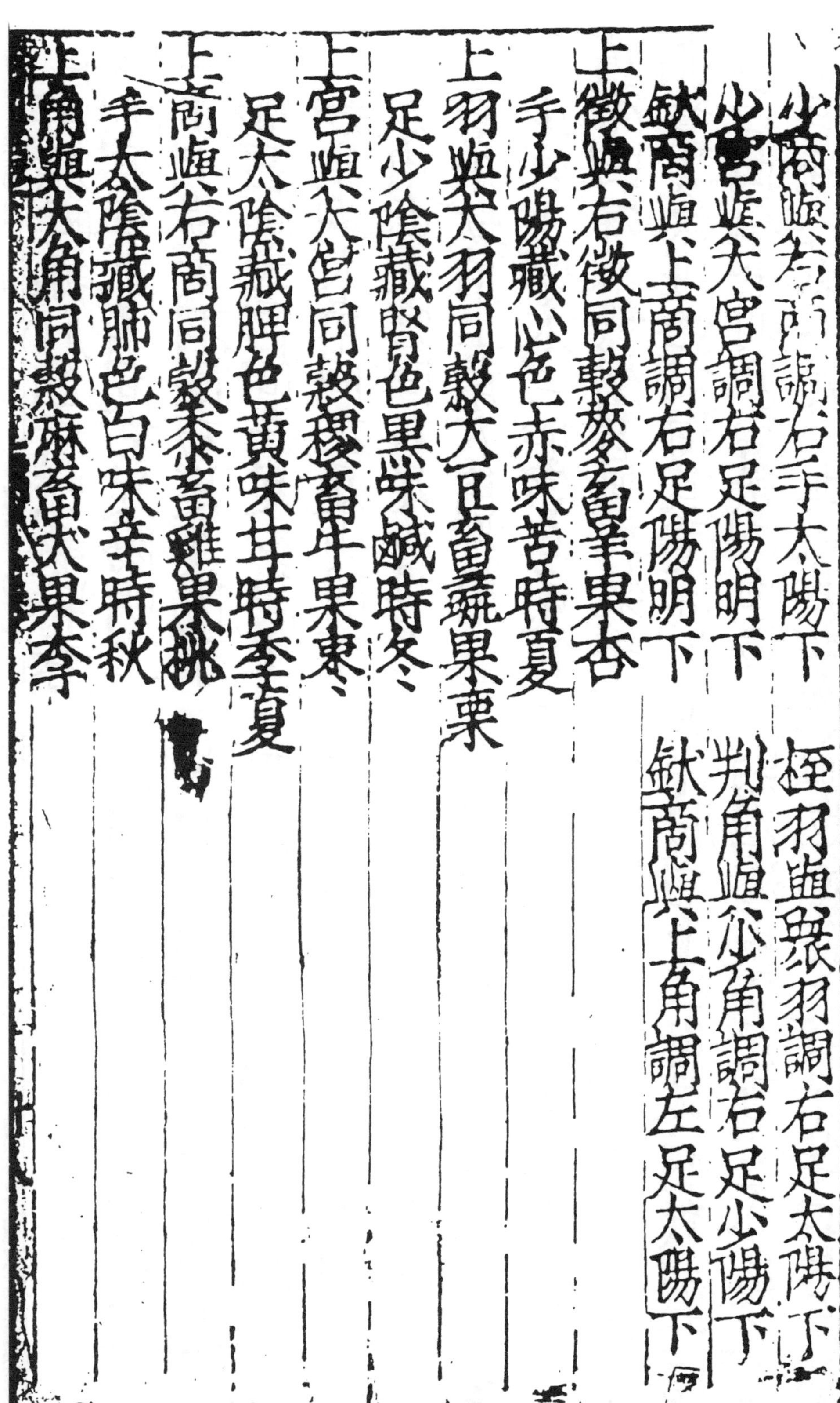
少商與右商調右手太陽下　桎羽與衆羽調右足太陽下
少宮與大宮調右足陽明下　判角與少角調右足少陽下
釱商與上商調右足陽明下　釱商與上角調左足太陽下
上徵與右徵同穀麥畜羊果杏
手少陽藏心色赤味苦時夏
上羽與大羽同穀大豆畜彘果栗
足少陰藏腎色黑味鹹時冬
上宮與大宮同穀稷畜牛果棗
足太陰藏脾色黄味甘時季夏
上商與右商同穀黍畜雞果桃
手太陰藏肺色白味辛時秋
上角與大角同穀麻畜犬果李

足厥陰藏肝色青味酸時春

太宮與上角同右足陽明上　左角與大角同左足陽明上
少羽與大羽同右足太陽下　左商與右商同左手陽明上
加宮與大宮同左足少陽上　質判與大宮同左手太陽下
判角與大角同左足少陽下　大羽與大角同右足太陽上
大角與大宮同右足少陽上　右徵少徵質徵上徵判徵
右角鈦角上角大角判角　右商少商鈦商上商左商
少宮上宮大宮加宮左角宮　衆羽桎羽上羽大羽少羽

黄帝曰婦人無鬚者無血氣乎岐伯曰衝脉任脉皆起於胞中上循背裏爲經絡之海其浮而外者循腹右上行會於咽喉別而絡唇口血氣盛則充膚熱肉血獨盛則澹滲皮膚生毫毛今婦人之生有餘於氣不足於血以其數脱血也衝任之脉不榮口唇故鬚

不生黄帝曰士人有傷於陰陰氣絶而不起陰不用然其鬚不
去其故何也宦者獨去何也願聞其故岐伯曰宦者去其宗筋傷
其衝脉血寫不復皮膚内結唇口不榮故鬚不生黄帝曰其有天
宦者未嘗被傷不脱於血然其鬚不生其故何也岐伯曰此天之
所不足也其任衝不盛宗筋不成有氣無血唇口不榮故鬚不生
黄帝曰善乎哉聖人之通萬物也若日月之光影音聲鼓響聞其
聲而知其形其非夫子孰能明萬物之精是故聖人視其顔色黄
赤者多熱氣青白者少熱氣黑色者多血少氣美眉者太陽多血
通髯極鬚者少陽多血美鬚者陽明多血此其時然也夫人之常
數太陽常多血少氣少陽常多氣少血陽明常多血多氣厥陰常
多氣少血少陰常多血少氣太陰常多血少氣此天之常數也

百病始生第六十六

黄帝問于岐伯曰夫百病之始生也皆生於風雨寒暑清濕喜怒喜怒不節則傷藏風雨則傷上清濕則傷下三部之氣所傷異類願聞其會岐伯曰三部之氣各不同或起於陰或起於陽請言其方喜怒不節則傷藏藏傷則病起於陰也清濕襲虛則病起於下風雨襲虛則病起於上是謂三部至於其淫泆不可勝數黄帝曰余固不能數故問先師願卒聞其道岐伯曰風雨寒熱不得虛邪不能獨傷人卒然逢疾風暴雨而不病者蓋無虛故邪不能獨傷人此必因虛邪之風與其身形兩虛相得乃客其形兩實相逢衆人肉堅其中於虛邪也因於天時與其身形參以虛實大病乃成氣有定舍因處為名上下中外分為三員是故虛邪之中人也始於皮膚皮膚緩則腠理開開則邪從毛髮入入則抵深深則毛髮立毛髮立則淅然故皮膚痛留而不去則傳舍於絡脉在絡之時

痛於肌肉其痛之時息大經乃代留而不去傳舍於經在經之
洒淅喜驚留而不去傳舍於輸在輸之時六經不通四肢則肢節
痛腰脊乃強留而不去傳舍於伏衝之脉在伏衝之時體重身痛
留而不去傳舍於腸胃在腸胃之時賁響腹脹多寒則腸鳴飧泄
食不化多熱則溏出糜留而不去傳舍於腸胃之外募原之間留
著於脉稽留而不去息而成積或著孫脉或著絡脉或著經脉或
著輸脉或著於伏衝之脉或著於膂筋或著於腸胃之募原上連
於緩筋邪氣淫泆不可勝論黃帝曰願盡聞其所由然岐伯曰其
著孫絡之脉而成積者其積往來上下臂手孫絡之居也浮而緩
不能句積而止之故往來移行腸胃之間水湊滲注灌濯濯有音
有寒則䐜䐜滿雷引故時切痛其著於陽明之經則挾臍而居飽
食則益大飢則益小其著於緩筋也似陽明之積飽食則痛飢則

安其著於腸胃之募原也痛而外連於緩筋飽食則安飢則痛其著於伏衝之脉者揣之應手而動發手則熱氣下於兩股如湯沃之狀其著於膂筋在腸後者飢則積見飽則積不見按之不得其著於輸之脉者閉塞不通津液不下孔竅乾壅此邪氣之從外入內從上下也黄帝曰積之始生至其已成柰何岐伯曰積之始生得寒乃生厥乃成積也黄帝曰其成積柰何岐伯曰厥氣生足悗悗生脛寒脛寒則血脉凝濇血脉凝濇則寒氣上入於腸胃入於腸胃則䐜脹䐜脹則腸外之汁沫迫聚不得散日以成積卒然多食飲則腸滿起居不節用力過度則絡脉傷陽絡傷則血外溢血外溢則衄血陰絡傷則血內溢血內溢則後血腸胃之絡傷則血溢於腸外腸外有寒汁沫與血相搏則并合凝聚不得散而積成卒然外中於寒若內傷於憂怒則氣上逆氣上逆則六輸不通

溫氣不行，凝血蘊裹而不散，津液濇滲，著而不去，而積皆成矣。黄帝曰：其生於陰者奈何？岐伯曰：憂思傷心，重寒傷肺，忿怒傷肝，醉以入房，汗出當風傷脾，用力過度，若入房汗出浴則傷腎，此內外三部之所生病者也。黄帝曰：善。治之奈何？岐伯荅曰：察其所痛，以知其應，有餘不足，當補則補，當寫則寫，毋逆天時，是謂至治。

泆音亦

行鍼第六十七

黄帝問于岐伯曰：余聞九鍼於夫子，而行之於百姓，百姓之血氣各不同形，或神動而氣先鍼行，或氣與鍼相逢，或鍼已出氣獨行，或數刺乃知，或發鍼而氣逆，或數刺病益劇，凡此六者，各不同形，願聞其方。岐伯曰：重陽之人，其神易動，其氣易往也。黄帝曰：何謂重陽之人？岐伯曰：重陽之人，熇熇高高，言語善疾，舉足善高，心肺

之藏氣有餘陽氣滑盛而揚故神動而氣先行黃帝曰重陽之人
而神不先行者何也岐伯曰此人頗有陰者也黃帝曰何以知其
頗有陰也岐伯曰多陽者多喜多陰者多怒數怒者易解故曰頗
有陰其陰陽之離合難故其神不能先行也黃帝曰其氣與針相
逢奈何岐伯曰陰陽和調而血氣淖澤滑利故針入而氣出疾而
相逢也黃帝曰針已出而氣獨行者何氣使然岐伯曰其陰氣多
而陽氣少陰氣沉而陽氣浮者內藏故針已出氣乃隨其後故獨
行也黃帝曰數刺乃知何氣使然岐伯曰此人之多陰而少陽其
氣沉而氣往難故數刺乃知也黃帝曰針入而氣逆者何氣使然
岐伯曰其氣逆與其數刺病益甚者非陰陽之氣浮沉之勢也此
皆粗之所敗上之所失其形氣無過焉

上膈第六十八

黄帝曰氣爲上膈者食飲入而還出余已知之矣蟲爲下膈下膈者食晬時乃出余未得其意願卒聞之岐伯曰喜怒不適食飲不節寒溫不時則寒汁流於腸中則虫寒虫寒則積聚守於下管則腸胃充郭衛氣不營邪氣居之人食則虫上食虫上食則下管虛下管虛則邪氣勝之積聚以留留則癰成癰成則下管約其癰在管內者即而痛深其癰在外者則癰外而痛浮癰上皮熱黄帝曰刺之奈何岐伯曰微按其癰視氣所行先淺刺其傍稍內益深還而刺之毋過三行察其沉浮以爲深淺已刺必熨令熱入中日使熱內邪氣益衰大癰乃潰伍以參禁以除其內恬憺無爲乃能行氣後以鹹苦化穀乃下矣 音 音會

●憂恚無言第六十九

黄帝問於少師曰人之卒然憂恚而言無音者何道之塞何氣出

行使音不彰願聞其方少師答曰咽喉者水穀之道也喉嚨者氣之所以上下者也會厭者音聲之户也口脣者音聲之扇也舌者音聲之機也懸雍垂者音聲之關也頏顙者分氣之所泄也橫骨者神氣所使主發舌者也故人之鼻洞涕出不收者頏顙不開分氣失也是故厭小而疾薄則發氣疾其開闔利其出氣易其厭大而厚則開闔難其氣出遲故重言也人卒然無音者寒氣客于厭則厭不能發發不能下至其開闔不致故無音黄帝曰刺之奈何岐伯曰足之少陰上繫於舌絡於橫骨終於會厭兩寫其血脉濁氣乃辟會厭之脉上絡任脉取之天突其厭乃發也

寒熱第七十

黄帝問于岐伯曰寒熱瘰癧在於頸腋者皆何氣使生岐伯曰此皆鼠瘻寒熱之毒氣也留於脉而不去者也黄帝曰去之奈何岐

伯曰鼠瘻之本皆在於藏其末上出於頸腋之間其浮於脉中者
未內著於肌肉而外爲膿血者易去也黃帝曰去之柰何岐伯曰
請從其本引其末可使衰去而絶其寒熱審按其道以予之徐往
徐來以去之其小如麥者一刺知三刺而已黃帝曰決其生死柰
何岐伯曰反其目視之其中有赤脉上下貫瞳子見一脉一歲死
見一脉半一歲半死見二脉二歲死見二脉半二歲半死見三脉
三歲而死見赤脉不下貫瞳子可治也

●邪客第七十一

黃帝問于伯高曰夫邪氣之客人也或令人目不瞑不卧出者何
氣使然伯高曰五穀入于胃也其糟粕津液宗氣分爲三隧故宗
氣積于胸中出于喉嚨以貫心脉而行呼吸焉營氣者泌其津液
注之於脉化以爲血以榮四末内注五藏六府以應刻數焉衛氣

者出其悍氣之慓疾而先行於四末分肉皮膚之間而不休者也
晝日行於陽夜行於陰常從足少陰之分間行於五藏六府今厥
氣客於五藏六府則衛氣獨衛其外行於陽不得入于陰行於陽
則陽氣盛陽氣盛則陽蹻陷不得入於陰陰虚故目不瞑黃帝曰
善治之奈何伯高曰補其不足寫其有餘調其虚實以通其道而
去其邪飲以半夏湯一劑陰陽已通其卧立至黃帝曰善此謂決
瀆壅塞經絡大通陰陽和得者也願聞其方伯高曰其湯方以流
水千里以外者八升揚之萬遍取其清五升煮之炊以葦薪火沸
置秫米一升治半夏五合徐炊令竭爲一升半去其滓飲汁一小
盃日三稍益以知爲度故其病新發者覆杯則卧汗出則已矣久
者三飲而已也黃帝問於伯高曰願聞人之肢節以應天地奈何
伯高答曰天圓地人頭圓足方以應之天有日月人有兩目地

有九州人有九竅天有風雨人有喜怒天有雷電人有音聲天有
四時人有四肢天有五音人有五藏天有六律人有六府天有冬
夏人有寒熱天有十日人有手十指辰有十二人有足十指莖垂
以應之女子不足二節以抱人形天有陰陽人有夫妻歲有三百
六十五日人有三百六十節地有高山人有肩膝地有深谷人有
腋膕地有十二經水人有十二經脈地有泉脈人有衛氣地有草
蓂人有毫毛天有晝夜人有臥起天有列星人有牙齒地有小山
人有小節地有山石人有高骨地有林木人有募筋地有聚邑人
有䐃肉歲有十二月人有十二節地有四時不生草人有無子此
人與天地相應者也黃帝問于岐伯曰余願聞持鍼之數內鍼之
理縱舍之意扞皮開腠理柰何脈之屈折出入之處焉至而出焉
至而上焉至而徐焉至而疾焉至而入六府之輸於身者余願盡

聞其序別離之處離而入陰別而入陽此何道而從行願盡聞其
方岐伯曰帝之所問針道畢矣黃帝曰願卒聞之岐伯曰手太陰
之脈出於大指之端內屈循白肉際至本節之後太淵留以澹外
屈上於本節下內屈與陰諸絡會於魚際數脈并注其氣滑利伏
行壅骨之下外屈出於寸口而行上至於肘內廉入於大筋之下
內屈上行臑陰入腋下內屈走肺此順行逆數之屈折也心主之
脈出於中指之端內屈循中指內廉以上留於掌中伏行兩骨之
間外屈出兩筋之間骨肉之際其氣滑利上二寸外屈出行兩筋
之間上至肘內廉入於小筋之下留兩骨之會上入於胸中內絡
於心脈黃帝曰手少陰之脈獨無腧何也岐伯曰少陰心脈也心
者五藏六府之大主也精神之所舍也其藏堅固邪弗能容也容
之則心傷心傷則神去神去則死矣故諸邪之在於心者皆在於

心之包絡包絡者心主之脈也故獨無腧焉黃帝曰少陰獨無腧
者不病乎岐伯曰其外經病而藏不病故獨取其經於掌後鋭骨
之端其餘脈出入屈折其行之徐疾皆如手少陰心主之脈行也
故本腧者皆因其氣之虚實疾徐以取之是謂因衝而寫因衰而
補如是者邪氣得去真氣堅固是謂因天之序黃帝曰持鍼縱舍
奈何岐伯曰必先明知十二經脈之本末皮膚之寒熱脈之盛衰
滑濇其脈滑而盛者病日進虚而細者久以持大以濇者為痛痺
陰陽如一者病難治其本末尚熱者病尚在其熱以衰者其病亦
去矣持其尺察其肉之堅脆小大滑濇寒温燥濕因視目之五色
以知五藏而决死生視其血脈察其色以知其寒熱痛痺黃帝曰
持鍼縱舍余未得其意也岐伯曰持鍼之道欲端以正安以靜先
知虚實而行疾徐左手執骨右手循之無與肉果寫欲端以正補

以閉膚輔針推其氣邪得淫泆真氣得居黃帝曰扞皮開腠理奈何岐伯曰因其分肉左別其膚微内而徐端之適神不散邪氣得去黃帝問於岐伯曰人有八虛各何以候岐伯答曰以候五藏黃帝曰候之奈何岐伯曰肺心有邪其氣留於兩肘肝有邪其氣流于兩腋脾有邪其氣留于兩髀腎有邪其氣留于兩膕凡此八虛者皆機關之室真氣之所過血絡之所遊邪氣惡血固不得住留住留則傷筋絡骨節機關不得屈伸故病攣也

公兵娟干苦旱痾音拘 汲切扦切痾

●通天第七十二

黃帝問于少師曰余嘗聞人有陰陽何謂陰人何謂陽人少師曰天地之間六合之内不離於五人亦應之非徒一陰一陽而已也而略言耳口弗能徧明也黃帝曰願略聞其意有賢人聖人心能

而行之乎少師曰蓋有太陰之人少陰之人太陽之人少陽之人陰陽和平之人凡五人者其態不同其筋骨氣血各不等黃帝曰其不等者可得聞乎少師曰太陰之人貪而不仁下齊湛湛好內而惡出心和而不發不務於時動而後之此太陰之人也　少陰之人小貪而賊心見人有亡常若有得好傷好害見人有榮乃反慍怒心疾而無恩此少陰之人也　太陽之人居處于于好言大事無能而虛說志發於四野舉措不顧是非為事如常自用事雖敗而常無悔此太陽之人也　少陽之人諟諦好自貴有小小官則高自宜好為外交而不內附此少陽之人也　陰陽和平之人居處安靜無為懼懼無為欣欣婉然從物或與不爭與時變化尊則謙謙譚而不治是謂至治古之善用針艾者視人五態乃治之盛者瀉之虛者補之黃帝曰治人之五態奈何少師曰太陰之

人多陰而無陽其陰血濁其衛氣濇陰陽不和緩筋而厚皮不之
疾瀉不能移之　少陰之人多陰少陽小胃而大腸六府不調其
陽明脉小而太陽脉大必審調之其血易脫其氣易敗也　太陽
之人多陽而少陰必謹調之無脫其陰而寫其陽々重脫者易狂
陰陽皆脫者暴死不知人也　少陽之人多陽少陰經小而絡大
血在中而氣外實陰而虛陽獨寫其絡脉則強氣脫而疾中氣不
足病不起也　陰陽和平之人其陰陽之氣和血脉調謹診其陰
陽視其邪正安容儀審有餘不足盛則寫之虛則補之不盛不虛
以經取之此所以調陰陽別五態之人者也黃帝曰夫五態之人
者相與毋故卒然新會未知其行也何以別之少師荅曰衆人之
屬不如五態之人者故五五二十五人而五態之人不與焉五態
之人尤不合於衆者也黃帝曰別五態之人奈何少師曰太陰之

人其狀黮黮然黑色念然下意臨臨然長大膕然未僂
人也　少陰之人其狀清然竊然固以陰賊立而躁嶮行而似伏
此少陰之人也　太陽之人其狀軒軒儲儲反身折膕此太陽之
人也　少陽之人其狀立則好仰行則好搖其兩臂兩肘則常出
於背此少陽之人也　陰陽和平之人其狀委委然隨隨然顒顒
然愉愉然暶暶然豆豆然衆人皆曰君子此陰陽和平之人也
諟上莫切黮甚點切念暶辟如

官能第七十三

黃帝問于岐伯曰余聞九針於夫子衆多矣不可勝數余推而論
之以為一紀余司誦之子聽其理非則語余請正其道令可久傳
後世無患得其人乃傳非其人勿言岐伯稽首再拜曰請聽聖王
之道黃帝曰用針之理必知形氣之所在左右上下陰陽表裏

氣多少行之逆順出入之合謀伐有過知解結知補虛寫實上下
氣門明通於四海審其所在寒熱淋露以輸異處審於調氣明於
經隧左右肢絡盡知其會寒與熱爭能合而調之虛與實鄰知決
而通之左右不調犯而行之明於逆順乃知可治陰陽不奇故知
起時審於本末察其寒熱得邪所在萬刺不殆知官九鍼刺道畢
矣明於五輸徐疾所在屈伸出入皆有條理言陰與陽合於五行
五藏六府亦有所藏四時八風盡有陰陽各得其位合於明堂各
處色部五藏六府察其所痛左右上下知其寒溫何經所在審皮
膚之寒溫滑澀知其所苦膈有上下知其氣所在先得其道稀而
疏之稍深以留故能徐入之大熱在上推而下之從下上者引而
去之視前痛者常先取之大寒在外留而補之入於中者從合寫
之鍼所不為灸之所宜上氣不足推而揚之下氣不足積而從之

陰陽皆虛火自當之厥而寒甚骨廉陷下寒過於膝下陵三里陰絡所過得之留止寒入於中推而行之經陷下者火則當之結絡堅緊火所治之不知所苦兩蹺之下男陰女陽良工所禁針論畢矣用針之服必有法則上視天光下司八正以辟奇邪而觀百姓審於虛實無犯其邪是得天之露遇歲之虛救而不勝反受其殃故曰必知天忌乃言針意法於往古驗於來今觀於窈冥通於無窮粗之所不見良工之所貴莫知其形若神髣髴邪氣之中人也洒淅動形正邪之中人也微先見於色不知於其身若有若無若亡若存有形無形莫知其情是故上工之取氣乃救其萌芽下工守其已成因敗其形是故工之用針也知氣之所在而守其門戶明於調氣補瀉所在徐疾之意所取之處瀉必用員切而轉之其氣乃行疾而徐出邪氣乃出伸而迎之遙大其穴氣出乃疾補必

用方外引其皮令當其門左引其樞右推其膚微旋而徐推之必
端以正安以靜堅心無解欲微以留氣下而疾出之推其皮蓋其
外門真氣乃存用針之要無忘其神雷公問於黄帝曰針論曰得
其人乃傳非其人勿言何以知其可傳黄帝曰各得其人任之其
能故能明其事雷公曰願聞官能奈何黄帝曰明目者可使視色
聰耳者可使聽音捷疾辭語者可使傳論語徐而安靜手巧而心
審諦者可使行針艾理血氣而調諸逆順察陰陽而兼諸方緩節
柔筋而心和調者可使導引行氣疾毒言語輕人者可使唾癰呪
病爪苦手毒爲事善傷者可使按積抑痹各得其能方乃可行其
名乃彰不得其人其功不成其師無名故曰得其人乃言非其人
勿傳此之謂也手毒者可使試按龜置龜於器下而按其上五十
日而死矣手甘者復生如故也

出入之合（一本作俞）把而行之（一本作但而行之）　窈冥（一本作冥冥）

●論疾診尺第七十四

黃帝問于岐伯曰：余欲無視色持脉，獨調其尺，以言其病，從外知内，為之柰何？岐伯曰：審其尺之緩急小大滑濇，肉之堅脆，而病形定矣。視人之目窠上微癰，如新卧起狀，其頸脉動，時欬，按其手足上，窅而不起者，風水膚脹也。尺膚滑其淖澤者，風也。尺肉弱者，解㑊，安卧脫肉者，寒熱，不治。尺膚滑而澤脂者，風也。尺膚濇者，風痺也。尺膚麤如枯魚之鱗者，水泆飲也。尺膚熱甚，脉盛躁者，病温也，其脉盛而滑者，病且出也。尺膚寒，其脉小者，泄，少氣。尺膚炬然先熱後寒者，寒熱也。尺膚先寒，久大之而熱者，亦寒熱也。肘所獨熱者，腰以上熱；手所獨熱者，腰以下熱。肘前獨熱者，膺前熱；肘後獨熱者，肩背熱。臂中獨熱者，腰腹熱；肘後麤以下三四寸熱者，腸中

有蟲掌中熱者腹中熱掌中寒者腹中寒魚上白肉有青血脉者
胃中有寒尺炬然熱人迎大者當奪血尺堅大脉小甚少氣悗有
加立死目赤色者病在心白在肺青在肝黃在脾黑在腎黃色不
可名者病在胸中診目痛赤脉從上下者太陽病從下上者陽明
病從外走內者少陽病診寒熱赤脉上下至瞳子見一脉一歲死
見一脉半一歲半死見二脉二歲死見二脉半二歲半死見三脉
三歲死診齲齒痛按其陽之來有過者獨熱在左左熱在右右熱
在上上熱在下下熱診血脉者多赤多熱多青多痛多黑爲久痹
多赤多黑多青皆見者寒熱身痛而色微黃齒垢黃爪甲上黃黃
疸也安臥小便黃赤脉小而澀者不嗜食人病其寸口之脉與人
迎之脉小大等及其浮沉等者病難已也女子手少陰脉動甚者
妊子嬰兒病其頭毛皆逆上者必死耳間青脉起者掣痛大便赤

則陰泄脉小者手足寒難已陰泄脉小手足温泄易已四時之變寒暑之勝重陰必陽重陽必陰故陰主寒陽主熱故寒甚則熱熱甚則寒故曰寒生熱熱生寒此陰陽之變也故曰冬傷於寒春生癉熱春傷於風夏生後泄腸澼夏傷於暑秋生痎瘧秋傷於濕冬生咳嗽是謂四時之序也

目窠音科　焞然及滿切亦作焞然　齘音丘皆切之蕭　掣尺制切

痎瘧上音皆瘦瘧也

●刺節眞邪第七十五

黄帝問于岐伯曰余聞刺有五節奈何岐伯曰固有五節一曰振埃二曰發矇三曰去爪四曰徹衣五曰解惑黄帝曰夫子言五節余未知其意岐伯曰振埃者刺外經去陽病也發矇者刺府輸去府病也去爪者刺關節肢絡也徹衣者盡刺諸陽之奇輸也解惑者

盡知調陰陽補瀉有餘不足相傾移也黃帝曰刺節言振埃夫子乃言刺外經去陽病余不知其所謂也願卒聞之岐伯曰振埃者陽氣大逆上滿於胸中憤瞋肩息大氣逆上喘喝坐伏病惡埃煙䭇不得息請言振埃尚疾於振埃黃帝曰善取之何如岐伯曰取之天容黃帝曰其欬上氣窮詘胸痛者取之奈何岐伯曰取之廉泉黃帝曰取之有數乎岐伯曰取天容者無過一里取廉泉者血變而止帝曰善哉黃帝曰刺節言發蒙余不得其意夫發蒙者耳無所聞目無所見夫子乃言刺府輸去府病何輸使然願聞其故岐伯曰妙乎哉問也此刺之大約鍼之極也神明之類也口說書卷猶不能及也請言發蒙耳尚疾於發蒙也黃帝曰善願卒聞之岐伯曰刺此者必於日中刺其聽宮中其眸子聲聞於耳此其輸也黃帝曰善何謂聲聞於耳岐伯曰刺邪以手堅按其兩鼻竅

[illegible]針也黃帝曰善此所謂弗見為之而無目視見
而取之神明相得者也黃帝曰刺節言去爪夫子乃言刺關節肢
絡願卒聞之岐伯曰腰脊者身之大關節也肢脛者人之管以趨
翔也莖垂者身中之機陰精之候津液之道也故飲食不節喜怒
不時津液內溢乃下留於睪血道不通日大不休俛仰不便趨翔
不能此病滎然有水不上不下鈹石所取形不可匿常不得蔽故
命曰去爪帝曰善黃帝曰刺節言徹衣夫子乃言盡刺諸陽之奇
輸未有常處也願卒聞之岐伯曰是陽氣有餘而陰氣不足陰氣
不足則內熱陽氣有餘則外熱內熱相搏熱於懷炭外畏綿帛近
不可近身又不可近席腠理閉塞則汗不出舌焦唇槁腊乾嗌燥
飲食不讓美惡黃帝曰善取之奈何岐伯曰取之於其天府大杼
三痏又刺中膂以去其熱補足手太陰以去其汗熱去汗稀疾於徹

微哉黃帝曰善黃帝曰刺節言解惑夫子乃言盡知調陰陽補寫
有餘不足相傾移也惑何以解之岐伯曰大風在身血脈偏虛虛
者不足實者有餘輕重不得傾側宛伏不知東西不知南北乍上
乍下乍反乍覆顛倒無常甚於迷惑黃帝曰善取之奈何岐伯曰
寫其有餘補其不足陰陽平復用鍼若此疾於解惑黃帝曰善請
藏之靈蘭之室不敢妄出也黃帝曰余聞刺有五邪何謂五邪岐
伯曰病有持癰者有容大者有狹小者有熱者有寒者是謂五邪
黃帝曰刺五邪奈何岐伯曰凡刺五邪之方不過五章癉熱消滅
腫聚散亡寒痺益溫小者益陽大者必去請道其方凡刺癰邪無
迎隴易俗移性不得膿脆道更行去其鄉不安處所乃散亡諸陰
陽過癰者取之其輸寫之凡刺大邪日以小泄奪其有餘乃益虛
剽其通鍼其邪肌肉親視之毋有反其真刺諸陽分肉間凡刺小

邪日以大補其不足乃無害視其所在迎之界遠近盡至其不得
外侵而行之乃自費刺分肉間凡刺熱邪越而蒼出遊不歸乃無
病為開通辟門户使邪得出病乃已凡刺寒邪日以溫徐往徐來致
其神門户已閉氣不分虛實得調其氣存也黃帝曰官針奈何
岐伯曰刺癰者用鈹針刺大者用鋒針刺小者用員利針刺熱者
用鑱針刺寒者用毫針也請言解論與天地相應與四時相副人
參天地故可為解下有漸洳上生葦蒲此所以知形氣之多少也
陰陽者寒暑也熱則滋雨而在上根荄少汁人氣在外皮膚緩腠
理開血氣減汗大泄皮淖澤寒則地凍水冰人氣在中皮膚致腠
理閉汗不出血氣強肉堅濇當是之時善行水者不能往冰善穿
地者不能鑿凍善用針者亦不能取四厥血脈凝結堅搏不往來
者亦未可即柔故行水者必待天溫冰釋凍解而水可行地可穿

也人躰猶足也治厥者必先熨調和其經掌與腋肘與脚項與脊
以調之火氣已通血脉乃行然後視其病脉淖澤者刺而平之堅
緊者破而散之氣下乃止此所謂以解結者也用鍼之類在於調
氣氣積於胃以通營衛各行其道宗氣留於海其下者注於氣街
其上者走於息道故厥在於足宗氣不下脉中之血凝而留止弗
之火調弗能取之用鍼者必先察其經絡之實虛切而循之按而
彈之視其應動者乃後取之而下之六經調者謂之不病雖病謂
之自已也一經上實下虛而不通者此必有橫絡盛加於大經令
之不通視而寫之此所謂解結也上寒下熱先刺其項太陽久留
之已刺則熨項與肩胛令熱下合乃止此所謂推而上之者也上
熱下寒視其虛脉而陷之於經絡者取之氣下乃止此所謂引而
下之者也大熱徧身狂而妄見妄聞妄言視足陽明及大絡取之

之血而實者寫之因其偃臥居其頭前以兩手四指挾頸動脈久持之卷而切推下至缺盆中而復止如前熱去乃止此所謂推而散之者也黃帝曰有一脈生數十病者或痛或癰或熱或寒或痒或痹或不仁變化無窮其故何也岐伯曰此皆邪氣之所生也黃帝曰余聞氣者有真氣有正氣有邪氣何謂真氣岐伯曰真氣者所受於天與穀氣并而充身也正氣者正風也從一方來非實風又非虛風也邪氣者虛風之賊傷人也其中人也深不能自去正風者其中人也淺合而自去其氣來柔弱不能勝真氣故自去虛邪之中人也洒淅動形起毫毛而發腠理其入深內搏於骨則為骨痹搏於筋則為筋攣搏於脈中則為血閉不通則為癰搏於肉與衛氣相搏陽勝者則為熱陰勝者則為寒寒則真氣去去則虛虛則寒搏於皮膚之間其氣外發腠理開毫毛搖氣往

來行則為痒留而不去則痺衛氣不行則為不仁虛邪偏客於身半其入深內搏於榮衛榮衛稍衰則真氣去邪氣獨留發為偏枯其邪氣淺者脉偏痛虛邪之入於身也深寒與熱相搏久留而內著寒勝其熱則骨疼肉枯熱勝其寒則爛肉腐肌為膿內傷骨內傷骨為骨蝕有所疾前筋筋屈不得伸邪氣居其間而不反發於筋溜有所結氣歸之衛氣留之不得反津液久留合而為腸溜久者數歲乃成以手按之柔已有所結氣歸之津液留之邪氣中之凝結日以易甚連以聚居為昔瘤以手按之堅有所結深中骨氣因於骨骨與氣并日以益大則為骨疽有所結中於肉宗氣歸之邪留而不去有熱則化而為膿無熱則為肉疽凡此數氣者其發無常處而有常名也

音釋 [illegible] 上音替 下音如 [illegible]

衛氣行第七十六

黃帝問於岐伯曰願聞衛氣之行出入之合何如伯高曰歲有十二月日有十二辰子午爲經卯酉爲緯天周二十八宿而一面七星四七二十八星房昴爲緯虛張爲經是故房至畢爲陽昴至心爲陰陽主晝陰主夜故衛氣之行一日一夜五十周於身晝日行於陽二十五周夜行於陰二十五周周於五藏是故平旦陰盡陽氣出於目目張則氣上行於頭循項下足太陽循背下至小指之端其散者別於目銳眥下手太陽下至手小指之間外側其散者別於目銳眥下足少陽注小指次指之間以上循手少陽之分側下至小指之間別者以上至耳前合於頷脈注足陽明以下行至跗上入五指之間其散者從耳下下手陽明入大指之間入掌中其至於足也入足心出內踝下行陰分復合於目故爲一周是故

日行一舍人氣行一周與十分身之八日行二舍人氣行二周於身與十分身之六日行三舍人氣行於身五周與十分身之四日行四舍人氣行於身七周與十分身之二日行五舍人氣行於身九周日行六舍人氣行於身十周與十分身之八日行七舍人氣行於身十二周在身與十分身之六日行十四舍人氣二十五周於身有奇分與十分身之四陽盡於陰陰受氣矣其始入於陰常從足少陰注於腎腎注於心心注於肺肺注於肝肝注於脾脾復注于腎爲周是故夜行一舍人氣行於陰藏一周與十分藏之八亦如陽行之二十五周而復合於陽一日一夜合有奇分十分身之四與十分藏之二是故人之所以卧起之時有早晏者奇分不盡故也黃帝曰衛氣之在於身也上下往來不以期候氣而刺之奈何伯高曰分有多少日有長短春秋冬夏各有分理然後

常以平旦爲紀以夜盡爲始是故一日一夜水下百刻二十五刻
者半日之度也常如是毋已日入而止隨日之長短各以爲紀而
刺之謹候其時病可與期失時反候者百病不治故曰刺實者刺
其來也刺虚者刺其去也此言氣存亡之時以候虚實而刺之是
故謹候氣之所在而刺之是謂逢時在於三陽必候其氣在於陽
而刺之病在於三陰必候其氣在陰分而刺之水下一刻人氣在
太陽水下二刻人氣在少陽水下三刻人氣在陽明水下四刻人
氣在陰分水下五刻人氣在太陽水下六刻人氣在少陽水下七
刻人氣在陽明水下八刻人氣在陰分水下九刻人氣在太陽
下十刻人氣在少陽水下十一刻人氣在陽明水下十二刻人
在陰分水下十三刻人氣在太陽水下十四刻人氣在少陽水
十五刻人氣在陽明水下十六刻人氣在陰分水下十七刻人

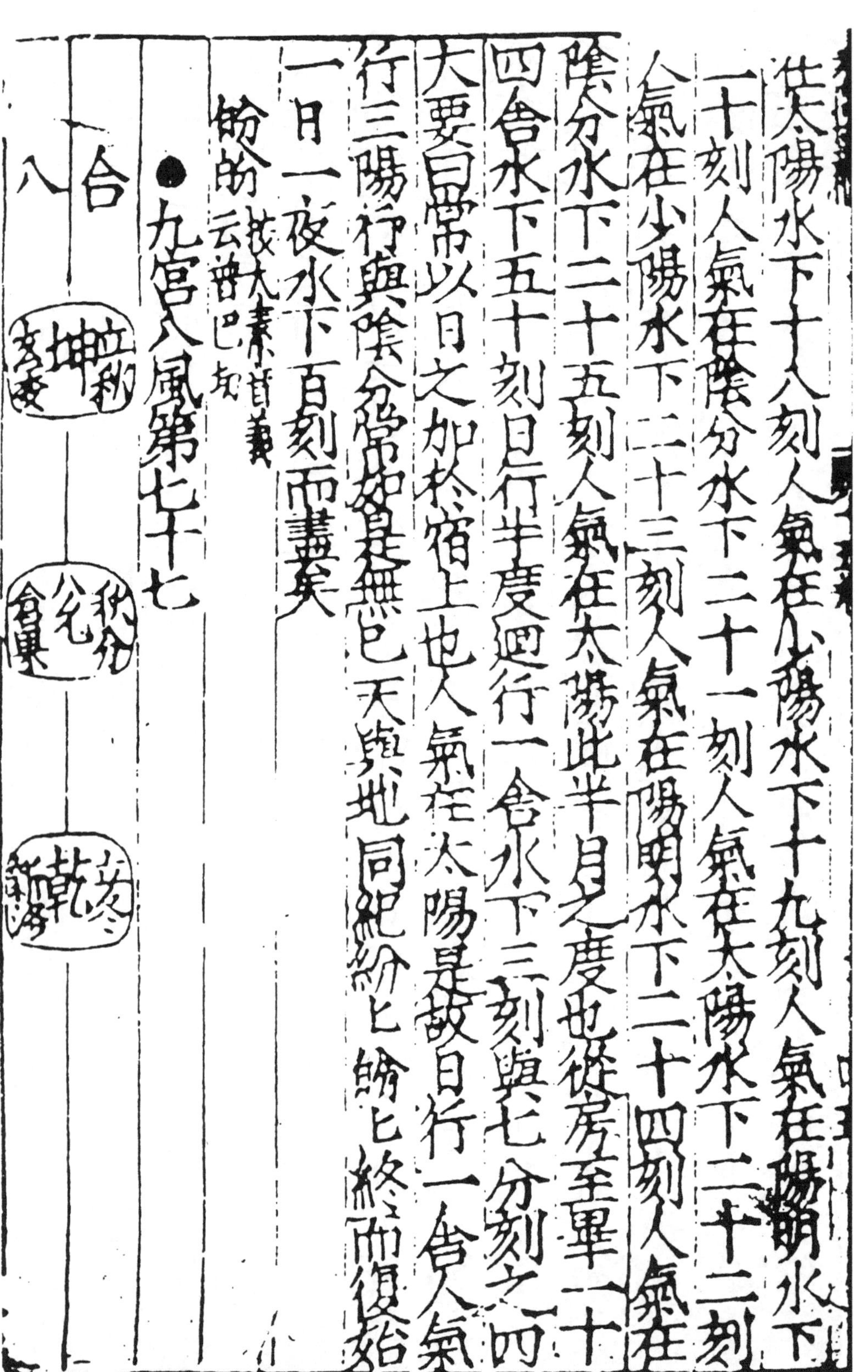

在太陽水下十八刻人氣在少陽水下十九刻人氣在陽明水下二十刻人氣在陰分水下二十一刻人氣在太陽水下二十二刻人氣在少陽水下二十三刻人氣在陽明水下二十四刻人氣在陰分水下二十五刻人氣在太陽此半日之度也從房至畢一十四舍水下五十刻日行半度迴行一舍水下三刻與七分刻之四大要曰常以日之加於宿上也人氣在太陽是故日行一舍人氣行三陽行與陰分常如是無已天與地同紀紛紛盼盼終而復始一日一夜水下百刻而盡矣

盼盼按大素首義云辭巳知

●九宮八風第七十七

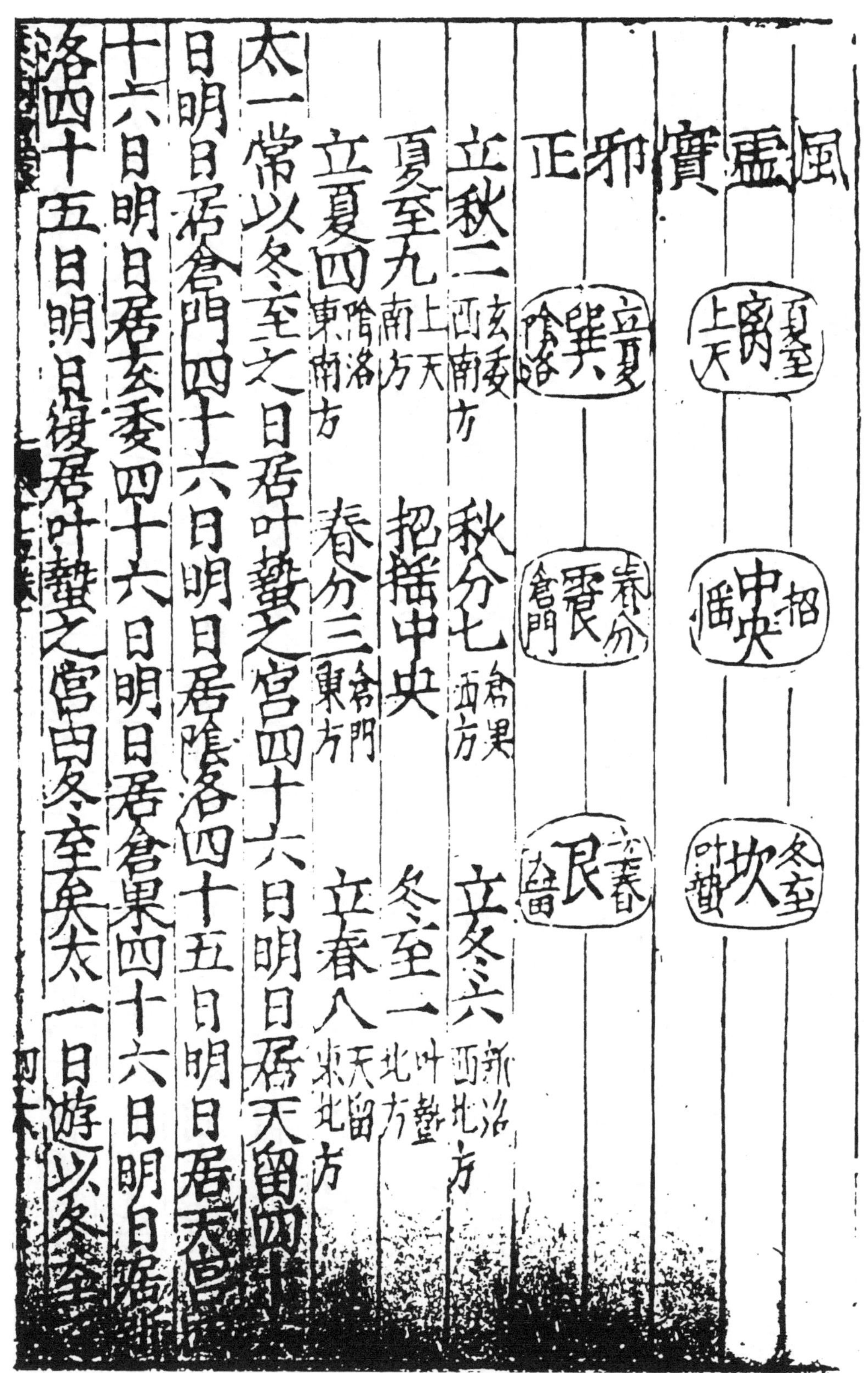

風
虛
實
邪
正

夏至 离 上天
招 中央 搖
冬至 坎 叶蟄
立夏 巽 陰洛
春分 震 倉門
立春 艮 天留

立秋二 玄委 西南方　秋分七 倉果 西方　立冬六 新洛 西北方
夏至九 上天 南方　招搖中央　冬至一 叶蟄 北方
立夏四 陰洛 東南方　春分三 倉門 東方　立春八 天留 東北方

太一常以冬至之日居叶蟄之宮四十六日明日居天留四十
日明日居倉門四十六日明日居陰洛四十五日明日居天宮
十六日明日居玄委四十六日明日居倉果四十六日明日居新
洛四十五日明日復居叶蟄之宮曰冬至矣太一日遊以冬至

日居叶蟄之宫數所在日從一處至九日復反於一常如是無已終而復始太一移日天必應之以風雨以其日風雨則吉歲美民安少病矣先之則多雨後之則多汗太一在冬至之日有變占在君太一在春分之日有變占在相太一在中宫之日有變占在吏太一在秋分之日有變占在將太一在夏至之日有變占在百姓所謂有變者太一居五宫之日病風折樹木揚沙石各以其所主占貴賤因視風所從來而占之風從其所居之鄉來爲實風主生長養萬物從其衝後來爲虚風傷人者也主殺主害者謹候虚風而避之故聖人日避虚邪之道如避矢石然邪弗能害此之謂也是故太一入徙立於中宫乃朝八風以占吉凶也風從南方來名曰大弱風其傷人也内舍於心外在於脉氣主熱風從西南方來名曰謀風其傷人也内舍於脾外在於肌其氣主爲弱風從西方

來名曰剛風其傷人也內舍於肺外在於皮膚其氣主爲燥風從西北方來名曰折風其傷人也內舍於小腸外在於手太陽脈脈絕則溢脈閉則結不通善暴死風從北方來名曰大剛風其傷人也內舍於腎外在於骨與肩背之膂筋其氣主爲寒也風從東北方來名曰凶風其傷人也內舍於大腸外在於兩脇腋骨下及肢節風從東方來名曰嬰兒風其傷人也內舍於肝外在於筋紐其氣主爲身濕風從東南方來名曰弱風其傷人也內舍於胃外在肌肉其氣主體重此八風皆從其虛之鄉來乃能病人三虛相搏則爲暴病卒死兩實一虛病則爲淋露寒熱犯其雨濕之地則爲痿故聖人避風如避矢石焉其有三虛而偏中於邪風則爲擊仆偏枯矣

九針論第七十八

黃帝曰余聞九針於夫子衆多博大矣余猶不能寤敢問九針焉
生何因而有名岐伯曰九針者天地之大數也始於一而終於九
故曰一以法天二以法地三以法人四以法時五以法音六以法
律七以法星八以法風九以法野黃帝曰以針應九之數奈何岐
伯曰夫聖人之起天地之數也一而九之故以立九野九而九之
九九八十一以起黃鍾數焉以針應數也一者天也天者陽也五
藏之應天者肺肺者五藏六府之蓋也皮者肺之合也人之陽也
故爲之治針必以大其頭而銳其末令無得深入而陽氣出二者
地也人之所以應土者肉也故爲之治針必筩其身而員其末令
無得傷肉分傷則氣得竭三者人也人之所以成生者血脈也故
爲之治針必大其身而員其末令可以按脈勿陷以致其氣令邪
氣獨出四者時也時者四時八風之客於經絡之中爲瘤病者也

故爲之治針必箭其身而鋒其末令可以寫熱出血而痼病竭五
者音也音者冬夏之分分於子午陰與陽別寒與熱爭兩氣相搏
合爲癰膿者也故爲之治針必令其末如劍鋒可以取大膿六者
律也律者調陰陽四時而合十二經脈虛邪客於經絡而爲暴痹
者也故爲之治針必令尖如氂且員且銳中身微大以取暴氣七
者星也星者人之七竅邪之所客於經而爲痛痹舍於經絡者也
故爲之治針令尖如蚊虻喙靜以徐往微以久留正氣因之真邪
俱往出針而養者也八者風也風者人之股肱八節也八正之虛
風八風傷人内舍於骨解腰脊節腠理之間爲深痹也故爲之治
針必長其身鋒其末可以取深邪遠痹九者野也野者人之節
解皮膚之間也淫邪流溢於身如風水之狀而溜不能過於機關大
節者也故爲之治針令尖如梃其鋒微員以取大氣之不能過

於關節者也黄帝曰針之長短有數乎岐伯曰一曰鑱針者取法於巾針去末寸半卒銳之長一寸六分主熱在頭身也二曰員針取法於絮針筩其身而卵其鋒長一寸六分主治分間氣三曰鍉針取法於黍粟之銳長三寸半主按脈取氣令邪出四曰鋒針取法於絮針筩其身鋒其末長一寸六分主癰熱出血五曰鈹針取法於劍鋒廣二分半長四寸主大癰膿兩熱爭者也六曰員利針取法於氂針微大其末反小其身令可深内也長一寸六分主取癰痺者也七曰毫針取法於毫毛長一寸六分主寒熱痛痺在絡者也八曰長針取法於綦針長七寸主取深邪遠痺者也九曰大針取法於鋒針其鋒微員長四寸主取大氣不出關節者也針形畢矣此九針大小長短法也黄帝曰願聞身形應九野奈何岐伯曰請言身形之應九野也左足應立春其日戊寅己丑左脅應春

分其日乙卯，左手應立夏，其日戊辰己巳。膺喉首頭應夏至，其日丙午。右手應立秋，其日戊申己未。右脇應秋分，其日辛酉。右足應立冬，其日戊戌己亥。腰尻下竅應冬至，其日壬子。六府膈下三藏應中州，其大禁，大禁太一所在之日及諸戊己。凡此九者，善候八正所在之處，所主左右上下身體有癰腫者，欲治之，無以其所直之日潰治之，是謂天忌日也。形樂志苦，病生於脉，治之以灸刺。形苦志樂，病生於筋，治之以熨引。形樂志樂，病生於肉，治之以鍼石。形苦志苦，病生於咽喝，治之以甘藥。形數驚恐，筋脉不通，病生於不仁，治之以按摩醪藥。是謂形。五藏氣：心主噫，肺主欬，肝主語，脾主吞，腎主欠。六府氣：膽為怒，胃為氣逆噦，大腸小腸為泄，膀胱不約為遺溺，下焦溢為水。五味：酸入肝，辛入肺，苦入心，甘入脾，鹹入腎，淡入胃，是謂五味。五并：精氣并肝則憂，并心則喜，并肺則悲

腎則恐并脾則畏是謂五精之氣并於藏也五惡肝惡風心惡熱
肺惡寒腎惡燥脾惡濕此五藏氣所惡也五液心主汗肝主泣肺
主涕腎主唾脾主涎此五液所出也五勞久視傷血久卧傷氣久
坐傷肉久立傷骨久行傷筋此五久勞所病也五走酸走筋辛走
氣苦走血鹹走骨甘走肉是謂五走也五裁病在筋無食酸病在
氣無食辛病在骨無食鹹病在血無食苦病在肉無食甘口嗜而
欲食之不可多也必自裁也命曰五裁五發陰病發於骨陽病發
於血以味發於氣陽病發於冬陰病發於夏五邪邪入於陽則爲
狂邪入於陰則爲血痺邪入於陽轉則爲癲疾邪入於陰轉則爲
瘖陽入之於陰病静陰出之於陽病喜怒五藏心藏神肺藏魄肝
藏魂脾藏意腎藏精志也五主心主脉肺主皮肝主筋脾主肌腎
主骨陽明多血多氣太陽多血少氣少陽多氣少血太陰多血少

氣厥陰多血少氣少陰多氣少血故曰刺陽明出血氣刺太陽出血惡氣刺少陽出氣惡血刺太陰出血惡氣刺厥陰出血惡氣刺少陰出氣惡血也足陽明太陰為表裏少陽厥陰為表裏太陽少陰為表裏是謂足之陰陽也手陽明太陰為表裏少陽心主為表裏太陽少陰為表裏是謂手之陰陽也

箭音同 鑱針一音讒 中針一本作布針 五走五衰 五裁素問作五禁

歲露論第七十九

黃帝問於岐伯曰經言夏日傷暑秋病瘧瘧之發以時其故何也岐伯對曰邪客於風府病循膂而下衛氣一日一夜常大會於風府其明日日下一節故其日作晏此其先客於脊背也故每至於風府則腠理開腠理開則邪氣入邪氣入則病作此所以日作晏也衛氣之行風府日下一節二十一日下至尾底二十二日

脊内注於伏衝之脉其行九日出於缺盆之中其氣上行故其病
稍益至其内搏於五藏横連募原其道遠其氣深其行遲不能日
作故次日乃稸積而作焉黄帝曰衛氣每至於風府腠理乃發發
則邪入焉其衛氣日下一節則不當風府奈何岐伯曰風府無常
衛氣之所應必開其腠理氣之所舍節則其府也黄帝曰善夫風
之與瘧也相與同類而風常在而瘧特以時休何也岐伯曰風氣
留其處瘧氣隨經絡沉以内搏故衛氣應乃作也帝曰善黄帝問
於少師曰余聞四時八風之中人也故有寒暑寒則皮膚急而腠
理閉暑則皮膚緩而腠理開賊風邪氣因得以入乎將必須八正
虛邪乃能傷人乎少師答曰不然賊風邪氣之中人也不得以時
然必因其開也其入深其内極病其病人也卒暴因其閉也其入
淺以留其病也徐以遲黄帝曰有寒温和適腠理不開然有卒病

者其故何也少師答曰帝弗知邪入乎雖平居其腠理開閉緩急其故常有時也黃帝曰可得聞乎少師曰人與天地相參也與日月相應也故月滿則海水西盛人血氣積肌肉充皮膚緻毛髮堅腠理郄煙垢著當是之時雖遇賊風其入淺不深至其月郭空則海水東盛人氣血虛其衛氣去形獨居肌肉減皮膚縱腠理開毛髮殘膲理薄煙垢落當是之時遇賊風則其入深其病人也卒暴黃帝曰其有卒然暴死暴病者何也少師答曰三虛者其死暴疾也得三實者邪不能傷人也黃帝曰願聞三虛少師曰乘年之衰逢月之空失時之和因爲賊風所傷是謂三虛故論不知三虛工反爲粗帝曰願聞三實少師曰逢年之盛遇月之滿得時之和雖有賊風邪氣不能危之也黃帝曰善乎哉論明乎哉道請藏之金匱命曰三實然此一夫之論也黃帝曰願聞歲之所以皆同病者

何因而然少師曰此八正之候也黃帝曰候之奈何少師曰候此者常以冬至之日太一立於叶蟄之宮其至也天必應之以風雨者矣風雨從南方來者為虛風賊傷人者也其以夜半至也萬民皆臥而弗犯也故其歲民小病其以晝至者萬民懈惰而皆中於虛風故萬民多病虛邪入客於骨而不發於外至其立春陽氣大發腠理開因立春之日風從西方來萬民又皆中於虛風此兩邪相搏經氣結代者矣故諸逢其風而遇其雨者命曰遇歲露焉因歲之和而少賊風者民少病而少死歲多賊風邪氣寒溫不和則民多病而死矣黃帝曰虛邪之風其所傷貴賤何如候之奈何少師答曰正月朔日太一居天留之宮其日西北風不雨人多死矣正月朔日平旦北風春民多死正月朔日平旦北風行民病多者十有三也正月朔日日中北風夏民多死正月朔日夕時北風秋

民多死終日北風大病死者十有六正月朔日風從南方來命曰旱鄉從西方來命曰白骨將國有殃人多死亡正月朔日風從東方來發屋揚沙石國有大災也正月朔日風從東南方行春有死亡正月朔天利溫不風糴賤民不病天寒而風糴貴民多病此所謂候歲之風䞿傷人者也二月丑不風民多心腹病三月戌不溫民多寒熱四月巳不暑民多癉病十月申不寒民多暴死諸所謂風者皆發屋折樹木揚沙石起毫毛發腠理者也

聖郡城函

●大惑論第八十

黃帝問於岐伯曰余嘗上於清冷之臺中階而顧匍匐而前則惑余私異之竊內怪之獨瞑獨視安心定氣久而不解獨博獨眩披髮長跪俛而視之後久之不已也卒然自上何氣使然岐伯對曰

五藏六府之精氣皆上注於目而爲之精精之窠爲眼骨之精爲瞳子筋之精爲黑眼血之精爲絡其窠氣之精爲白眼肌肉之精爲約束裹擷筋骨血氣之精而與脉并爲系上屬於腦後出於項中故邪中於項因逢其身之虚其入深則隨眼系以入於腦入於腦則腦轉腦轉則引目系急目系急則目眩以轉矣邪其精其精所中不相比也則精散精散則視岐視岐見兩物目者五藏六府之精也營衛魂魄之所常營也神氣之所生也故神勞則魂魄散志意亂是故瞳子黑眼法於陰白眼赤脉法於陽也故陰陽合傳而精明也目者心使也心者神之舍也故神精亂而不轉卒然見非常處精神魂魄散不相得故曰惑也黄帝曰余疑其然余每之東苑未曾不惑去之則復余唯獨爲東苑勞神乎何其異也岐伯曰不然也心有所喜神有所惡卒然相感則精氣亂視誤故惑神

移乃復惑故間者爲迷甚者爲惑黄帝曰人之善忘者何氣使然岐伯曰上氣不足下氣有餘腸胃實而心肺虚虚則營衛留於下久之不以時上故善忘也黄帝曰人之善飢而不嗜食者何氣使然岐伯曰精氣并於脾熱氣留於胃胃熱則消穀穀消故善飢胃氣逆上則胃脘寒故不嗜食也黄帝曰病而不得卧者何氣使然岐伯曰衛氣不得入於陰常留於陽留於陽則陽氣滿陽氣滿則陽蹻盛不得入於陰則陰氣虚故目不瞑矣黄帝曰病目而不得視者何氣使然岐伯曰衛氣留於陰不得行於陽留於陰則陰氣盛陰氣盛則陰蹻滿不得入於陽則陽氣虚故目閉也黄帝曰人之多卧者何氣使然岐伯曰此人腸胃大而皮膚濕而分肉不解焉腸胃大則衛氣留久皮膚濕則分肉不解其行遲夫衛氣者晝日常行於陽夜行於陰故陽氣盡則卧陰氣盡則寤故腸胃大則

衛氣行留久皮膚溫分肉不解則行遲留於陰也久其氣不精則欲瞑故多卧矣其腸胃小皮膚滑以緩分肉解利衛氣之留於陽也久故少瞑焉黃帝曰其非常經也卒然多卧者何氣使然岐伯曰邪氣留於上膲上膲閉而不通已食若飲湯衛氣留久於陰而不行故卒然多卧焉黃帝曰善治此諸邪奈何岐伯曰先其藏府誅其小過後調其氣盛者寫之虛者補之必先明知其形志之苦樂定乃取之

瞑莫[illegible]切 膲焦 神 分扶文

● 癰疽第八十一

黃帝曰余聞腸胃受穀上膲出氣以溫分肉而養骨節通腠理中膲出氣如露上注谿谷而滲孫脉津液和調變化而赤爲血血和則孫脉先滿溢乃注於絡脉皆盈乃注於經脉陰陽已張因息乃行行有經紀周有道理與天合同不得休止切而調之從虛去實

寫則不足疾則氣減留則先後從實去虛補則有餘血氣已調形氣乃持余已知血氣之平與不平未知癰疽之所從生成敗之時死生之期有遠近何以度之可得聞乎岐伯曰經脈留行不止與天同度與地合紀故天宿失度日月薄蝕地經失紀水道流溢草萱不成五穀不殖徑路不通民不往來巷聚邑居則別離異處血氣猶然請言其故夫血脈營衛周流不休上應星宿下應經數寒邪客於經絡之中則血泣血泣則不通不通則衛氣歸之不得復反故癰腫寒氣化爲熱熱勝則腐肉肉腐則爲膿膿不寫則爛筋筋爛則傷骨骨傷則髓消不當骨空不得泄寫血枯空虛則筋骨肌肉不相榮經脈敗漏熏於五藏藏傷故死矣黃帝曰願盡聞癰疽之形與忌曰名岐伯曰癰發於嗌中名曰猛疽猛疽不治化爲膿膿不寫塞咽半日死其化爲膿者寫則合豕膏冷食三日而已

發於頸名曰夭疽其癰大以赤黑不急治則熱氣下入淵腋前傷任脈內熏肝肺熏肝肺十餘日而死矣陽留大發消腦留項名曰腦爍其色不樂項痛而如刺以針煩心者死不可治發於肩及臑名曰疵癰其狀赤黑急治之此令人汗出至足不害五藏癰發四五日逞焫之發於腋下赤堅者名曰米疽治之以砭石欲細而長踈砭之塗已豕膏六日已勿裹之其癰堅而不潰者為馬刀挾癭急治之發於胸名曰井疽其狀如大豆三四日起不早治下入腹不治七日死矣發於膺名曰甘疽色青其狀如穀實菰瓜常苦寒熱急治之去其寒熱十歲死死後出膿發於脇名曰敗疵敗疵者女子之病也灸之其病大癰膿治之其中乃有生肉大如赤小豆剉陵翹草根各一升以水一斗六升煮之竭為取三升則強飲厚衣坐於釜上令汗出至足已發於股脛名曰股脛疽其狀不甚變

而癰膿搏骨不急治三十日死矣發於尻名曰銳疽其狀赤堅大
急治之不治三十日死矣發於股陰名曰赤施不急治六十日死
在兩股之內不治十日而當死發於膝名曰疵癰其狀大癰色不
變寒熱如堅石勿石石之者死須其柔乃石之者生諸癰疽之發
於節而相應者不可治也發於陽者百日死發於陰者三十日死
發於脛名曰兔齧其狀赤至骨急治之不治害人也發於內踝名
曰走緩其狀癰也色不變數石其輸而止其寒熱不死發於足上
下名曰四淫其狀大癰急治之百日死發於足傍名曰厲癰其狀
不大初如小指發急治之去其黑者不消輒益不治百日死發於
足指名脫癰其狀赤黑死不治不赤黑不死不衰急斬之不則死
矣黃帝曰夫子言癰疽何以別之岐伯曰營衛稽留於經脈之中
則血泣而不行不行則衛氣從之而不通壅遏而不得行故熱大

熱不止熱勝則肉腐肉腐則為膿然不能陷骨髓不為燋枯五藏不為傷故命曰癰黄帝曰何謂疽岐伯曰熱氣淳盛下陷肌膚筋髓枯内連五藏血氣竭當其癰下筋骨良肉皆無餘故命曰疽疽者上之皮夭以堅上如牛領之皮癰者其皮上薄以澤此其候也

音叠切魚亂 血泣音澁 䐃古括切 膫到切 髎力升切

不則上朏 夭音么色不明也

京本黄帝　樞經卷十五